2.00

11/23

D1235413

RACONTEZ-MOI
VOS RÊVES

DU MÊME AUTEUR

JENNIFER OU LA FUREUR DES ANGES, Denoël, 1981.

JENNIFER, Gallimard, 1982.

MAÎTRESSE DU JEU, Denoël, 1983; Gallimard, 1988.

SI C'ÉTAIT DEMAIN, Stock, 1987; LGF, 1989.

UN ANGE À BUCAREST, Stock, 1988.

LES SABLES DU TEMPS, Presses de la Cité, 1990; Presses-Pocket, 1991.

QUAND REVIENDRA LE JOUR, Presses de la Cité, 1991; Presses-Pocket, 1992.

OPÉRATION JUGEMENT DERNIER, Presses de la Cité, 1992; Presses-Pocket, 1992.

LE FEU DES ÉTOILES, Presses de la Cité, 1993.

RIEN N'EST ÉTERNEL, Coll. « Grand Format » , Grasset, 1995.

MATIN, MIDI & SOIR, Coll. « Grand Format » , Grasset, 1996.

UN PLAN INFAILLIBLE, Coll. « Grand Format » , Grasset, 1998.

SIDNEY SHELDON

RACONTEZ-MOI VOS RÊVES

roman

Traduit de l'américain
par
RICHARD CREVIER

BERNARD GRASSET
PARIS

L'édition originale de cet ouvrage a été publiée par William Morrow and Company,
Inc., à New York, en 1998, sous le titre :

TELL ME YOUR DREAMS

© 1998 by The Sidney Sheldon Family Limited Partnership.
© Éditions Grasset & Fasquelle, 2000, pour la traduction française.

*Aux deux Larry, Larry Hughes et Larry Kirshbaum,
mes deux sherpas littéraires.*

LIVRE I

CHAPITRE PREMIER

Quelqu'un la suivait.

Elle avait entendu parler de harcèlement mais ceux qui s'y livraient appartenaient à un autre monde, un monde violent.

Elle ignorait complètement de qui il s'agissait, qui pouvait lui vouloir du mal.

Elle faisait de son mieux pour ne pas s'affoler mais, depuis quelque temps, son sommeil était troublé de cauchemars insupportables et elle se réveillait tous les matins avec un sentiment de catastrophe imminente. *Je suis peut-être le jouet de mon imagination*, pensa Ashley Patterson. *Je travaille trop. J'ai besoin de vacances.*

Elle se retourna pour s'examiner dans le miroir de sa chambre. Elle y vit le reflet d'une femme approchant la trentaine, soigneusement vêtue, mince, au visage racé, percé d'yeux bruns, intelligents et inquiets. Elle affichait une élégance discrète qui lui conférait un charme subtil. Sa souple chevelure noire lui tombait aux épaules. *Je déteste mon apparence actuelle*, pensa Ashley. *Je suis trop maigre. Je devrais manger davantage.* Elle se rendit à la cuisine et s'efforça d'oublier ses frayeurs pour se concentrer tout entière sur la concoction d'une omelette onctueuse. Elle alluma le percolateur et glissa une tranche de pain dans le grille-pain. Dix minutes plus tard, tout fut prêt. Elle mit la table et s'assit. Elle prit une fourchette, regarda quelques instants la nourriture posée devant elle et secoua la tête de désespoir. La peur lui coupait l'appétit.

11

Ça ne peut pas continuer comme ça, pensa-t-elle avec irritation. *Je ne connais pas l'identité de celui qui me suit mais je ne me laisserai pas faire. Pas question.*

Ashley consulta sa montre. C'était l'heure d'aller travailler. Elle regarda autour d'elle comme pour se raccrocher au spectacle familier. C'était un trois pièces joliment meublé, situé dans Via Camino Court, qui comprenait un séjour, une chambre avec alcôve, une salle de bains et un petit cabinet de toilette pour les invités. Elle habitait Cupertino, une ville californienne, depuis trois ans. Jusqu'à la semaine précédente, elle y voyait encore un petit nid douillet, un havre de paix. Depuis, l'appartement s'était transformé pour elle en forteresse, en un lieu où personne ne pourrait l'assaillir. Elle alla à la porte d'entrée et examina la serrure. *Je vais faire installer un verrou de sûreté*, pensa-t-elle. *Demain.* Elle éteignit toutes les lumières, s'assura en sortant que la porte était bien fermée derrière elle, et prit l'ascenseur pour descendre au parking. Il était désert.

Sa voiture était garée à sept ou huit mètres de l'ascenseur. Elle regarda attentivement aux alentours puis courut vers la voiture, se glissa derrière le volant et verrouilla les portières, le cœur battant. Elle prit la direction du centre-ville sous un ciel maussade, sombre et menaçant. La météo annonçait de la pluie. *Mais il ne pleuvra pas*, pensa-t-elle. *Le soleil va percer les nuages. Je te propose un marché, Dieu. S'il ne pleut pas, cela voudra dire que tout va bien, que je me suis fait des idées.*

Dix minutes plus tard, elle traversait le centre-ville de Cupertino. Elle s'étonnait toujours de ce qu'était devenu, comme par miracle, ce petit coin endormi de la vallée de Santa Clara. Celle-ci, située à quatre-vingts kilomètres au sud de San Francisco, avait été le berceau de la révolution informatique et surnommée, fort à propos, Silicon Valley.

Ashley travaillait pour la Global Computer Graphics Corporation, une jeune entreprise en plein essor qui employait deux cents personnes.

En tournant dans Silverado Street, elle eut la sensation désagréable qu'*il* était derrière elle, qu'*il* la suivait. *Mais qui ? Et pourquoi ?* Elle regarda dans son rétroviseur. Tout paraissait normal.

Mais chaque fibre de son être lui disait le contraire.

Devant elle s'étendait l'édifice moderne, tout en longueur, de Global Computer Graphics. Elle pénétra dans le parc de stationnement, présenta sa carte d'identité au vigile et alla se garer à la place qui lui était réservée. Elle s'y sentit en sécurité.

Il se mit à pleuvoir au moment même où elle descendait de voiture.

Il était neuf heures et Global Computer Graphics vrombissait d'activité. Il y avait quatre-vingts boxes modulaires occupés par de petits prodiges de l'informatique, tous jeunes, qui s'employaient à construire des sites sur le Web, à créer des logos pour des entreprises nouvelles, des maquettes de CD ou de livres, et à composer des illustrations de magazines. Cet étage était divisé en plusieurs services : administration, ventes, marketing et support technique. L'ambiance était décontractée. Le personnel allait et venait en jean, en débardeur et en pull.

Ashley se dirigeait vers son bureau lorsque son chef de service, Shane Miller, s'approcha d'elle. « Bonjour, Ashley. »

Shane Miller, âgé d'une trentaine d'années, était un homme de forte carrure, consciencieux et attachant. Au début, il avait essayé de mettre Ashley dans son lit mais, de guerre lasse, il avait abandonné la partie et ils étaient devenus bons amis.

Il tendit à Ashley le dernier numéro de *Time*. « Tu as vu ça ? »

Elle regarda la couverture du magazine. On y voyait la photo d'un quinquagénaire à l'air distingué et à la chevelure argentée. La légende disait : LE DR STEVEN PATTERSON, LE PÈRE DE LA NOUVELLE MICROCHIRURGIE CARDIAQUE.

« Je l'avais vu.

— Quelle sensation ça fait d'avoir un père célèbre ? »

Ashley sourit. « Magnifique.

— C'est un grand homme.

— Je lui transmettrai ton compliment. Je déjeune avec lui ce midi.

— Bien. A propos... » Shane Miller montra à Ashley la photo d'une vedette de cinéma qui allait figurer dans une pub pour un client.

« Nous avons un petit problème avec elle. Desiree a pris à peu près cinq kilos et ça se voit. Regarde comme elle a les yeux cernés. Même maquillée, elle a la peau couperosée. Penses-tu pouvoir y remédier ? »

Ashley examina la photo. « Je peux lui arranger les yeux par de l'estompage. Je pourrais peut-être essayer de lui amincir le visage en utilisant l'outil de distorsion, mais... Non. Ça finirait sans doute par la vieillir. » Elle étudia de nouveau la photo. « Je vais devoir utiliser l'aérographe ou cloner certaines parties du visage.

— Merci. Ça tient toujours pour samedi soir ?

— Oui. »

Shane Miller hocha la tête à l'adresse de la photo. « Ça ne presse pas. Ils la voulaient le mois dernier. »

Ashley sourit. « Rien que ça ? »

Elle se mit au travail. Spécialisée en publicité et en gra-phisme, elle créait des maquettes dont elle faisait aussi bien les textes que les visuels.

Une demi-heure plus tard, elle travaillait sur la photo que lui avait remise Shane, lorsqu'elle se sentit observée. Elle leva les yeux. C'était Dennis Tibble.

« Bonjour, Beauté. »

Sa voix avait le don de lui taper sur les nerfs. Tibble était le génie informatique de la boîte, où on l'appelait le Réparateur. Dès qu'un ordinateur tombait en panne, on faisait appel à lui. Agé d'une trentaine d'années, mince et chauve, il avait une attitude désagréable, arrogante. C'était un obsessionnel et la rumeur courait dans l'entreprise qu'il avait jeté son dévolu sur Ashley.

« Tu as besoin d'aide ?

— Non, merci.

— Dis donc, que dirais-tu d'un petit dîner en tête à tête avec moi samedi ?

— Je te remercie. Je suis prise.

— Tu sors encore avec le patron ? »

Ashley, en colère, se retourna pour le regarder. « Ecoute, ce n'est pas tes...

— Je ne sais pas ce que tu lui trouves, de toute façon. Il est gauche, borné. Tu prendrais davantage ton pied avec moi. » Il lui adressa un clin d'œil. « Tu vois ce que je veux dire ? »

Elle dut prendre sur elle pour ne pas exploser. « J'ai du travail, Dennis. »

Tibble se pencha pour lui parler à l'oreille. « S'il y a une chose que tu finiras par comprendre à mon sujet, Poupée, c'est que je n'abandonne jamais. Jamais. »

Elle le regarda s'éloigner en se demandant : *Et si c'était lui ?*

A midi et demi, elle mit son ordinateur en sommeil et prit la direction du restaurant Margherita di Roma où elle avait rendez-vous avec son père pour déjeuner.

Assise à une table d'angle, dans le restaurant bondé, elle regarda son père venir vers elle. Elle dut convenir qu'il était effectivement bel homme. On se retourna sur son passage tandis qu'il approchait de sa table. *Quelle sensation ça fait d'avoir un père célèbre ?*

Plusieurs années auparavant, le Dr Steven Patterson avait été l'un des premiers à pratiquer la microchirurgie cardiaque. Il était constamment invité à donner des conférences dans de grands hôpitaux du monde entier. Ashley, qui avait perdu sa mère à douze ans, n'avait que son père au monde.

« Excuse-moi, je suis en retard, Ashley. » Il se pencha pour l'embrasser sur la joue.

« Ça va. Je viens tout juste d'arriver. »

Il s'assit. « Tu as vu le dernier numéro de *Time* ?

— Oui. Shane me l'a montré. »

Il fronça les sourcils. « Shane ? Ton patron ?

— Ce n'est pas mon patron. C'est... c'est l'un des chefs de service.

— Il n'est jamais bon de mêler la vie professionnelle et le plaisir, Ashley. Tu le vois en dehors du travail, n'est-ce pas ? Tu as tort.

— Papa, nous sommes seulement de bons... »

Un garçon s'approcha de leur table. « Désirez-vous voir le menu ? »

Le Dr Patterson se tourna vers lui et jeta d'une voix tranchante : « Vous ne voyez pas que nous sommes en pleine conversation ? Débarrassez le plancher et attendez qu'on vous fasse signe.

— Je... excusez-moi », balbutia la garçon qui fit demi-tour et décampa.

Ashley fut si embarrassée qu'elle aurait voulu rentrer sous terre. Elle avait oublié à quel point son père pouvait être brutal. Il lui était arrivé, durant une opération, de frapper un interne qui avait commis une erreur de jugement. Elle se souvint des engueulades entre lui et sa mère quand elle était petite. Ces querelles la terrifiaient. Ses parents se bagarraient toujours pour le même motif mais elle avait beau faire, elle ne parvenait pas à se rappeler lequel. Elle avait recours à l'amnésie sélective.

Son père reprit, comme s'ils n'avaient pas été interrompus : « Où en étions-nous ? Oh, oui. Tu as tort de sortir avec Shane Miller. Tu commets une grave erreur. »

Et ces paroles lui rappelèrent un autre souvenir atroce.

... Elle entendait la voix de son père qui disait : « Tu as tort de sortir avec Jim Cleary. Tu commets une grave erreur... »

Ashley venait d'avoir dix-huit ans et ils habitaient à Bedford, sa ville natale en Pennsylvanie. Jim Cleary était l'étudiant le plus populaire du high-school. Il jouait dans l'équipe de football, était beau et amusant, sans parler de son sourire irrésistible. Elle avait l'impression que toutes les filles de l'école voulaient coucher avec lui. *Ce qu'elles ont sans doute fait pour la plupart*, se disait-elle sans illusion. Lorsqu'il l'avait invitée à sortir avec lui, elle avait pris la décision ferme de ne pas céder à ses avances. Elle avait d'abord cru qu'il ne s'intéressait à elle que pour le sexe mais, le temps passant, elle s'était ravisée. Elle aimait sa compagnie et il semblait réellement se plaire en la sienne.

Cet hiver-là, la classe de Terminale devait partir en montagne pour un week-end de ski. Jim Cleary adorait skier.

« Nous allons passer un moment superbe, avait-il assuré.

— Je n'y vais pas. »

Il l'avait regardé avec étonnement. « Pourquoi ?

— Je déteste le froid. Même avec des gants, je me gèle les doigts.

— Mais ce sera drôle de...

— Je n'y vais pas. »

Et il était resté à Bedford pour être avec elle.

Ils avaient les mêmes centres d'intérêt, partageaient les mêmes idéaux, et chaque moment qu'ils passaient ensemble était merveilleux.

Lorsque Jim Cleary lui avait dit : « Un type m'a demandé ce matin si tu étais ma copine. Qu'est-ce que j'aurais dû lui dire ? », Ashley avait souri et répondu : « Tu aurais dû répondre oui. »

Le Dr Patterson se faisait du souci. « Tu vois trop ce petit Cleary.

— Papa, c'est un garçon très bien et je l'aime.

— Comment peux-tu l'aimer ? Ce n'est qu'un foutu joueur de *football*. Je ne te laisserai pas épouser un joueur de football. Il n'est pas assez bien pour toi, Ashley. »

Il disait cela de tous les garçons avec qui elle sortait.

Son père s'était abstenu de faire des remarques désobligeantes sur Jim Cleary, mais le drame avait néanmoins éclaté le soir de la remise des diplômes. Jim Cleary devait emmener Ashley à une soirée. Lorsqu'il était passé la prendre, elle sanglotait.

« Qu'est-ce qu'il y a ? Que s'est-il passé ?

— Mon... mon père m'envoie à Londres. Il m'a inscrite dans... dans une université là-bas. »

Jim Cleary l'avait regardée, interloqué. « Il fait ça à cause de nous, n'est-ce pas ? »

Ashley, malheureuse, avait acquiescé.

« Quand pars-tu ?

— Demain.

— Non ! Ashley, pour l'amour de Dieu, ne le laisse pas nous faire ça. Ecoute-moi. Je veux t'épouser. Mon oncle m'a proposé un très bon emploi à Chicago dans son agence de publicité. Nous allons nous enfuir. Retrouve-moi à la gare demain matin. Il y a un train pour Chicago à sept heures. Tu m'accompagneras ? »

Elle l'avait regardé durant un long moment puis avait dit doucement : « Oui. »

Lorsqu'elle y avait repensé par la suite, Ashley avait été incapable de se souvenir de la manière dont s'était déroulée la soirée de remise des diplômes, à laquelle ils étaient finalement allés. Jim et elle l'avaient entièrement passée à faire avec enthousiasme des projets d'avenir.

« Pourquoi n'allons-nous pas à Chicago en avion ? avait-elle demandé.

— Parce que nous serions obligés de donner notre identité à la compagnie d'aviation. Si nous y allons en train, personne ne connaîtra notre destination. »

Au moment où ils quittaient la soirée, Jim Cleary lui avait susurré à l'oreille : « Veux-tu venir chez moi ? Mes parents sont absents pour le week-end. »

Elle avait hésité, partagée. « Jim... nous avons attendu si longtemps. Quelques jours de plus ne changeront pas grand-chose.

— Tu as raison. » Puis avec un grand sourire : « Je serai le premier homme de ce continent à épouser une vierge. »

Lorsque Jim Cleary l'avait ramenée chez elle ce soir-là, le Dr Patterson les attendait, vert de rage. « Vous savez quelle heure il est ?

— Je m'excuse, Monsieur. La soirée...

— Ne me servez pas vos foutues excuses, Cleary. Allez raconter vos salades à d'autres.

— Je ne...

— A partir de maintenant, vous allez ôter vos sales pattes de sur ma fille, c'est compris ?

— Papa...

— Toi, ne te mêle pas de ça. » Il hurlait. « Cleary, vous allez ficher le camp d'ici tout de suite et je ne veux plus vous revoir.

— Monsieur, votre fille et moi...

— Jim...

— Monte à ta chambre.

— Monsieur...

— Si jamais vous remettez les pieds ici, je vous écrabouille. »

Ashley ne l'avait jamais vu aussi furieux. A la fin, tout le monde criait. Quand tout avait été terminé, Jim était parti, laissant Ashley en larmes.

Je ne vais pas laisser mon père se conduire comme ça avec moi, avait-elle pensé, bien résolue à ne pas céder. *Il veut détruire ma vie.* Elle était restée un long moment assise sur son lit. *Jim est mon avenir. Je veux être avec lui. Je ne suis plus chez moi ici.* Elle s'était levée et avait commencé à remplir un nécessaire de voyage. Trente minutes plus tard, elle s'éclipsait en douce par la porte arrière de la maison et se dirigeait vers le domicile de Jim, une douzaine de rues plus loin. *Je vais passer la nuit avec lui et nous prendrons le train de Chicago demain matin.* Mais en arrivant près de chez Jim, elle s'était ravisée : *Non. J'ai tort de faire ça. Je ne veux pas tout gâcher. Je le retrouverai à la gare.*

19

Elle avait fait demi-tour et était revenue chez elle.

... Et avait passé le reste de la nuit debout, à penser à la vie merveilleuse qu'elle aurait avec Jim. A 5 h 30, elle avait pris son sac de voyage et était passée silencieusement devant la porte close de la chambre de son père. Elle était sortie furtivement de la maison et avait pris un bus jusqu'à la gare. A son arrivée, Jim n'y était pas encore. Elle était en avance. Le train ne partait qu'une heure plus tard. Elle s'était assise sur un banc pour attendre, impatiente. Elle s'était imaginé son père ne la trouvant pas à son réveil. Il allait être furieux.

Mais je ne peux pas le laisser vivre ma vie à ma place. Un jour, il finira par connaître Jim et verra quelle chance j'ai.

6 h 30... 6 h 40... 6 h 45... 6 h 50... Jim ne donnait toujours pas signe de vie. Elle commençait à s'affoler. Qu'avait-il bien pu se passer? Elle avait décidé de lui téléphoner. Pas de réponse. 6 h 55... *Il sera là d'un moment à l'autre.* Elle entendit le train siffler au loin et consulta une fois de plus sa montre. 6 h 59. Le train entrait en gare. Elle se leva et jeta un regard éperdu à la ronde. *Il lui est arrivé quelque chose de terrible. Il a eu un accident. Il est à l'hôpital.* Quelques minutes plus tard, Ashley avait assisté, impuissante, au départ du train de Chicago qui emportait tous ses rêves. Elle avait attendu encore une demi-heure, et de nouveau essayé de joindre Jim au téléphone. Comme on ne répondait toujours pas, elle était lentement retournée chez elle, désolée.

A midi, son père et elle s'étaient envolés pour Londres.

Elle y avait fait deux ans d'université puis, ayant décidé d'acquérir une formation en informatique, avait sollicité une bourse pour étudier à l'université de Santa Cruz, en Californie. Sa demande avait été acceptée et, trois ans plus tard, elle avait été recrutée par la Global Computer Graphics Corporation.

Au début, elle avait écrit à Jim Cleary une demi-douzaine de lettres qu'elle avait toutes déchirées sans les envoyer. La façon dont il s'était conduit et son silence ne lui disaient que trop clairement ce qu'il éprouvait à son égard.

La voix de son père la ramena brutalement à la réalité présente.

« Tu as l'air absent. A quoi penses-tu ? »

Ashley examina son père par-dessus la table. « A rien. »

Le Dr Patterson fit signe au garçon à qui il adressa un sourire aimable et dit : « Nous sommes maintenant prêts à consulter le menu. »

Ce ne fut qu'en revenant au bureau qu'Ashley se rendit compte qu'elle avait oublié de féliciter son père de faire la une de *Time*.

Lorsqu'elle arriva à sa table de travail, Dennis Tibble l'y attendait.

« Il paraît que tu as déjeuné avec ton père. »

Ce petit salaud a une mentalité de concierge. Il se croit tenu de savoir tout ce qui se passe dans la boîte. « Oui, en effet.

— Ça n'a pas dû être très marrant. » Il baissa la voix. « Pourquoi refuses-tu toujours de déjeuner avec moi ?

— Dennis... Je te l'ai déjà dit. Je n'en ai pas envie. »

Il se fendit d'un grand sourire. « Ça viendra. Attends, tu verras. »

Il y avait quelque chose d'étrange dans son expression, d'effrayant. Elle se demanda une fois de plus s'il se pouvait que ce fût lui qui... Elle secoua la tête. *Non.* Il ne fallait plus y penser et continuer comme si de rien n'était.

En rentrant chez elle, Ashley s'arrêta et se gara devant la librairie Apple Tree. Avant d'y entrer, elle examina le reflet de la rue dans la devanture pour voir s'il y avait derrière elle quelqu'un qu'elle reconnaissait. Personne. Elle pénétra dans la librairie.

Un jeune vendeur se porta à sa rencontre. « Puis-je vous être utile ?

— Oui. Je... Avez-vous un livre sur les harceleurs ? »

21

Il lui adressa un regard intrigué. « *Les harceleurs ?* »

Elle se sentit stupide. Elle ajouta rapidement : « Oui. Je voudrais aussi un livre sur... heu... le jardinage et la faune africaine.

— Sur les harceleurs, le jardinage et la faune africaine ?

— C'est ça », dit-elle d'un ton ferme.

Qui sait ? Peut-être qu'un jour j'aurai un jardin et que je ferai un voyage en Afrique.

Lorsqu'elle revint à sa voiture, il pleuvait de nouveau. Elle démarra tandis que la pluie qui battait son pare-brise fracturait l'espace et transformait devant elle les rues en autant de tableaux pointillistes aux effets irréels. Elle mit les essuie-glace en marche. Ils commencèrent à balayer le pare-brise en sifflant quelque chose comme « Il va t'avoir... va t'avoir... va t'avoir... » Ashley arrêta aussitôt les essuie-glace. Non, pensa-t-elle. Ils disent : « *Il n'y a personne... il n'y a personne... il n'y a personne...* »

Elle les remit en marche. « Il va t'avoir... va t'avoir... va t'avoir... »

Elle se gara au parking et appela l'ascenseur. Deux minutes plus tard, elle sortait dans le couloir menant à son appartement. Parvenue devant l'entrée, elle engagea la clé dans la serrure, ouvrit la porte et se figea sur place.

Toutes les lumières étaient allumées chez elle.

CHAPITRE DEUX

Il court, il court le furet
Le furet des bois, mesdames.
Il court, il court le furet,
Le furet des bois jolis.
Il est passé par ici. Il repassera par là.
Il court, il court...

Toni Prescott savait pertinemment pour quelle raison elle aimait chanter cette comptine idiote. Sa mère la détestait. « *Cesse de chanter cette chanson stupide. Tu m'entends ? De toute façon, tu chantes faux.*

— *Oui, maman.* » Et Toni continuait de la chanter en sourdine.

Il y avait longtemps de cela, mais le souvenir d'avoir ainsi défié sa mère procurait encore à Toni comme un sentiment d'exaltation.

Toni Prescott détestait travailler pour Global Computer Graphics. Agée de vingt-deux ans, elle était espiègle, vive, et n'avait pas froid aux yeux. Elle était tout feu tout flamme, mais telle la braise qui couve sous la cendre. Elle avait le visage mutin et séduisant, l'œil brun et malicieux. Née à Londres, elle parlait anglais avec un charmant accent britannique. Elle était athlétique et aimait le sport, surtout les sports d'hiver : le ski, le bobsleigh et le patin.

Durant ses années d'université, à Londres, Toni s'habillait de manière classique durant la journée mais, le soir, elle endossait une minijupe et tout l'attirail d'une fêtarde pour faire la tournée des grands-ducs. Elle passait alors ses soirées et ses nuits à l'Electric Ballroom dans Camden High Street, au Subterania et au Leopold Lounge, où elle fréquentait le petit monde branché du West End. Elle avait une voix superbe, provocante et sensuelle, et il lui arrivait dans certaines boîtes de nuit de se mettre au piano et de chanter, avec les applaudissements des noctambules. C'est dans ces moments-là qu'elle se sentait vivre le plus intensément.

Dans ces boîtes de nuit, le scénario était immanquablement le suivant :

« Sais-tu que tu chantes incroyablement bien, Toni ?

— Merci.

— Puis-je t'offrir un verre ? »

Elle souriait. « Un Pimm's ne serait pas de refus.

— Avec plaisir. »

Et les choses se terminaient toujours de la même manière. Le dragueur se penchait vers elle et lui chuchotait à l'oreille : « Si on allait chez moi tirer un coup ?

— Va te faire voir ! » Et Toni quittait les lieux. Elle restait éveillée la nuit à penser à la bêtise des hommes et à quel point il était facile de les manipuler. Ces pauvres cons ne le savaient pas, mais ils *voulaient* être manipulés. C'était un besoin chez eux.

Elle avait alors quitté Londres pour Cupertino. Ses débuts dans cette ville avaient été catastrophiques. Elle haïssait Cupertino et avait horreur de travailler pour Global Computer Graphics. Elle en avait assez d'entendre parler d'entrées et de sorties informatiques, de banques de données, de demi-tons et de tabulations. Elle regrettait douloureusement la trépidante vie nocturne de Londres. Elle fréquentait les rares boîtes de nuit des environs de Cupertino : San Jose Live, P.J. Mulligan ou Hollywood Junction. Elle portait alors des minijupes ser-rées, des décolletés profonds et des chaussures à talons hauts de douze centimètres ou des cothurnes à épaisses semelles compensées en liège. Elle se maquillait abondamment – fond de teint, rimmel, faux cils, mascara et rouge à lèvres brillant. On eût dit qu'elle essayait de cacher sa beauté.

Parfois, le week-end, elle allait en voiture à San Francisco, une ville où ça bougeait vraiment. Elle fréquentait les restaurants et les boîtes où l'on faisait de la musique. Elle allait au Harry Denton's, au restaurant One Market et au California Café, où, à un moment ou un autre dans la soirée, pendant la pause des musiciens, elle se mettait au piano et chantait. La clientèle était ravie. Au moment de payer, les propriétaires disaient : « Non, c'est offert par la maison. Vous êtes merveilleuse. Je vous en prie, revenez nous voir. »

Tu as entendu, maman ? « Vous êtes merveilleuse. Je vous en prie, revenez nous voir. »

Un samedi soir, Toni était en train de dîner dans la salle à manger du Cliff Hôtel, baptisée la French Room. Les musiciens venaient de terminer leur *set* et quittaient l'estrade. Le maître d'hôtel se tourna vers Toni et, d'un hochement de tête, lui adressa une invite.

Elle se leva et traversa la salle en direction du piano. S'y asseyant, elle se mit à jouer et à chanter l'un des tout premiers morceaux de Cole Porter. Lorsqu'elle eut fini, des applaudissemnts frénétiques éclatèrent. Elle chanta deux autres chansons et retourna à sa table.

Un homme chauve, d'âge moyen, s'approcha d'elle. « Excusez-moi. Puis-je m'asseoir quelques instants à votre table ? »

Toni allait refuser lorsque l'inconnu ajouta : « Je suis Norman Zimmerman. Je monte actuellement une tournée de la comédie musicale de Richard et Hammerstein *The King and I*. J'aimerais vous en dire un mot. »

Toni venait justement de lire un article enthousiaste au sujet de Zimmerman. On parlait de lui comme d'un metteur en scène de génie.

Il s'assit. « Vous avez énormément de talent, ma petite. Vous perdez votre temps dans des endroits comme celui-ci. Vous devriez être à Broadway. »

Broadway. Tu as entendu ça, maman ?

« J'aimerais vous faire passer une audition pour...

— Je regrette. Je ne peux pas. »

Il la regarda, tout étonné. « Cela vous ouvrirait des tas de portes. Je suis sérieux. Je pense que vous ne vous doutez pas de l'immense talent qui est le vôtre.

— J'ai un travail.

— Que faites-vous, si je puis me permettre ?

— Je travaille pour une société informatique.

— Voici ce que je vous propose. Je vous paierai au début le double de votre salaire actuel et...

— Je suis sensible à votre offre, mais je... je ne peux pas. »

Zimmerman n'en revenait pas. « Le monde du spectacle ne vous intéresse pas ?

— Au contraire.

— Alors, où est le problème ? »

Toni hésita puis dit en pesant bien ses mots : « Je serais sans doute obligée d'abandonner au milieu de la tournée.

— A cause de votre mari ou... ?

— Je ne suis pas mariée.

— Je ne comprends pas. Vous dites que la scène vous intéresse. Ce serait une façon idéale de vous faire connaître et de...

— Je regrette. Ce serait trop long à expliquer. »

Si je tentais de lui expliquer, il ne comprendrait pas, pensa Toni, qui se sentait pitoyable. *Personne ne pourrait comprendre. C'est la malédiction avec laquelle je suis obligée de vivre. Pour toujours.*

Quelques mois après avoir commencé à travailler à Global Computer Graphics, Toni avait découvert Internet, le sésame mondial permettant de faire des rencontres masculines.

Elle était en train de dîner au restaurant le Duc d'Edimbourg avec Kathy Healy, une amie qui travaillait pour une société informatique rivale. Le restaurant était un authentique pub anglais que l'on avait démonté, chargé dans des containers et expédié en Californie. Toni y allait pour manger des *fish and chips* cockney, des côtes de bœuf avec du pudding à la Yorkshire, des saucisses à la purée et des diplomates anglais aux cerises. *Un peu de terre natale à mes semelles*, pensait-elle. *Il faut que je garde mes racines.*

Elle regarda Kathy. « J'ai un service à te demander.

— Je t'écoute.

— Je voudrais que tu m'aides à utiliser Internet. Que tu me montres comment ça marche.

— Toni, le seul ordinateur auquel j'aie accès est celui du boulot et l'entreprise n'aime pas beaucoup qu'on...

— Que l'entreprise aille se faire voir. Tu sais te servir d'Internet, oui ou non ?

— Oui. »

Elle tapota la main de Kathy Healy et sourit : « Parfait. »

Le lendemain soir, Toni alla retrouver Kathy à son bureau et celle-ci l'initia à l'univers d'Internet. Après avoir cliqué sur l'icône d'Internet, Kathy entra son code personnel et attendit quelques instants que la connexion s'établisse, puis double-cliqua sur une autre icône et eut accès à un salon de conversation. Toni resta bouche bée de stupéfaction en regardant s'instaurer ainsi, par le seul miracle de quelques touches, des dialogues entre des gens de la terre entière.

« Il faut que je m'y mette ! dit-elle. Je vais m'acheter un ordinateur personnel. Tu voudras bien être sympa et me brancher sur Internet ?

— Bien sûr. C'est facile. Tu n'auras qu'à cliquer avec ta souris sur un site et...

— Comme dit la chanson : "Ne me le dis pas, montre-le-moi." »

Le soir suivant, Toni était sur Internet et, à partir de ce jour, sa vie changea. Elle ne s'ennuyait plus. La Toile était devenu un tapis volant qui la transportait partout dans le monde. Aussitôt rentrée du travail, elle allumait son ordinateur et se mettait en-ligne pour explorer les divers salons de conversation accessibles.

C'était d'une simplicité enfantine. Elle accédait à Internet, appuyait sur une touche, et une fenêtre s'ouvrait sur l'écran, découpée en une partie supérieure et une partie inférieure. Elle tapait : « Bonjour. Il y a quelqu'un ? »

Sur la partie inférieure de l'écran apparaissaient par exemple les mots : « Bob. Je suis là. A toi. »

Elle était prête à faire connaissance avec le monde entier.

Il y eut Hans, un Hollandais :

« Parle-moi de toi, Hans.

— Je suis DJ à Amsterdam, dans une grande boîte de nuit. Je suis dans le hip-hop, le rave, le world beat. Tout ce que tu veux. »

Elle répondit en tapant : « Ça doit être formidable. J'adore danser. Je suis capable de danser une nuit entière. J'habite une horrible petite ville où il ne se passe rien à part quelques soirées disco.

— Ça n'a pas l'air gai.

— Tu peux le dire.

— Et si tu me laissais te remonter le moral ? Tu crois que nous aurons l'occasion de nous voir ?

— Merci merci. » Elle quitta le salon de conversation.

Il y eut Paul, un Sud-Africain.

« Je t'attendais pour me remettre en-ligne, Toni.

— Je suis là. Je meurs d'envie de tout savoir sur toi, Paul.

— J'ai trente-deux ans. Je suis médecin dans un hôpital de Johannesbourg. Je... »

Toni coupa rageusement la communication. *Un médecin !* Des souvenirs atroces déferlèrent dans son esprit. Elle ferma les yeux durant quelques instants, le cœur battant. Elle prit plusieurs inspirations profondes. *Ça suffit pour ce soir,* pensa-t-elle, toute tremblante. Elle alla se coucher.

Le lendemain soir, elle revint sur Internet. Cette fois, Sean, un Irlandais de Dublin, était en-ligne.

« Toni... C'est un joli nom.

— Merci, Sean.

— Es-tu déjà allée en Irlande ?

— Non.

— Tu adorerais. C'est le pays des farfadets. Décris-moi ton apparence, Toni. Je parie que tu es belle.

— Tu as raison. Je suis belle. Je suis excitante et célibataire. Que fais-tu dans la vie, Sean ?

— Je suis barman. Je... »

Toni mit un terme à la conversation.

C'était chaque soir différent. Il y eut un joueur de polo argentin, un concessionnaire de voitures japonais, un employé d'un grand magasin de Chicago, un technicien en télévision de New York. Le Net était un terrain de jeu fascinant, et Toni s'y donnait à plein. Elle pouvait aller aussi loin qu'elle voulait tout en se sachant en sécurité grâce à l'anonymat.

Et puis, un soir, dans un salon de conversation en-ligne, elle fit la connaissance de Jean-Claude Parent.

« *Bonsoir*, tapa celui-ci en français. Je suis heureux de te rencontrer, Toni, continua-t-il en anglais.

— Moi aussi, Jean-Claude. Où es-tu ?

— A Québec.

— Je ne suis jamais allée au Québec. Crois-tu que ça me plairait ? »

Toni s'attendait à voir apparaître le mot *oui* sur l'écran.

Au lieu de cela, Jean-Claude tapa : « Je ne sais pas. Ça dépend du type de personne que tu es. »

Elle fut intriguée par ce genre de réponse. « Vraiment ? Quelle sorte de personne devrais-je être pour me plaire au Québec ?

— Le Québec ressemble à l'Amérique du Nord à l'époque coloniale. Le français y domine. Les Québécois ont l'esprit indépendant. Nous n'aimons recevoir d'ordre de personne.

— Moi non plus, tapa Toni.

— Alors ça te plairait. La ville de Québec est très belle, elle est entourée de montagnes et de lacs superbes, c'est un paradis pour la chasse et la pêche. »

En lisant les mots qui apparaissaient sur l'écran, Toni partagea presque l'enthousiasme de Jean-Claude. « Parle-moi de toi.

— *Moi ?* tapa Jean-Claude en français. Il n'y a pas grand-chose à dire. J'ai trente-huit ans, célibataire. Je sors d'une relation amoureuse et j'aimerais vivre avec la femme de ma vie. Et toi ? Es-tu mariée ?

— Non, tapa Toni. Moi aussi je cherche l'âme sœur. Que fais-tu dans la vie ?

— Je suis propriétaire d'une petite bijouterie. J'espère que tu viendras me voir un de ces jours.

— C'est une invitation ?

— *Mais oui*, tapa Jean-Claude en français. Oui.

— Ça me plairait », tapa Toni. Et elle était sérieuse. *Je trouverai peut-être le moyen d'y aller*, pensa-t-elle. *Peut-être est-ce la personne qui peut me sauver.*

Elle communiqua avec Jean-Claude Parent presque tous les soirs. Il lui avait scanné une photo de lui et elle l'avait trouvé très séduisant, l'air intelligent.

Lorsque Jean-Claude vit la photo que Toni lui avait scannée à son tour, il lui écrivit : « Tu es très belle, *ma chérie*. Je le savais. Je t'en prie, viens me voir.

— Je viendrai.

— Bientôt.

— Si si. » Elle coupa la communication.

Au travail, le lendemain matin, Toni entendit Shane Miller parler à Ashley Patterson et pensa : *Mais qu'est-ce qu'il lui trouve ? Cette fille est une parfaite nullité.* Dans l'esprit de Toni, Ashley était une sainte-nitouche frustrée sur le retour. *Elle ne sait même pas ce que c'est que de s'amuser*, pensait Toni. Rien en Ashley ne trouvait grâce à ses yeux. Ashley était une vieille baderne qui aimait rester chez elle le soir pour lire ou regarder à la télé une émisson culturelle ou CNN. Le sport ne l'intéressait pas. *Une chiante !* Elle **ne** s'était jamais branchée sur un salon de conversation. **Jamais** Ashley ne rencontrerait des inconnus sur Internet, *froide et hautaine comme elle est*, pensait Toni. *Elle ne sait pas ce qu'elle rate. Sans Internet, je n'aurais jamais connu Jean-Claude.*

Toni pensait parfois à quel point sa mère aurait détesté Internet. Mais il faut dire que sa mère détestait tout. Elle ne connaissait que deux moyens de communiquer : en hurlant ou en geignant. Rien ne lui plaisait chez Toni. « *Tu ne pourrais pas te conduire normalement, espèce de petite idiote ?* » Or un jour sa mère l'avait engueulée une fois de trop et ç'avait été la goutte qui avait fait déborder le vase. Toni repensait de temps à autre à l'horrible accident dans lequel sa mère avait perdu la vie. Toni l'entendait encore crier au secours. Ce souvenir la fit sourire.

> *Il court, il court le furet,*
> *Le furet des bois, mesdames,*
> *Il court...*

CHAPITRE TROIS

Eût-elle vécu ailleurs et à une autre époque, Alette Peters aurait pu réussir comme artiste. Elle avait toujours eu, aussi loin qu'elle s'en souvînt, un sens aigu des couleurs. Elle les voyait, les sentait, les entendait.

La voix de son père était bleue et parfois rouge.

Celle de sa mère marron foncé.

Celle de son institutrice jaune.

Celle de l'épicier violette.

Le bruit du vent dans les arbres était vert.

Celui de l'eau courante gris.

Alette Peters avait vingt ans. Elle pouvait tour à tour être terne, séduisante ou d'une beauté époustouflante au gré de ses humeurs ou selon qu'elle se sentait bien ou mal dans sa peau. Mais elle n'était jamais simplement jolie. Son charme venait en partie de ce qu'elle était totalement inconsciente de son apparence. Elle était timide et parlait avec une douceur et une gentillesse qui avaient quelque chose de quasi anachronique.

Née à Rome, elle parlait anglais avec un mélodieux accent italien. Elle aimait Rome à la folie. Naguère, debout au sommet des marches de la place d'Espagne pour regarder la Ville, elle avait eu l'impression que celle-ci lui appartenait. Devant les ruines des temples antiques et le Colisée, elle s'était identifiée au passé. Elle avait flâné sur la Piazza Navona où elle avait écouté le murmure musical des eaux de la Fontaine des Quatre Fleuves du Bernin, elle avait arpenté la Piazza Venetia et tourné autour de cette espèce de gâteau de noces qu'est le monument à Victor Emmanuel. Elle avait passé des heures interminables dans la basilique Saint-Pierre, au musée du Vatican et au palais Borghèse où elle restait en contemplation devant les œuvres de Raphaël, Fra Bartolommeo, Andrea del Sarto et Pontormo. Leur talent l'exaltait et la frustrait à la fois. Elle aurait voulu être née au XVIe siècle et avoir connu tous ces artistes. Ils avaient plus de réalité à ses yeux que les piétons dans les rues. Devenir artiste était le plus cher de ses vœux.

Elle entendait la voix marron foncé de sa mère : « *Tu gaspilles du papier et de la peinture. Tu n'as aucun talent.* »

La vie en Californie l'avait tout d'abord perturbée. Elle avait craint d'avoir du mal à s'adapter, mais Cupertino l'avait agréablement surprise. La ville avait un petit côté intime qui lui plaisait et elle aimait travailler pour la Global Computer Graphics Corporation. Il n'y avait pas une intense vie artistique à Cupertino mais, le week-end, Alette allait à San Francisco en voiture pour faire le tour des galeries.

« Qu'est-ce qui t'intéresse là-dedans ? lui demandait Toni Prescott. Viens au J.P. Mulligans avec moi. Tu verras, on s'amusera.

— Tu ne t'intéresses pas à l'art ? »

Toni s'était mise à rire. « Bien sûr qu'Art m'intéresse. Quel est son nom de famille déjà ? »

Une seule chose obscurcissait la vie d'Alette Peters. Elle était maniaco-dépressive. Elle souffrait d'anomie, un sentiment d'aliénation dans son rapport à autrui. Ses sautes d'humeur la prenaient toujours au dépourvu et elle pouvait passer en un instant de l'euphorie la plus idyllique à l'abattement le plus noir.

Toni était la seule personne avec qui elle pouvait discuter de ses problèmes. Toni trouvait toujours une solution à tout, généralement du genre : « Allons faire la fête ! »

Le sujet de conversation préféré de Toni était Ashley Patterson. Ce jour-là, en compagnie d'Alette, elle regardait Shane Miller converser avec Ashley.

« Regarde-moi cette garce coincée, dit Toni d'un ton méprisant. Un vrai glaçon. »

Alette acquiesça. « Elle est très sérieuse. On devrait lui apprendre à rire. »

Toni eut un petit rire dédaigneux. « On devrait lui apprendre à baiser. »

Une fois par semaine, Alette faisait du bénévolat pour les SDF de San Francisco en participant à des distributions de repas. Une petite vieille en particulier attendait toujours avec impatience sa venue. Elle était en fauteuil roulant et Alette, la conduisant jusqu'à une table, lui servait des plats chauds.

Ce jour-là, la petite vieille lui dit d'un ton reconnaissant : « Ma chérie, si j'avais une fille, je voudrais qu'elle soit comme toi. »

Alette exerça de sa main une pression sur la sienne. « C'est un grand compliment que vous me faites là. Je vous remercie. » Et en elle une voix s'éleva qui lui dit : *Si vous aviez une fille, elle aurait quelque chose de porcin comme vous.* Alette fut horrifiée qu'une pareille pensée ait pu lui venir à l'esprit. Comme si quelqu'un d'autre la lui avait soufflée. Elle était coutumière de la chose.

Un autre jour, elle était sortie faire des courses en compagnie de Betty Hardy, une femme qui appartenait à la même église qu'elle. Elles s'arrêtèrent à la devanture d'un grand magasin. Betty admirait une robe en vitrine. « Vous ne la trouvez pas belle ?

— Elle est ravissante », répondit Alette. *Je n'ai jamais vu une robe aussi laide. Exactement ce qui vous convient.*

Un soir, elle alla dîner au restaurant avec Ronald, un sacristain de l'église. « J'ai vraiment beaucoup de plaisir à vous voir, Alette. Nous devrions remettre cela plus souvent. »

Elle sourit timidement. « Je ne demande pas mieux. » Et

elle pensa : *Non fa' lo stupido. Peut-être dans une autre vie, espèce de crétin.* Elle fut de nouveau horrifiée. *Qu'est-ce qui ne va pas chez moi ?* Elle n'avait pas de réponse à cette question.

Les affronts les plus insignifiants, délibérés ou non, la mettaient dans une rage folle. Un matin, alors qu'elle se rendait au travail, une voiture lui avait fait une queue de poisson. Elle avait grincé des dents en pensant : *Je vais te tuer, espèce de salopard.* Le conducteur de l'autre voiture s'était excusé d'un geste de la main et elle avait souri benoîtement avec une fureur rentrée.

Lorsque la crise s'abattait sur elle tel un nuage noir, Alette imaginait que les passants dans la rue avaient un infarctus, étaient heurtés par une voiture ou se faisaient agresser et tuer. Ces scénarios se déroulaient dans son esprit avec un réalisme impitoyable. Puis, une seconde plus tard, elle rougissait intérieurement.

Lorsqu'elle était bien lunée, Alette était tout autre, authentiquement aimable, sympathique et serviable. La seule chose qui l'empêchait alors d'être complètement heureuse était de savoir que les ténèbres allaient de nouveau s'abattre sur elle et qu'elle s'y perdrait.

Tous les dimanches matin, Alette allait à l'église. Celle-ci avait mis sur pied des organisations bénévoles pour servir des repas aux sans-abri, donner des cours d'art plastique para-scolaires et faire du tutorat auprès de certains étudiants. Alette dirigeait les cours du dimanche pour enfants et donnait un coup de main à la crèche. Elle participait spontanément à toutes les activités caritatives, auxquelles elle consacrait le plus de temps possible. Elle aimait surtout donner des cours de peinture aux jeunes.

Un dimanche, l'église ayant organisé une foire afin de recueillir de l'argent pour ses œuvres, Alette proposa de mettre ses propres tableaux en vente. Le pasteur, Frank Selvaggio, les considéra avec stupéfaction.

« Ils sont... ils sont superbes ! Vous devriez les vendre dans une galerie d'art. »

Alette rougit. « Non, je ne crois pas. Je peins uniquement pour le plaisir. »

Il y avait foule à la foire où les paroissiens avaient emmené leurs amis et leur famille. On avait installé des stands de jeux et d'artisanat. Ces derniers contenaient des gâteaux magnifiquement décorés, de très beaux patchworks, des confitures « maison » dans de jolis bocaux, des jouets en bois taillés à la main. Les gens, allant d'un stand à l'autre, goûtaient aux friandises, achetaient des objets dont ils n'auraient pas l'usage de sitôt.

Alette entendit une femme dire à son mari : « Mais c'est au profit d'une œuvre caritative. »

Alette regarda les tableaux qu'elle avait accrochés tout autour du stand, des paysages pour la plupart, peints en couleurs vives qui sautaient aux yeux. Elle était remplie d'appréhension. « *Cette peinture, c'est de l'argent jeté par les fenêtres, ma fille.* »

Un homme arriva à la hauteur du stand. « Hé, dites donc ! Ces tableaux sont de vous ? »

Il avait la voix d'un bleu profond.

Non, espèce de crétin. C'est Michel-Ange qui passait dans le coin et qui les a peints.

Un jeune couple s'arrêta à son tour au stand. « Regarde ces couleurs ! Je veux à tout prix celui-là. Vous êtes vraiment bon peintre. »

Et tout l'après-midi on défila à son stand et on vanta son talent. Alette eût bien voulu croire tous ces gens mais, à chaque compliment, le rideau noir tombait et elle pensait, *Ils sont tous dupes.*

Un marchand d'art se présenta. « Ces tableaux sont vraiment réussis. Vous devriez monnayer votre talent.

— Je peins en amateur », insista Alette qui refusa de discuter plus avant.

A la fin de la journée, elle avait vendu tous ses tableaux.

Elle ramassa l'argent et, l'ayant mis dans une enveloppe, la tendit à Frank Selvaggio.

Celui-ci la prit et dit : « Merci, Alette. C'est un grand don que Dieu vous a fait de pouvoir mettre tant de beauté dans la vie des gens. »

Tu as entendu, maman ?

Lorsqu'elle allait à San Francisco, elle passait des heures au Musée d'Art moderne et fréquentait le De Young Museum pour y étudier la collection d'art américain.

De jeunes artistes y venaient nombreux copier certains tableaux. Un jour, un jeune homme attira tout particulièrement son attention. Mince et blond, allant sur la trentaine, il avait un visage aux traits bien dessinés et intelligents. Il était en train de copier avec une remarquable dextérité les *Pétunias* de Georgia O'Keeffe. Il s'aperçut qu'Alette l'observait. « Salut. »

Sa voix était d'un jaune riche et chaud.

« Bonjour », dit-elle timidement.

Il hocha la tête en direction de la toile sur laquelle il travaillait. « Qu'en pensez-vous ?

— *Bellissimo*. Très beau boulot. » Et elle attendit que sa voix intérieure ajoute : *Pour un crétin d'amateur*. Mais il n'en fut rien. Elle fut surprise. « Excellent, vraiment. »

Il sourit. « Merci. Je m'appelle Richard, Richard Melton.

— Alette Peters.

— Vous venez ici souvent ? demanda-t-il.

— Oui. Le plus souvent possible. Je n'habite pas San Francisco.

— Où habitez-vous ?

— A Cupertino. » *Non pas : « Ce n'est pas tes oignons » ou « Qu'est-ce que ça peut te faire ? » mais : « A Cupertino. » Que m'arrive-t-il ?*

« C'est une jolie petite ville.

— Je l'aime bien. » *Non pas : « Mais qu'est-ce qui te fait penser que c'est une jolie petite ville ? » ou « Qu'est-ce que tu connais au sujet des jolies petites villes ? »* mais : « *Je l'aime bien.* »

Il était en train de mettre la dernière touche à son tableau. « J'ai faim. Puis-je vous inviter à déjeuner ? On mange très bien à la cafétéria du musée. »

Alette hésita quelque peu. « *Va bene.* Avec plaisir. » *Non pas : « Tu as l'air stupide »* ou « *Je ne déjeune pas avec des inconnus ».* mais : « *Avec plaisir.* » C'était une expérience toute nouvelle pour elle, grisante.

Le déjeuner fut des plus agréables et aucune pensée négative ne lui vint à l'esprit. Ils parlèrent de certains grands artistes et elle lui raconta son enfance et sa jeunesse passées à Rome.

« Je n'y suis jamais allé, dit-il. Peut-être un jour. »

Et Alette pensa : *Ce serait amusant d'aller à Rome avec lui.*

Ils finissaient de déjeuner lorsque Richard, apercevant son colocataire de l'autre côté de la cafétéria, l'appela pour l'inviter à leur table. « Gary, je ne m'attendais pas à te trouver ici. Je te présente Alette Peters. Gary King. »

Gary, qui était à peu près du même âge que Richard, avait les yeux bleu clair et portait les cheveux sur les épaules.

« Enchantée de faire votre connaissance, Gary.

— Gary est mon meilleur ami depuis le high-school, Alette.

— Oui. J'en connais long sur les mœurs dépravées de Richard, alors si vous avez envie d'en entendre des vertes et des pas mûres...

— Gary, va donc voir là-bas si j'y suis.

— D'ac. » Le dénommé Gary se tourna vers Alette. « Ma proposition tient toujours. Je vous reverrai dans le coin tous les deux. »

Ils le regardèrent s'en aller. Richard dit : « Alette...

— Oui ?

— Puis-je vous revoir ?

— J'en serais heureuse. » *Très.*

Le lundi matin, elle raconta son aventure à Toni. « Ne vis pas avec un artiste, la prévint celle-ci. Tu tireras le diable par la queue. Tu vas le revoir ? »

Alette sourit. « Oui. Je lui plais, je crois. Et il me plaît. Je l'aime vraiment beaucoup. »

*
* *

Tout commença par un petit désaccord et se termina par une violente querelle. Le révérend Frank Selvaggio prenait sa retraite après quarante ans d'apostolat. Il avait été un bon pasteur, attentif à ses ouailles, et celles-ci le voyaient partir avec regret. On s'était rencontrés discrètement à plusieurs reprises pour décider du cadeau à lui offrir pour son départ. Une montre... de l'argent... des vacances... un tableau... Le pasteur était en effet grand amateur d'art.

« Pourquoi ne pas demander à quelqu'un de faire son portrait avec l'église en arrière-plan ? » Les paroissiens se tournèrent vers Alette. « Tu le ferais ?

— Avec joie », répondit-elle.

Walter Manning était l'un des plus anciens paroissiens de l'église et l'un de ceux aussi qui lui faisaient les dons les plus importants. Il avait très bien réussi en affaires mais semblait voir d'un mauvais œil les succès d'autrui. « Ma fille est bon peintre, dit-il. Peut-être est-ce elle qui devrait peindre le portrait.

— Pourquoi ne pas le faire peindre par l'une et l'autre et mettre ensuite au vote celui que l'on offrira au pasteur ? », suggéra quelqu'un.

Alette se mit au travail. Elle mit cinq jours à peindre le tableau, qui faisait très bien ressortir la charité et la bonté du pasteur. Le dimanche suivant, ils se réunirent tous pour regarder les tableaux. Celui d'Alette suscita des exclamations enthousiastes.

39

« Il est tellement réaliste, on croirait presque que Frank va descendre de la toile et se mettre à marcher...

— Oh, il va adorer...

— Un tableau comme celui-là devrait être dans un musée, Alette. »

Walter Manning défit l'emballage de la toile peinte par sa fille. Le portrait était exécuté avec adresse mais il lui manquait la vie qui habitait celui d'Alette.

« Il est très beau, dit avec tact l'un des paroissiens, mais je trouve celui d'Alette plus...

— Je pense aussi que...

— Le portrait d'Alette est celui qui... »

Walter Manning prit la parole. « Il faut que nous prenions une décision à l'unanimité. Ma fille est une artiste professionnelle » – il regarda Alette – « pas une dilettante. Elle a peint ce tableau uniquement pour nous rendre service. Nous ne pouvons pas le refuser.

— Mais Walter...

— Non, Monsieur. Il faut décider à l'unanimité. Nous lui offrons le tableau peint par ma fille ou nous ne lui offrons rien du tout.

— J'aime beaucoup le portrait de votre fille, dit Alette. Offrons-le au pasteur.

— Il en sera ravi », dit Walter Manning avec un sourire suffisant.

En rentrant chez lui ce soir-là, Walter Manning fut tué par un chauffard.

Alette fut consternée en apprenant la nouvelle.

CHAPITRE QUATRE

Ashley Patterson, en retard pour aller au travail, était en train de prendre une douche rapide lorsqu'elle entendit le bruit. Une porte qui s'ouvrait ? Qui se fermait ? Elle ferma le robinet de la douche, l'oreille tendue, le cœur battant. Elle resta sans bouger quelques instants, le corps luisant de gouttes d'eau, puis se sécha vivement et sortit prudemment de la salle de bains. Tout paraissait normal. *C'est encore mon imagination qui me joue des tours. Il faut que je m'habille.* Elle alla vers le tiroir de la commode où elle rangeait sa lingerie, l'ouvrit et n'en crut pas ses yeux : quelqu'un avait fouillé dans ses sous-vêtements. Ses soutiens-gorge et ses collants étaient tous en tas les uns sur les autres alors qu'elle prenait toujours soin de les disposer bien séparément.

Elle eut soudainement la nausée. Avait-il ouvert sa braguette et utilisé un de ses collants pour se caresser ? Avait-il eu des fantasmes de viol ? De viol et de meurtre ? Elle avait du mal à respirer. *Je devrais faire une déposition à la police mais on se moquerait de moi.*

Vous voulez que nous menions une enquête parce que vous croyez que quelqu'un a fouillé dans le tiroir de votre commode ?

On me suivait.

Vous savez qui ?

Non.

On vous a menacée ?

Non.

41

Savez-vous pour quelle raison on vous voudrait du mal ?
Non.

Inutile, pensa Ashley, qui ne savait à quel saint se vouer. *Je ne peux pas m'adresser à la police. On me poserait toutes ces questions et j'aurais l'air d'une idiote.*

Elle s'habilla le plus vite possible, subitement impatiente de fuir l'appartement. *Il faut que je file. J'irai quelque part où il ne pourra pas me retrouver.*

Mais en y réfléchissant, elle sentit que toute tentative de fuite serait vaine. *Il sait où j'habite, il sait où je travaille. Et moi, qu'est-ce que je sais de lui ? Rien.*

Elle refusait de garder une arme chez elle car elle détestait la violence. *Mais il faut désormais que je me protège*, pensa-t-elle. Elle se rendit à la cuisine, prit un couteau de boucher, l'emporta dans sa chambre et le posa sur sa coiffeuse.

Il se peut que j'aie moi-même mélangé ma lingerie. C'est sans doute cela. Mais est-ce que je ne prends pas mes désirs pour la réalité ?

Il y avait une enveloppe dans sa boîte aux lettres, dans le hall d'entrée. Elle portait un en-tête sur lequel on pouvait lire : BEDFORD AREA HIGH SCHOOL, BEDFORD, PENNSYLVANIE.

Ashley lut l'invitation deux fois :

> RENCONTRE DE PROMOTION !
> RICHE, PAUVRE, MENDIANT, VOLEUR. VOUS ÊTES-VOUS SOU-
> VENT DEMANDÉ COMMENT VOS CAMARADES DE CLASSE
> S'ÉTAIENT DÉBROUILLÉS DURANT CES DIX DERNIÈRES AN-
> NÉES ? VOICI UNE OCCASION DE LE SAVOIR. LE WEEK-END DU
> 15 JUIN VA DONNER LIEU À DE GRANDES RETROUVAILLES. IL
> Y AURA À BOIRE, À MANGER, UN GRAND ORCHESTRE, ET ON
> DANSERA. SOYEZ DE LA FÊTE.
> RENVOYEZ LE CARTON CI-JOINT AFIN QUE NOUS SACHIONS SI
> NOUS POUVONS COMPTER SUR VOUS. TOUT LE MONDE EST
> IMPATIENT DE VOUS REVOIR.

En se rendant au travail en voiture, Ashley repensa à l'invitation. « *Tout le monde est impatient de vous revoir.* »

Tout le monde sauf Jim Cleary, songea-t-elle avec amertume... « *Je veux t'épouser. Mon oncle m'a proposé un très bon travail à Chicago dans son agence de publicité... Il y a un train pour Chicago demain matin à sept heures. M'accompagneras-tu ?* »

Elle se remémora combien elle avait souffert en attendant désespérément Jim à la gare, combien elle avait cru en lui, combien elle lui avait fait confiance. Il s'était ravisé et n'avait pas eu le courage de le lui dire. Au lieu de cela, il l'avait laissée poireauter toute seule dans une gare. *Tant pis pour l'invitation. Je n'y vais pas.*

Ashley déjeuna avec Shane Miller au TGI Friday's. Assis dans un box, ils mangeaient en silence.

« Tu sembles préoccupée, dit Shane.

— Excuse-moi. » Elle hésita quelques instants. Elle fut tentée de lui parler de cette histoire de lingerie mais ç'aurait eu l'air idiot. *On a fouillé dans tes tiroirs ?* Au lieu de cela, elle dit : « J'ai reçu une invitation pour les dix ans de ma promotion de high-school.

— Tu y vas ?

— Certainement pas. » Cela lui avait échappé avec plus de virulence qu'elle ne l'aurait voulu.

Shane Miller lui adressa un regard intrigué. « Pourquoi ? On s'amuse parfois dans ces trucs-là. »

Jim Cleary y serait-il ? Avait-il une femme et des enfants ? Que lui dirait-il ? « *Je regrette de n'avoir pas pu aller te retrouver à la gare. Je m'excuse de t'avoir menti en te proposant le mariage ?* »

« Je n'y vais pas. »

Mais elle ne parvenait pas à se sortir cette invitation de l'esprit. *Ce serait agréable de revoir mes anciens camarades de classe*, pensait-elle. Elle avait été très liée avec quelques-uns d'entre eux. Avec Florence Schiffer en particulier. *Je me demande ce qu'elle est devenue ?* Elle se demanda aussi si la ville de Bedford avait changé.

Cette petite ville de Pennsylvanie où elle avait grandi se trouvait à deux heures à l'est de Pittsburg, au cœur des monts Allegheny. Son père dirigeait alors le Memorial Hospital du Comté de Bedford, l'un des cent meilleurs hôpitaux du pays.

Bedford était une ville où il avait fait bon grandir. Il y avait des parcs où l'on pique-niquait, des rivières poissonneuses et une intense vie sociale. Ashley aimait se rendre à Big Valley où vivait une communauté amish. On voyait couramment des chevaux qui tiraient des carrioles amish aux toits de différentes couleurs, lesquelles étaient fonction du degré d'orthodoxie de leurs propriétaires.

Il y avait les soirées du Mystery Village, le théâtre en plein air et la Fête de la Citrouille. Ashley sourit en songeant aux bons moments qu'elle avait vécus alors. *Je vais peut-être y retourner, pensa-t-elle. Jim Cleary n'aura pas le culot de se montrer.*

Elle fit part à Shane Miller de sa décision. « C'est vendredi en huit, dit-elle. Je serai de retour samedi soir.

— Superbe. Préviens-moi de l'heure à laquelle tu reviens. J'irai te chercher à l'aéroport.

— Merci, Shane. »

En revenant de déjeuner, Ashley entra dans son box et alluma son ordinateur. A sa grande surprise, une pluie de pixels commença à se déployer sur l'écran et une image en émergea peu à peu. Elle la regarda, effarée. Les points étaient en train de donner forme à son propre portrait. Tandis qu'elle en suivait l'apparition croissante, une main tenant un couteau de boucher apparut dans la partie supérieure de l'écran. La main se précipitait sur son portrait, prête à lui planter le couteau dans la poitrine.

Elle cria : « Non ! »

Elle éteignit sèchement le moniteur et bondit sur ses pieds.

Shane Miller apparut aussitôt à ses côtés. « Ashley ! Qu'y a-t-il ? »

Elle tremblait. « Sur... sur l'écran... »

Shane ralluma l'ordinateur. Une image apparut représentant un chaton courant après une pelote de fil sur une pelouse verte.

Shane, déconcerté, se tourna vers elle. « Qu'est-ce que...

— Il... il est parti, murmura-t-elle.

— Qu'est-ce qui est parti ? »

Elle secoua la tête. « Rien. Je... je suis très tendue depuis quelque temps, Shane. Je m'excuse.

— Pourquoi ne consultes-tu pas le Dr Speakman ? »

Ashley était déjà allée voir le Dr Speakman dans le passé. C'était un psychologue engagé par l'entreprise pour conseiller les petits prodiges de l'informatique submergés par le stress. Sans être médecin à proprement parler, il était intelligent et compréhensif, et se confier à quelqu'un était toujours utile.

« Je vais aller le voir », dit Ashley.

Le Dr Ben Speakman, un quinquagénaire, faisait figure de patriarche dans cette fontaine de jouvence qu'était Global Computer Graphics. Son bureau, où l'on se sentait détendu et à l'aise, était une oasis de paix à l'autre bout du bâtiment.

« J'ai fait un rêve épouvantable la nuit dernière », dit Ashley. Elle ferma les yeux pour revivre son cauchemar. « Je courais. Il y avait un énorme jardin rempli de fleurs... Elles avaient des visages inquiétants, laids... Elles me criaient quelque chose... Je ne pouvais pas entendre ce qu'elles disaient. Je sais seulement que je courais vers quelque chose... Je ne sais pas quoi... » Elle ouvrit les yeux.

« N'étiez-vous pas plutôt en train de courir pour *fuir* quelque chose ? Quelque chose qui vous pourchassait ?

— Je ne sais pas. Je... je crois qu'on me suit, docteur Speakman. Je sais que ça paraît idiot, mais... je pense que quelqu'un veut me tuer. »

Il l'examina durant quelques instants. « Qui pourrait vouloir vous tuer ?

— Je... je l'ignore.

— Avez-vous *vu* quelqu'un vous suivre ?

— Non.

— Vous vivez seule, n'est-ce pas ?

— Oui.

— Vous avez un ami ? Je veux dire une liaison amoureuse ?

— Non. Pas actuellement.

— Cela fait donc quelque temps que... Je veux dire qu'il arrive, lorsqu'une femme reste longtemps sans avoir un homme dans sa vie... enfin, que se développe une sorte de tension physique... »

Il est en train d'essayer de me dire que ce dont j'ai besoin, ce serait de... Elle ne put se résoudre à prononcer intérieurement le mot qui lui venait à l'esprit. Elle entendit son père lui hurler : « *Que je ne t'entende plus jamais prononcer ce mot. On te prendra pour une petite salope. Les gens bien ne disent pas baiser. Où as-tu appris ce langage ?* »

« Je pense que vous êtes surmenée, Ashley. A mon avis, vous n'avez pas à vous inquiéter. Vous êtes simplement tendue. Prenez les choses un peu plus à la légère durant quelque temps. Reposez-vous davantage.

— Je vais essayer. »

Shane Miller l'attendait. « Qu'est-ce qu'il a dit ? »

Elle s'efforça de sourire. « Il dit que ce n'est rien. Que c'est seulement du surmenage.

— Eh bien, nous allons devoir y remédier, dit Shane. Pour commencer, pourquoi ne prendrais-tu pas ton après-midi ? » Sa voix était pleine de sollicitude.

« Merci. » Elle lui sourit. C'était un chic type. Un bon ami. *Ça ne peut pas être lui*, pensa-t-elle. *Il ne ferait pas ça.*

Durant la semaine suivante, la réunion de son *alma mater* occupa entièrement son esprit. *Je me demande si je n'ai pas tort d'y aller. A supposer que Jim Cleary y soit ? Se doute-t-il*

46

seulement à quel point il m'a fait souffrir ? S'en soucie-t-il seulement ? Se rappellera-t-il même de moi ?

La nuit qui précéda son départ pour Bedford, elle ne put trouver le sommeil. Elle fut tentée d'annuler son vol. *Je suis bête*, pensa-t-elle. *Le passé est le passé.*

En prenant son billet à l'aéroport, elle l'examina et dit : « Je crains qu'on n'ait fait une erreur. Je voyage en classe touriste. C'est un billet de première classe.

— Oui. Vous l'avez changé. »

Elle regarda la préposée au guichet. « J'ai quoi ?

— Vous avez téléphoné pour demander qu'on vous le change pour un billet de première classe. »

Elle montra un bordereau à Ashley. « C'est bien votre numéro de carte de crédit ? »

Ashley regarda le récipissé et dit lentement : « Oui... »

Elle n'avait pas téléphoné.

Elle arriva de bonne heure à Bedford et prit une chambre au Bedford Springs Resort. Comme les festivités ne commençaient pas avant dix-huit heures, elle décida d'aller faire un tour en ville. Elle héla un taxi devant l'hôtel.

« Où allons-nous, mademoiselle ?

— Faites-moi visiter la ville. »

On trouve en général sa ville natale plus petite lorsqu'on y revient après des années, mais Bedford lui parut plus grande que le souvenir qu'elle en avait gardé. Le taxi, empruntant des rues familières, passa devant les bureaux de la *Gazette de Bedford* et devant la station de télévision WKYE ainsi que devant une dizaine de restaurants et de galeries d'art qu'elle reconnut. Les restaurants la Miche de Pain de Bedford et Chez Clara étaient toujours là ainsi que le musée de Fort Bedford et le Old Bedford Village, le quartier ancien de la ville. Ils longèrent le Memorial Hospital, un élégant bâtiment de deux étages précédé d'un portique. C'était là que son père était devenu célèbre.

Elle se rappela une fois de plus les violentes querelles et les cris entre ses parents. Ils se disputaient toujours pour la même chose. *Mais quoi ?* Elle ne parvenait pas à s'en souvenir.

A dix-sept heures, elle revint à son hôtel. Elle monta à sa chambre et changea de tenue trois fois avant de se décider à choisir une robe noire toute simple mais qui la mettait en valeur.

En entrant dans le gymnase du high-school, décoré de festons, elle se retrouva au milieu de cent vingt inconnus dont les visages lui étaient vaguement familiers. Certains de ses anciens camarades de classe étaient complètement méconnaissables, d'autres avaient peu changé. Elle cherchait du regard une seule personne : Jim Cleary. *Avait-il beaucoup changé ? Serait-il accompagné de sa femme ?* On vint à sa rencontre.

« Ashley, tu me reconnais ? Trent Waterson. Tu es superbe !

— Merci. Toi aussi, Trent.

— Viens que je te présente ma femme... »

« Ashley, c'est bien toi, n'est-ce pas ?

— Oui. Heu...

— Art. Art Davies. Tu te souviens de moi ?

— Evidemment. » Il était mal habillé et manquait d'aisance.

« Comment ça va pour toi, Art ?

— Eh bien, tu sais que je voulais être ingénieur, mais ça n'a pas marché.

— Je suis navrée.

— Ouais. A la place, je suis devenu mécanicien. »

« Ashley ! C'est Lenny Holland. Ça alors, ce que tu peux être belle !

— Merci, Lenny. » Il avait épaissi et portait à l'auriculaire une grosse bague sertie d'un diamant.

« Je suis dans l'immobilier à présent et ça marche du tonnerre. Alors, tu es mariée ? »

Ashley hésita. « Non.

— Tu te souviens de Nicki Brandt ? Je l'ai épousée. Nous avons des jumeaux.

— Félicitations. »

C'était incroyable à quel point les gens pouvaient changer en dix ans. Ils avaient grossi ou maigri... étaient triomphants ou opprimés... Mariés ou divorcés... parents ou sans enfants...

La soirée se poursuivit, on mangea, l'orchestre joua, on dansa. Ashley s'entretint avec ses anciens camarades qui lui racontèrent leur vie mais, pendant tout ce temps, elle pensait à Jim Cleary. Il ne s'était pas manifesté. *Il ne viendra pas*, conclut-elle. *Il sait que je suis peut-être ici et il a peur de se retrouver en face de moi.*

Une femme séduisante vint vers elle. « Ashley ! J'espérais tellement te voir ! » C'était Florence Schiffer. Ashley fut authentiquement heureuse de la revoir. Florence avait été l'une de ses meilleures amies. Elles avisèrent une table à l'écart et s'y assirent pour parler.

« Tu es ravissante, Florence, dit Ashley.

— Toi aussi. Je regrette d'arriver si tard. Le bébé a eu un petit malaise. Depuis que nous nous sommes vues, je me suis mariée et j'ai divorcé. Je vis maintenant avec l'homme de ma vie. Et toi ? Après la soirée de remise des diplômes, on ne t'a plus revue. Je t'ai cherchée mais tu avais quitté la ville.

— Je suis allée à Londres. Mon père m'avait inscrite dans une université là-bas. Nous sommes partis le lendemain de la remise des diplômes.

— J'ai fait des pieds et des mains pour te retrouver. La police pensait que je savais peut-être où tu étais. Elle te recherchait parce que toi et Jim Cleary sortiez ensemble.

— *La police ?* demanda lentement Ashley.

— Oui. Elle enquêtait sur le meurtre. »

Ashley sentit le sang se retirer de son visage. « Quel...
meurtre ? »

Florence la dévisagea. « Mon Dieu, tu n'es pas au courant ?

— *De quoi ?* demanda Ashley avec véhémence. De quoi
parles-tu ?

— Le lendemain de la fête de remise des diplômes, les
parents de Jim sont rentrés et ont découvert son corps. Il avait
été poignardé à mort et... châtré. »

La salle se mit à tourner. Ashley se retint au rebord de la
table. Florence lui agrippa le bras.

« Je... je suis navrée, Ashley. Je pensais que tu avais lu les
journaux, mais évidemment... tu étais partie pour Londres. »

Ashley ferma les yeux. Elle se revit sortir furtivement de la
maison cette nuit-là pour aller chez Jim Cleary. Mais elle
avait rebroussé chemin et était revenue chez elle attendre le
matin. *Si seulement j'étais partie avec lui*, pensa-t-elle
douloureusement, *il serait encore vivant. Et dire que durant
toutes ces années je l'ai haï. Oh, mon Dieu ! Qui a bien pu le
tuer ? Qui... ?*

Elle se leva. « Tu vas m'excuser, Florence, mais je... Je ne
me sens pas très bien. »

Et elle s'enfuit.

La police. Les enquêteurs avaient dû contacter son père.
Pourquoi ne me l'a-t-il pas dit ?

Elle prit le premier avion pour la Californie. Elle ne put
s'endormir qu'au petit matin. Elle fit un cauchemar. Une
silhouette debout dans l'ombre poignardait Jim en lui hurlant
quelque chose. La silhouette apparaissait dans la lumière.

C'était son père.

CHAPITRE CINQ

Les mois qui suivirent furent un supplice pour Ashley. L'image du corps mutilé de Jim lui revenait sans cesse à l'esprit. Elle songea à revoir le Dr Speakman mais se rendit compte qu'elle n'oserait pas discuter de cela avec quiconque. Elle se sentait coupable rien qu'à *penser* que son père eût pu commettre un acte aussi atroce. Elle essaya de chasser cette pensée de son esprit pour se concentrer sur son travail, mais rien n'y fit.

Ce jour-là, elle était en train de regarder avec consternation un logo sur lequel elle venait de faire une tache lorsqu'elle sentit que Shane Miller la regardait, l'air soucieux. « Ça va, Ashley ? »

Elle esquissa un sourire. « Oui, ça va.

— Je suis vraiment navré pour ton ami. » Elle lui avait raconté ce qui était arrivé à Jim.

« Je... je vais m'y faire.

— Si on dînait ensemble ce soir ?

— Merci, Shane. Je... je n'ai pas le courage de sortir. La semaine prochaine.

— D'accord. Si je peux faire quelque chose pour...

— Tu es gentil. Personne ne peut rien. »

Toni dit à Alette : « Mademoiselle Cul-Serré a un problème. Eh bien, qu'elle aille se faire foutre.

— *Mi dispiace*... J'ai de la peine pour elle. Elle a des ennuis.

— Qu'elle aille se faire voir. Nous avons tous nos problèmes, n'est-ce pas, ma petite chérie ? »

Au moment où Ashley allait partir, un vendredi après-midi, à la veille d'un pont, Dennis Tibble l'arrêta. « Hé, dis donc, Poupée, je voudrais que tu me rendes un service.

— Je regrette, Dennis, je...

— Allez ! Ne fais pas cette tête ! » Il la saisit par le bras. « J'ai besoin du conseil d'une femme.

— Dennis, je ne suis pas d'humeur à...

— Je suis tombé amoureux d'une fille que je voudrais épouser, mais cela soulève quelques petits problèmes. Tu veux bien m'aider ? »

Ashley hésita. Elle n'aimait pas Dennis Tibble mais, d'un autre côté, lui rendre service ne lui coûterait rien. « Ça ne peut pas attendre demain ?

— Il faut que je te parle tout de suite. C'est vraiment urgent. »

Elle inspira profondément. « D'accord.

— On peut aller chez toi ? »

Elle secoua la tête. « Non. » Chez elle, elle n'arriverait jamais à s'en débarrasser.

« Chez moi alors ? »

Ashley hésita. « Très bien. » *Comme ça, je pourrai m'en aller quand je voudrai. Si j'arrive à l'aider à obtenir la femme qu'il aime, peut-être me fichera-t-il la paix.*

« Bon Dieu ! La sainte-nitouche va chez ce con. Comment peut-elle être aussi sotte ? Où a-t-elle la cervelle ?

— Elle veut seulement l'aider. Il n'y a rien de mal à...

— Oh, ça va, Alette. Quand deviendras-tu adulte ? Il veut la sauter.

— *Non va. Non si fa così.*

— Je ne te le fais pas dire. »

La décoration de l'appartement de Dennis Tibble était

cauchemardesque. Les murs étaient recouverts de posters de vieux films d'horreur qui voisinaient avec des pin-up nues et des photos d'animaux sauvages au biberon. De minuscules sculptures érotiques encombraient les tables.

C'est l'appartement d'un fou, pensa Ashley. Elle avait hâte de quitter les lieux.

« Tu sais quoi ? Je suis drôlement content que tu sois venue, Poupée. Tu es vraiment gentille. Si...

— Je ne peux pas rester longtemps, Dennis, le prévint-elle. Et cesse de m'appeler Poupée. Parle-moi de cette femme dont tu es amoureux.

— Cette femme est vraiment l'oiseau rare. » Il sortit une cigarette. « Tu en veux une ?

— Je ne fume pas. » Elle le regarda allumer sa cigarette.

« Tu veux boire quelque chose ?

— Je ne bois pas. »

Il se fendit d'un grand sourire. « Tu ne fumes pas, tu ne bois pas. Ce qui laisse place à une activité intéressante, n'est-ce pas ? »

Elle lui rétorqua sèchement : « Dennis, si tu ne...

— Je plaisantais. » Il alla vers le bar et remplit un verre de vin. « Bois un peu de vin. Ça ne te fera pas de mal. » Il lui tendit le verre.

Elle en but une gorgée. « Parle-moi de l'élue de ton cœur. »

Il s'assit sur le canapé à côté d'elle. « Je n'ai jamais rencontré quelqu'un comme elle. Elle est sexy comme toi et...

— Arrête ça ou je m'en vais.

— Mais c'était un compliment. Quoi qu'il en soit, elle est folle de moi, mais son père et sa mère appartiennent au gratin et ils me détestent. »

Ashley ne fit aucun commentaire.

« Alors voilà, si je mets le paquet, elle m'épousera mais se mettra sa famille à dos. Elle est très proche d'eux et si je l'épouse, ils la renieront, ça c'est sûr. Et plus tard, elle me le reprochera. Tu vois le problème ? »

Ashley but une autre gorgée de vin. « Oui. Je... »

Sur ce, tout disparut dans un brouillard.

Elle se réveilla lentement, consciente que quelque chose de grave s'était passé. Elle avait l'impression d'avoir été droguée. Ouvrir les yeux lui demanda un effort immense. Elle regarda la pièce autour d'elle et sentit l'affolement la gagner. Elle était étendue sur un lit, nue, dans une chambre d'hôtel bon marché. Elle réussit à se mettre sur son séant et ressentit un mal de tête lancinant. Un menu de service de restauration à la chambre était posé sur la table de chevet et elle tendit la main pour le prendre. *Chicago Loop Hotel.* Abasourdie, elle relut le nom de l'hôtel. *Qu'est-ce que je fais à Chicago ? Depuis combien de temps suis-je ici ? Je suis allée chez Dennis Tibble vendredi. Quel jour sommes-nous ?* De plus en plus inquiète, elle décrocha le téléphone.

« À votre service. »

Elle eut du mal à parler. « Quel... Quel jour sommes-nous ?

— Nous sommes le 17...

— Non. Je veux dire quel jour de la semaine ?

— Oh. Lundi. Puis-je... »

Elle raccrocha, hébétée. *Lundi.* Elle avait passé deux jours et deux nuits dans le cirage. Elle s'assit au bord du lit et fit un effort de mémoire. Elle était allée chez Dennis Tibble... Elle avait bu un verre de vin... Après, c'était le trou noir.

Il avait mis quelque chose dans son verre qui l'avait rendue provisoirement amnésique. Elle avait lu quelque chose au sujet d'incidents survenus sous l'effet d'une drogue identique à celle-là. On appelait ça « date rape drug » – on invitait une femme à sortir et on la droguait pour la violer. C'était cette drogue qu'il lui avait donnée. *Et moi, comme une idiote, je me suis laissé piéger.* Elle ne se rappelait pas être allée à l'aéroport, avoir pris l'avion pour Chicago ou être montée dans cette chambre minable avec Tibble. Pire encore, elle ne se rappelait pas du tout ce qui s'y était passé.

Il faut que je sorte d'ici, pensa-t-elle, désespérée. Elle se sentait sale, comme si chaque centimètre de son corps avait été violé. Que lui avait-il fait ? S'efforçant de ne pas y penser, elle descendit du lit, se rendit dans la minuscule salle de bains et entra sous la douche. Elle laissa couler l'eau sur son corps en essayant de se laver des ignominies qu'elle avait subies. Et si j'étais enceinte ? L'idée de porter l'enfant de Tibble lui donna la nausée. Elle sortit de la douche, se sécha et se dirigea vers le placard. Ses vêtements n'y étaient pas. Il n'y avait qu'une minijupe en cuir, un chemisier sans manches bon marché et une paire de chaussures à talons aiguilles. Il lui répugnait d'enfiler ces vêtements mais elle n'avait pas le choix. Elle s'habilla rapidement et se regarda dans la glace. Elle avait l'air d'une prostituée.

Elle examina le contenu de son sac à main. Il n'y avait que quarante dollars. Son chéquier et sa carte de crédit y étaient encore. *Dieu merci !*

Elle sortit dans le couloir. Il était vide. Elle prit l'ascenseur jusqu'au hall vétuste de l'hôtel et se dirigea vers la réception où elle paya la chambre avec sa carte de crédit.

« Vous nous quittez déjà ? demanda le réceptionniste, un homme âgé qui louchait. Eh ben, vous vous êtes bien amusée, hein ? »

Ashley le regarda, avec la peur de découvrir ce qu'il voulait dire. Elle fut tentée de lui demander quand Dennis Tibble avait quitté l'hôtel mais elle trouva préférable de ne pas aborder cette question.

Le réceptionniste glissa la carte dans un appareil. Il fronça les sourcils et recommença. Il déclara finalement : « Je regrette. Votre carte ne passe pas. Vous avez dépassé le crédit autorisé. »

Ashley resta bouche bée. « C'est impossible ! Il y a sûrement une erreur ! »

Le réceptionniste haussa les épaules. « Vous avez une autre carte de crédit ?

— Non. Je... je n'ai que celle-ci. Acceptez-vous les chèques ? »

Il jeta un œil désapprobateur sur son attirail. « A la rigueur, si vous avez une carte d'identité.

— Il faut que je téléphone...

— La cabine téléphonique est là-bas dans le coin. »

« Memorial Hospital de San Francisco...

— Je voudrais parler au Dr Steven Patterson.

— Un instant, s'il vous plaît...

— Bureau du Dr Patterson.

— Sarah ? C'est Ashley. Il faut que je parle à mon père.

— Je regrette, mademoiselle Patterson. Il est en salle d'opération et... »

Ashley referma plus étroitement sa main sur le combiné. « Savez-vous s'il en a pour longtemps ?

— C'est difficile à dire. Je sais qu'il a une autre opération prévue après... »

Ashley était au bord de la crise de nerfs. « Il faut que je lui parle. C'est urgent. Vous pouvez lui transmettre un message de ma part ? Dites-lui de m'appeler dès qu'il pourra. » Elle lut le numéro de téléphone inscrit dans la cabine et le donna à la secrétaire. « Je vais rester ici jusqu'à ce qu'il appelle.

— Je vais lui transmettre le message, soyez sans crainte. »

Elle resta presque une heure assise dans le hall de l'hôtel à surveiller la sonnerie du téléphone. Les gens la dévisageaient en passant ou la reluquaient sans vergogne et elle se sentait nue dans son attirail clinquant. Lorsque le téléphone sonna enfin, elle sursauta.

Elle revint précipitamment à la cabine téléphonique. « Allô...

— Ashley ? » C'était la voix de son père.

« Oh, papa, je...

— Qu'est-ce qui ne va pas ?

— Je suis à Chicago et...

— Qu'est-ce que tu fais à Chicago ?

— Je ne peux pas t'expliquer maintenant. Il me faut un

billet d'avion pour San Jose. Je n'ai pas un sou sur moi. Peux-tu m'aider ?

— Bien sûr. Ne quitte pas. » Trois minutes plus tard, son père reprit la communication. « Un avion d'American Airlines décolle de l'aéroport O'Hare à 10 heures 40, le vol 407. Tu trouveras un billet à ton nom au guichet d'embarquement. J'irai te chercher à l'aéroport de San Jose et...

— Non ! » Il n'était pas question qu'il la voie dans cette tenue. « Je... je passerai d'abord chez moi pour me changer.

— D'accord. Je viendrai te retrouver pour dîner. Tu pourras alors tout me raconter.

— Merci, papa. Merci. »

Durant le voyage de retour en avion, elle repensa à la conduite impardonnable de Dennis Tibble à son égard. *Je vais devoir m'adresser à la police*, conclut-elle. *Je ne peux pas le laisser s'en sortir comme ça. A combien d'autres femmes a-t-il fait la même chose ?*

Elle eut l'impression, en réintégrant ses pénates, de retrouver un havre de sécurité. Elle était impatiente de se défaire de la camelote qu'elle avait sur le dos. Elle se déshabilla à toute vitesse. Elle éprouva le besoin de prendre une autre douche avant d'aller rejoindre son père. Elle fit un pas en direction de son placard mais s'arrêta net. Devant elle, sur la coiffeuse, il y avait un mégot de cigarette.

Ils étaient assis à une table d'angle au restaurant The Oaks. Son père l'examinait d'un air soucieux. « Que faisais-tu à Chicago ?

— Je... je ne sais pas. »

Il la regarda, intrigué. « Tu ne sais pas ? »

Elle hésita, ne sachant trop si elle devait lui raconter sa mésaventure. Peut-être pourrait-il lui donner un conseil.

Elle dit avec circonspection : « Dennis Tibble m'a demandé de monter chez lui pour l'aider à résoudre un problème...

— Dennis Tibble ? Ce *serpent* ? » Ashley avait naguère présenté son père à ses compagnons de travail. « Comment as-tu pu te commettre avec lui ? »

Ashley comprit aussitôt qu'elle avait fait une erreur. Son père réagissait toujours avec démesure dès qu'elle avait un problème. Surtout s'il concernait un homme.

« *Si jamais vous remettez les pieds ici, Cleary, je vous écrabouille.* »

« C'est sans importance, dit Ashley.

— Raconte quand même. »

Elle resta quelques instants silencieuse, remplie d'un sentiment d'appréhension. « Eh bien, j'ai bu un verre chez lui et... »

Elle vit le visage de son père s'assombrir tandis qu'elle parlait. Ses yeux eurent un regard qui l'effraya. Elle voulut élaguer son récit.

« Non, insista son père. Je veux tout entendre... »

Cette nuit-là, elle resta étendue dans son lit, trop exténuée pour dormir, tandis que des pensées agitées défilaient dans sa tête. *Qu'arrivera-t-il si l'on apprend ce que Dennis m'a fait ? Ce sera humiliant. Tout le monde au travail saura ce qui s'est passé. Mais je ne peux pas le laisser se conduire ainsi avec quelqu'un d'autre. Il faut que je raconte tout à la police.*

On avait déjà essayé de la mettre en garde contre les idées obsessionnelles que Dennis entretenait à son égard, mais elle n'en avait pas tenu compte. A présent, elle revoyait rétrospectivement tous les signes des sentiments malsains qu'éprouvait Dennis pour elle : il détestait voir quiconque lui adresser la parole, il la pressait constamment de sortir avec lui, il épiait ses conversations...

Au moins, je sais qui me harcèle, pensa-t-elle.

A 8 heures 30, le lendemain matin, elle se préparait à partir au travail lorsque le téléphone sonna. Elle décrocha. « Allô.

— Ashley, c'est Shane. Tu as appris la nouvelle ?

— Quelle nouvelle ?

— A la télévision. On vient de découvrir le corps de Dennis Tibble. »

L'espace d'un instant, elle eut l'impression que le sol se dérobait sous ses pieds. « Oh, mon Dieu ! Que s'est-il passé ?

— Selon les services du shérif, quelqu'un l'a poignardé à mort et châtré. »

CHAPITRE SIX

Sam Blake avait emprunté la voie la plus ardue qui fût pour mériter son poste de shérif adjoint de Cupertino : il avait épousé la sœur du shérif, Serena Dowling, une virago à la langue assez acérée pour abattre les forêts de l'Oregon. Sam Blake était le seul homme que Serena avait connu qui fût capable de la tenir en main. Blake était un petit homme gentil, aux manières douces et doté d'une patience angélique. Aussi scandaleuse que fût la conduite de Serena, il attendait qu'elle se calme puis la ramenait tranquillement à la raison.

Il était entré dans les services du shérif parce que celui-ci, Matt Dowling, était son meilleur ami. Ils avaient été camarades de classe et avaient grandi ensemble. Blake aimait le travail de police, dans lequel il excellait. Doté d'une intelligence vive et curieuse, il était d'une ténacité redoutable. Cet ensemble de qualités faisait de lui le meilleur inspecteur de la police locale.

Tôt ce matin-là, le shérif Dowling et lui buvaient un café ensemble.

« Il paraît que ma sœur t'a donné du fil à retordre hier soir, dit le shérif Dowling. Nous avons reçu une douzaine de coups de fil de voisins qui se plaignaient du bruit. Quand il s'agit de pousser une gueulante, Serena est imbattable, il y a pas à dire. »

Sam haussa les épaules. « J'ai finalement réussi à la calmer, Matt.

60

— Je remercie Dieu qu'elle ne vive plus avec moi, Sam. Je ne sais pas ce qui lui prend. Ses crises caractérielles... »

Leur conversation fut interrompue. « Shérif, nous venons de recevoir un appel sur Police Secours. Il y a eu un meurtre dans Sunnyvale Avenue. »

Le shérif Dowling consulta Sam Blake du regard.

Celui-ci acquiesça d'un hochement de tête. « Je m'en occupe. »

Quinze minutes plus tard, l'adjoint au shérif pénétrait dans l'appartement de Dennis Tibble. Un agent s'entretenait avec le gérant de l'immeuble dans le séjour.

« Où est le corps ? », demanda Blake.

L'agent indiqua la chambre d'un geste de la tête. « Là, monsieur. » Il était tout pâle.

Blake entra dans la pièce et resta cloué sur place, choqué par ce qu'il voyait. Le corps nu d'un homme était étendu de tout son long sur le lit, et Blake eut d'abord l'impression que la chambre tout entière était imbibée de sang. En se rapprochant du lit, il vit d'où il s'écoulait. On s'était acharné sur le dos de la victime avec les bords acérés d'un fond de bouteille brisée et des morceaux de verre étaient restés fichés dans le corps. On l'avait émasculé.

A la vue de ce spectacle, Blake ressentit une douleur à l'entrejambe. « Comment un être humain peut-il faire une chose pareille ? », demanda-t-il à voix haute. On n'avait pas encore retrouvé l'arme du crime mais on s'apprêtait à fouiller l'appartement de fond en comble.

Blake revint dans le séjour pour parler au gérant de l'immeuble. « Connaissiez-vous le défunt ?

— Oui, Monsieur. Cet appartement est le sien.

— Comment s'appelle-t-il ?

— Tibble. Dennis Tibble. »

Blake nota l'information sur son carnet. « Depuis combien de temps habitait-il ici ?

— Presque trois ans.

— Que pouvez-vous me dire à son sujet ?

— Pas grand-chose, Monsieur. Il était discret et payait régulièrement son loyer. Il recevait de temps à autre des femmes. Je crois qu'il s'agissait la plupart du temps de professionnelles.

— Vous savez où il travaillait ?

— Oh, oui. A la Global Computer Graphics Corporation. C'était un de leurs cracks en informatique. »

Blake prit une autre note. « Qui a trouvé le corps ?

— Une des femmes de ménage. Maria. C'était jour férié hier et elle n'est entrée dans l'appartement que ce matin...

— Je veux lui parler.

— Oui, Monsieur. »

Maria, une quadragénaire, était une Brésilienne à l'air farouche, nerveuse et effrayée.

« C'est vous qui avez découvert le corps, Maria.

— Ce n'est pas moi qui l'ai tué. Je vous le jure. » Elle était au bord de la crise de nerfs. « Est-ce qu'il me faut un avocat ?

— Non. Vous n'avez pas besoin d'avocat. Racontez-moi seulement ce qui s'est passé.

— Il ne s'est rien passé. Je veux dire... je suis arrivée ce matin comme d'habitude pour faire le ménage. Je... J'ai pensé qu'il était sorti. Il part toujours vers sept heures le matin. J'ai épousseté dans le séjour et... »

Zut! « Maria, vous souvenez-vous dans quel état était le séjour avant que vous n'époussetiez ?

— Que voulez-vous dire ?

— Avez-vous déplacé quelque chose ? Avez-vous retiré quelque chose du séjour ?

— Heu... oui. Il y avait par terre une bouteille de vin brisée. Le plancher était tout collant. J'ai...

— Qu'avez-vous fait de la bouteille ? demanda Blake d'une voix impatiente.

— Je l'ai mise dans le broyeur à ordures et je l'ai réduite en miettes.

— Qu'avez-vous fait d'autre ?

— Eh bien, j'ai nettoyé le cendrier et...

— Il contenait des mégots ? »

Elle marqua une pause pour essayer de se rappeler. « Un. Je l'ai jeté dans la poubelle de la cuisine.

— Allons voir ça. » Il la suivit dans la cuisine où elle lui indiqua une poubelle. A l'intérieur, il y avait un mégot taché de rouge à lèvres. Blake le récupéra soigneusement en le faisant glisser sur le coin d'une enveloppe.

Il reconduisit Maria dans le séjour. « Maria, savez-vous s'il manque quelque chose dans l'appartement ? Avez-vous l'impression qu'un objet de valeur a disparu ? »

Elle regarda autour d'elle. « Je ne pense pas. M. Tibble aimait faire collection de ces petites statues, là. Elles lui coûtaient cher. On dirait qu'elles sont toutes là. »

Le mobile n'était donc pas le vol. La drogue ? Une vengeance ? Un crime passionnel ?

« Qu'avez-vous fait après avoir épousseté cette pièce-ci, Maria ?

— J'ai passé l'aspirateur. Puis ensuite... » Sa voix vacilla. « Je suis entrée dans la chambre et... je l'ai vu. » Elle regarda Blake. « Je vous jure que ce n'est pas moi. »

Le médecin légiste et ses adjoints arrivèrent dans une fourgonnette officielle avec un sac spécial pour emporter le corps.

Trois heures plus tard, Sam Blake était de retour au bureau du shérif.

« Alors, Sam ?

— Je n'ai pas beaucoup d'indices. » Blake s'assit en face du shérif Dowling. « Dennis Tibble travaillait à la Global Computer. C'était apparemment une espèce de petit génie.

— Mais pas assez génial pour éviter de se faire assassiner.

— On ne s'est pas contenté de l'assassiner, Matt. On l'a littéralement massacré. Tu aurais dû voir ce qu'on a fait à son corps. Sans doute un maniaque.

— Aucune piste ?

— On ne sait pas exactement quelle est l'arme du crime, on attend les résultats du labo, mais il se pourrait que ce soit une bouteille de vin brisée. La femme de ménage l'a jetée dans le broyeur à ordures. Il semble y avoir des empreintes sur l'un des tessons de bouteille qu'on lui a plantés dans le dos. J'ai interrogé les voisins. Rien à attendre de ce côté. Personne n'a vu qui que ce soit entrer dans l'appartement ou en sortir. On n'a pas entendu de bruits inhabituels. Apparemment, Tibble était très discret. Pas du genre à entretenir des relations de voisinage. On sait toutefois qu'il a eu des rapports sexuels avant de mourir. Nous avons trouvé des traces de sécrétions vaginales, des poils pubiens et une autre pièce à conviction, ainsi qu'un mégot de cigarette taché de rouge à lèvres. Nous allons faire un test d'ADN.

— Les journaux vont faire leurs choux gras d'une histoire comme celle-là, Sam. Je vois d'ici leurs manchettes : UN MANIAQUE DANS SILICON VALLEY. » Le shérif Dowling soupira. « Réglons cette affaire au plus vite.

— Je vais de ce pas à la Global Computer Graphics Corporation. »

Ashley avait mis une heure à décider si elle irait ou non au bureau. Elle ne savait plus à quel saint se vouer. *On verra tout de suite, rien qu'à mon air, que quelque chose ne va pas. Mais si je ne vais pas travailler, on voudra savoir pourquoi. La police sera sans doute déjà là-bas en train d'enquêter. Si on m'interroge, je serai obligée de dire la vérité. On ne me croira pas. On m'accusera du meurtre de Dennis Tibble. Et si on me croit et si je dis à la police que mon père était au courant des sévices qu'il m'avait fait subir, c'est lui qu'on accusera.*

Elle repensa à l'assassinat de Jim Cleary. Elle entendit la voix de Florence : « *Les parents de Jim sont rentrés et ont trouvé son corps. Il avait été poignardé à mort et châtré.* »

Elle ferma les yeux et serra les paupières. *Mon Dieu, que se passe-t-il ? Que se passe-t-il ?*

Le shérif adjoint Sam Blake traversa l'étage de bureaux où les employés, l'air sombre, debout en petits groupes, s'entretenaient à voix basse. Blake imagina sans mal quel était leur sujet de conversation. Ashley le regarda avec appréhension se diriger vers le bureau de Shane Miller.

Celui-ci se leva pour l'accueillir. « Shérif adjoint Blake ?

— Oui. » Les deux hommes échangèrent une poignée de main.

« Veuillez vous asseoir, monsieur Blake. »

Sam Blake prit un siège. « Si je comprends bien, Dennis Tibble travaillait ici ?

— En effet. C'était l'un de nos meilleurs employés. C'est un drame terrible.

— Il travaillait ici depuis environ trois ans ?

— Oui. C'était notre génie informatique. Aucun ordinateur ne lui résistait.

— Que pouvez-vous me dire sur ses fréquentations ? »

Shane Miller secoua la tête. « Pas grand-chose, j'en ai bien peur. Tibble était plutôt du genre solitaire.

— Vous savez s'il se droguait ?

— Dennis ? Ah ça, non. C'était un fanatique de la vie saine.

— Il jouait ? Se pourrait-il qu'il ait eu de grosses dettes de jeu ?

— Non. Il se faisait un sacré bon salaire mais il était plutôt près de ses sous.

— Et les femmes ? Avait-il une petite amie ?

— Il ne plaisait pas beaucoup aux femmes. » Miller marqua une pause pour réfléchir. « Mais ces derniers temps, il racontait à qui voulait l'entendre qu'il songeait à se marier.

— Lui était-il arrivé de prononcer le nom de l'heureuse élue ? »

Miller secoua la tête. « Non. Pas en ma présence en tout cas.

— Verriez-vous une objection à ce que j'interroge certains membres de votre personnel ?

— Pas du tout. Allez-y. Je vous préviens, ils sont tous plutôt secoués. »

Ils le seraient davantage s'ils avaient vu le corps, pensa Blake.

Les deux hommes se déplacèrent entre les boxes modulaires.

Shane Miller haussa la voix. « Puis-je avoir votre attention, s'il vous plaît ? Voici le shérif adjoint Blake. Il aimerait vous poser quelques questions. »

Les membres du personnel avaient interrompu leurs activités et étaient tout ouïe.

« Je suis sûr que vous êtes au courant de ce qui est arrivé à M. Tibble, dit Blake. Nous avons besoin de votre aide pour découvrir l'identité de son assassin. L'un de vous sait-il s'il avait des ennemis ? Quelqu'un qui le haïssait assez pour vouloir l'assassiner ? » Il se fit un silence. Blake continua. « Il y avait dans sa vie une femme qu'il songeait à épouser. En avait-il discuté avec l'un ou l'autre ? »

Ashley avait du mal à respirer. C'était le moment de prendre la parole. C'était le moment ou jamais de raconter au shérif adjoint ce que lui avait fait Tibble. Mais elle se rappela l'expression qui était apparue sur le visage de son père lorsqu'elle s'était confiée à lui. C'est lui qu'on accuserait du meurtre.

Son père n'aurait jamais assassiné quelqu'un.

Il était médecin.

Chirurgien.

Dennis Tibble avait été châtré.

« ... et aucun de vous ne l'a vu depuis son départ d'ici vendredi dernier ? », était en train de dire le shérif adjoint.

Toni Prescott pensa : *Allez, parle, la sainte-nitouche. Dis-lui que tu es allée chez lui. Pourquoi ne dis-tu rien ?*

Blake resta silencieux quelques instants, essayant de dissimuler sa déception. « Eh bien, si l'un de vous se souvenait de quelque chose susceptible de nous être utile, je lui saurais gré de m'appeler. M. Miller a mon numéro de téléphone. Je vous remercie. »

Ils le regardèrent se diriger vers la sortie en compagnie de Shane Miller.

Ashley faillit s'évanouir de soulagement.

Blake se tourna vers Miller. « Y avait-il parmi le personnel quelqu'un avec qui il était particulièrement lié ?

— Non, pas vraiment. Je pense qu'il n'avait pas de rapports intimes avec qui que ce soit. Il avait terriblement le béguin pour l'une de nos employées mais elle a toujours repoussé ses avances. »

Blake s'arrêta. « Elle est ici ?

— Oui, mais...

— J'aimerais lui parler.

— D'accord. Vous pouvez utiliser mon bureau. » Ils revinrent dans la salle et Ashley les vit venir. Ils se dirigeaient tout droit vers son coin de travail. Elle sentit son visage s'empourprer.

« Ashley, le shérif adjoint Blake voudrait te parler. »

Ainsi il savait ! Il allait l'interroger sur sa visite à l'appartement de Tibble. *Il faut que je sois sur mes gardes*, pensa-t-elle.

Le shérif adjoint la regardait. « Si ça ne vous ennuie pas, mademoiselle Patterson. »

Elle retrouva la voix. « Non, pas du tout. » Elle le suivit dans le bureau de Shane Miller.

« Asseyez-vous. » Ils prirent l'un et l'autre un siège. « Je crois comprendre que Dennis Tibble avait un faible pour vous ?

— Je... je suppose que... » *Attention*. « Oui.

— Sortiez-vous avec lui ? »

Aller chez lui n'était pas sortir avec lui. « Non.

— Vous avait-il parlé de cette femme qu'il voulait épouser ? »

Elle s'enfonçait de plus en plus. Se pouvait-il qu'il sût à quoi s'en tenir ? Peut-être savait-il déjà qu'elle était allée chez Tibble. On avait peut-être trouvé les empreintes digitales qu'elle y avait laissées. C'était le moment de raconter au shérif adjoint ce que lui avait fait Tibble. *Mais si je fais cela*, pensa-t-elle avec désespoir, *on remontera jusqu'à mon père et on fera le rapprochement avec le meurtre de Jim Cleary.* La police était-elle au courant de cela aussi ? Mais il n'y avait pas de raison pour que les services de police de Bedford aient communiqué la chose à ceux de Cupertino. A moins que...

Le shérif adjoint Blake, qui attendait sa réponse, la regardait. « Mademoiselle Patterson ?

— Quoi ? Oh, je m'excuse. Cette histoire m'a tellement bouleversée...

— Je comprends. Tibble avait-il fait allusion devant vous à cette femme qu'il voulait épouser ?

— Oui... mais il ne m'avait pas dit son nom. » Voilà au moins qui était vrai.

« Etes-vous déjà allée chez lui auparavant ? »

Ashley aspira profondément. Répondre par la négative mettrait probablement fin à l'interrogatoire. Mais si on avait trouvé ses empreintes... « Oui.

— Vous êtes allée chez lui ?

— Oui. »

Il la regardait plus attentivement à présent. « Vous disiez que vous n'étiez jamais sortie avec lui. »

L'esprit d'Ashley tournait à cent à l'heure. « En effet. Je ne suis jamais sortie avec lui au sens où vous l'entendez. J'étais allée chez lui pour lui rapporter des documents qu'il avait oubliés.

— Quand ça ? »

Elle se sentit prise au piège. « C'était... il y a environ une semaine.

— Et c'est la seule fois que vous êtes allée chez lui ?

— Oui. »

Comme ça, s'ils avaient ses empreintes, on ne la soupçonnerait pas.

Le shérif adjoint Blake resta silencieux, les yeux posés sur elle, et elle se sentit coupable. Elle avait envie de lui avouer la vérité. Peut-être un cambrioleur s'était-il introduit chez

Tibble et l'avait-il tué – le même cambrioleur qui avait tué Jim Cleary dix ans auparavant, à deux mille cinq cents kilomètres de là. Si l'on croyait aux coïncidences. Si l'on croyait au Père Noël. Si l'on croyait à la bonne fée qui dépose une pièce de monnaie sous l'oreiller lorsqu'on perd une dent...

Va au diable, papa.

« C'est un crime atroce, reprit le shérif adjoint Blake. Il ne semble pas y avoir de mobile. Mais vous savez, il y a plusieurs années que je suis dans la police et je n'ai jamais vu de crime sans mobile. » Cette déclaration demeura sans réponse « Savez-vous si Dennis Tibble se droguait ?

— Je suis sûre que non.

— Dans ce cas, qu'avons-nous comme mobile ? Il ne se droguait pas. On ne l'a pas volé. Il n'avait pas de dettes. Ça ne nous laisse plus que le crime passionnel, non ? On l'aura assassiné par jalousie. »

A moins qu'un père ne l'ait tué pour protéger sa fille.

« Je suis aussi intriguée que vous, monsieur Blake. »

Il la regarda fixement durant quelques instants d'un air qui semblait dire : « Je ne vous crois pas, ma petite dame. »

Il se leva. Il prit une carte dans sa poche et la tendit à Ashley. « Si jamais quelque chose vous revient à l'esprit, je vous prierais de m'appeler.

— Je n'y manquerai pas.

— Au revoir. »

Elle le regarda partir. *C'est terminé. Papa est hors de cause.*

En rentrant chez elle ce soir-là, elle trouva un message sur son répondeur : « Tu m'as vraiment donné la trique hier soir, Beauté. T'es une belle pute. Je compte sur toi pour remettre ça ce soir, comme promis. Même heure, même endroit. »

Elle resta figée, incrédule. *Je deviens folle,* pensa-t-elle. *Papa n'est pour rien dans cette histoire. Quelqu'un d'autre doit être derrière tout ça. Mais qui ? Pourquoi ?*

Cinq jours plus tard, elle reçut son relevé de carte de crédit. Trois montants débités sur son compte attirèrent son attention :

Un de 450 dollars pour un achat chez Mod Dress.

Un second de 300 dollars au Circus Club.

Un troisième de 250 dollars au restaurant Chez Louis.

Elle n'avait jamais entendu parler de la boutique, de la boîte de nuit ou du restaurant.

CHAPITRE SEPT

Ashley Patterson suivit quotidiennement l'enquête sur le meurtre de Dennis Tibble dans les journaux et à la télévision. La police semblait piétiner.

C'est terminé, pensa Ashley. *Je n'ai plus à m'en faire.*

Ce soir-là, le shérif adjoint Sam Drake se présenta chez elle. Elle le regarda, la bouche sèche.

« J'espère que je ne vous dérange pas, dit-il. Je rentrais chez moi et j'ai eu l'idée de passer vous voir. Je ne resterai que quelques minutes. »

Ashley déglutit. « Vous ne me dérangez pas. Entrez. »

Blake fit quelques pas dans l'appartement. « C'est joli chez vous.

— Merci.

— Je parierais que Dennis Tibble n'aimait pas ce genre de mobilier. »

Elle sentit que son cœur commençait à battre plus fort. « Je ne sais pas. Il n'est jamais venu ici.

— Ah bon. J'aurais pensé le contraire, vous savez.

— Non, je ne sais pas. Je vous l'ai dit, je ne suis jamais sortie avec lui.

— D'accord. Puis-je m'asseoir ?

— Je vous en prie.

— Voyez-vous, cette affaire m'ennuie beaucoup, mademoiselle Patterson. Rien ne colle dans cette histoire. Comme je vous le disais l'autre jour, un meurtre a toujours un mobile.

J'ai parlé à certains de vos collègues de travail et aucun d'eux ne semble avoir très bien connu Tibble. Il était très discret. »

Ashley écoutait, attendant le coup de massue.

« En fait, à les entendre, vous étiez la seule personne à laquelle il s'intéressait. »

Avait-il trouvé quelque chose ou prêchait-il le faux pour connaître le vrai ?

« Il s'intéressait à moi, dit prudemment Ahsley, mais ce n'était pas réciproque. Je le lui avais bien fait comprendre. »

Blake acquiesça d'un hochement de tête. « Enfin, c'était gentil à vous de rapporter ces documents chez lui. »

Ashley fallit demander : « Quels documents ? », puis soudain elle se rappela. « C'était... Ce n'était rien. C'était sur ma route.

— Bien. Quelqu'un devait beaucoup haïr Tibble pour en venir à de telles extrémités. »

Ashley resta immobile, tendue, sans rien dire.

« Vous savez ce que je déteste plus que tout ? demanda Blake. Les meurtres non élucidés. Ça me laisse un sentiment de frustration terrible. En effet, quand un crime demeure non élucidé, je n'y vois pas le signe que le criminel est particulièrement malin mais que la police ne l'a pas été assez. Enfin, jusqu'à présent, j'ai eu de la chance. J'ai résolu tous les crimes auxquels j'ai eu affaire. » Il se leva. « Je n'ai pas l'intention d'abandonner la partie cette fois non plus. Si vous pensez à quelque chose qui pourrait m'être utile, vous m'appellerez, n'est-ce pas, mademoiselle Patterson ?

— Oui, bien sûr. »

Elle le regarda partir et pensa : *Est-il venu m'adresser une mise en garde ? En sait-il plus qu'il ne me le dit ?*

Toni passait de plus en plus de temps sur Internet. C'était de communiquer avec Jean-Claude qui lui plaisait surtout, ce qui ne l'empêchait pas d'avoir d'autres correspondants. A la moindre occasion, elle s'asseyait devant son ordinateur et commençait alors un va-et-vient de messages à n'en plus finir.

« Toni ? Où étais-tu ? Je t'attendais pour faire la conversation.

— Tu as bien fait d'attendre, mon petit chéri. Parle-moi de toi. Qu'est-ce que tu fais comme métier ?

— Je travaille dans une pharmacie. Je peux t'être utile. Tu consommes des drogues ?

— Va te faire voir. »

« C'est toi, Toni ?

— La réponse à tes rêves. C'est Mark ?

— Oui.

— Tu n'étais pas sur Internet ces derniers temps.

— J'étais occupé. J'aimerais te rencontrer, Toni.

— Dis-moi, Mark, qu'est-ce que tu fais dans la vie ?

— Je suis bibliothécaire.

— Mais c'est passionnant ! Tous ces livres et tout...

— Quand peut-on se rencontrer ?

— Pourquoi ne demandes-tu pas à Nostradamus ? »

« Allô, Toni. Je m'appelle Wendy.

— Bonjour, Wendy.

— Tu as l'air marrante.

— J'aime la vie.

— Je pourrais peut-être t'aider à l'aimer encore davantage.

— A quoi penses-tu par exemple ?

— Eh bien, j'espère que tu n'es pas de ces gens bornés qui ont peur de faire des expériences et d'essayer des trucs nouveaux. J'aimerais te faire passer un bon moment.

— Merci, Wendy. Tu n'as pas l'équipement qu'il me faut. »

Puis ce fut au tour de Jean-Claude Parent de revenir en ligne.

« *Bonsoir. Comment ça va ?* Comment vas-tu ?

— Je vais très bien. Et toi ?

— Tu m'as manqué. J'ai hâte de faire ta connaissance pour de vrai.

— Moi aussi. Merci de m'avoir envoyé ta photo. Tu es beau gosse.

— Et toi, tu es superbe. Je pense qu'il est très important que nous apprenions à nous connaître, toi et moi. Est-ce que ta boîte vient à Québec pour le Salon de l'informatique ?

— Quoi ? Je ne suis pas au courant. Quand est-ce ?

— Dans trois semaines. Beaucoup de grosses sociétés viendront. J'espère que tu y seras.

— Je l'espère aussi.

— On se retrouve demain sur Internet à la même heure ?

— Bien sûr. A demain.

— *A demain.* »

Le lendemain matin, Shane Miller vint trouver Ashley à son poste de travail. « Ashley, as-tu entendu parler du grand Salon de l'informatique qui va bientôt se tenir à Québec ? »

Elle hocha la tête. « Oui. Ça a l'air intéressant.

— J'étais en train de me demander si nous ne devrions pas y envoyer une délégation.

— Toutes les sociétés y seront représentées, dit Ashley. Symantic, Microsoft, Apple. Québec ne lésine pas sur les frais pour les accueillir. Un voyage pareil équivaudrait à une prime de Noël. »

Son enthousiasme fit sourire Shane Miller. « Il faut que je voie ça. »

Le lendemain matin, il appela Ashley dans son bureau.

« Ça te dirait de passer Noël à Québec ?

— Nous y allons ? Parfait ! », dit-elle, tout excitée. Elle passait d'habitude Noël avec son père mais, cette année-là, elle redoutait cette perspective.

« Tu as intérêt à emporter un tas de vêtements chauds.

— Ne t'inquiète pas. J'y penserai. J'ai vraiment hâte, Shane. »

Toni était en conversation sur Internet. « Jean-Claude, la boîte envoie certains d'entre nous à Québec !
— *Formidable !* Je suis ravi. Quand arrives-tu ?
— Dans deux semaines. Nous serons quinze.
— *Merveilleux !* Je sens qu'il va se passer quelque chose de très important.
— Moi aussi. » *Quelque chose de très important.*

Chaque soir, Ashley regardait avec anxiété les informations télévisées, mais l'enquête sur le meurtre de Dennis Tibble semblait piétiner. Elle commença à se détendre. Si la police ne parvenait pas à la relier elle-même à cette affaire, on ne pourrait pas établir de rapprochement avec son père. Elle avait été à maintes reprises fermement décidée à l'interroger à ce sujet mais, chaque fois, elle s'était dégonflée. Et s'il était innocent ? Lui pardonnerait-il jamais de l'avoir injustement accusé de meurtre ? *Et s'il est coupable, je ne veux pas le savoir,* pensait-elle. *Ce serait insupportable. Et à supposer qu'il ait commis ces actes horribles, peut-être était-ce dans son esprit pour me protéger. Au moins, je n'aurai pas à subir sa présence à Noël.*

Ashley téléphona à son père, à San Francisco. Sans préambule, elle lui annonça : « Je ne pourrai pas passer Noël avec toi cette année, papa. La boîte m'envoie à un Salon au Canada. »

Un long silence se fit sur la ligne. « Ça tombe mal, Ashley. Nous avons toujours célébré Noël ensemble, toi et moi.
— Je n'y peux rien...
— Tu es tout pour moi, tu le sais.
— Oui, papa, et... tu es tout pour moi.
— L'important, c'est ça. »
Assez important pour tuer ?

« Où a lieu ce Salon ?

— A Québec. C'est...

— Ah oui. Un endroit charmant. Je n'y suis pas retourné depuis des années. Tu sais ce que je vais faire ? Je n'ai rien de prévu à l'hôpital durant la période des Fêtes. Je vais aller te retrouver là-bas en avion et nous réveillonnerons ensemble à Noël. »

Ashley glissa vivement : « Je ne pense pas que...

— Tu n'as qu'à me réserver une chambre à l'hôtel où tu descendras. Nous n'allons tout de même pas manquer à la tradition, n'est-ce pas ? »

Elle hésita puis dit lentement : « Non, papa. »

Comment vais-je pouvoir lui faire face ?

Alette ne se tenait plus de joie. « Je ne suis jamais allée à Québec, dit-elle à Toni. Tu crois qu'il y a des musées là-bas ?

— Evidemment. Il y a tout. Des tas de sports d'hiver. Le ski, le patin... »

Alette haussa les épaules. « Je déteste le froid. Pas question pour moi de pratiquer les sports d'hiver. Même avec des gants, j'ai les doigts qui gèlent. Je vais m'en tenir aux musées... »

Le 21 décembre, la délégation de Global Computer Graphics arriva à l'aéroport international Jean-Lesage, à Sainte-Foy, et se fit conduire au Château Frontenac, un hôtel historique de Québec. Il gelait dur et les rues étaient enneigées.

Jean-Claude avait donné à Toni son numéro de téléphone personnel. Aussitôt montée à sa chambre, elle l'appela. « J'espère que je ne téléphone pas trop tard.

— *Mais non !* Je n'arrive pas à croire que tu sois ici. Quand puis-je te voir ?

— Eh bien, nous allons tous au Salon demain matin, mais je pourrais m'éclipser et déjeuner avec toi.

— *Bon !* Donnons-nous rendez-vous dans un restaurant, le

76

Paris-Brest, sur l'avenue de la Grande-Allée. 13 heures, ça te va ?

— J'y serai. »

Le Centre des Congrès de Québec, situé sur le boulevard René-Lévesque, est un bâtiment moderne de trois étages en verre et métal, capable d'accueillir des milliers de congressistes. A 9 heures, ce matin-là, ses vastes salles grouillaient de spécialistes en informatique qui échangeaient des informations sur les évolutions récentes de la profession. Ils s'agglutinaient dans les salles multimédia, d'exposition et de téléconférence. Une demi-douzaine de séminaires se déroulaient simultanément. Toni s'ennuyait. *Que du bavardage*, pensait-elle. A 12 heures 45, elle s'éclipsa en douce et se fit conduire au restaurant en taxi.

Jean-Claude l'y attendait. Lui prenant la main, il dit avec enthousiasme : « Toni, je suis si heureux que tu aies pu venir.

— Moi aussi.

— Je vais tout faire pour rendre ton séjour le plus agréable possible, lui déclara-t-il. La ville est belle et vaut qu'on la visite. »

Toni le regarda en souriant. « Je sais que je vais beaucoup m'y plaire.

— Je voudrais passer le plus de temps possible avec toi.

— Tu peux te libérer ? Et la bijouterie ? »

Jean-Claude sourit. « Elle se passera de moi. »

Le maître d'hôtel apporta les menus.

« As-tu envie de goûter à la cuisine québécoise ? demanda Jean-Claude.

— D'accord.

— Dans ce cas, laisse-moi commander pour toi. » Il continua, s'adressant au maître d'hôtel : « Nous prendrons un caneton du lac Brome. » Puis à Toni : « C'est un plat local, du caneton cuit dans le calvados et farci de pommes.

— Ça a l'air délicieux. »

Et ce le fut.

Durant le déjeuner, ils s'informèrent mutuellement de leur vie passée.

« Comme ça, tu n'as jamais été mariée ? demanda Toni.

— Non. Et toi ?

— Non.

— Tu n'as pas rencontré l'homme de ta vie. »

Oh, mon Dieu, ce serait trop beau si c'était aussi simple !

Ils parlèrent de Québec et des activités qu'on pouvait y pratiquer.

« Est-ce que tu skies ? »

Toni fit signe que oui. « J'adore.

— Ah bon, moi aussi. Et on peut faire du moto-neige, du patin, et il y a des boutiques merveilleuses... »

Son enthousiasme avait quelque chose de presque juvénile. Jamais Toni ne s'était sentie aussi bien avec quelqu'un.

Shane Miller avait fait en sorte que sa délégation assiste aux conférences le matin et ait ses après-midi libres.

« Je ne sais pas quoi faire ici, dit Alette à Toni sur un ton de récrimination. Il fait un froid de canard. Et toi, qu'est-ce que tu vas faire ?

— Tout, répondit Toni avec un grand sourire.

— *A più tardi.* »

Toni et Jean-Claude déjeunaient ensemble tous les jours et, chaque après-midi, il emmenait Toni visiter la ville. Elle n'avait jamais vu d'endroit semblable à Québec. On se serait cru dans un gros bourg français du siècle dernier, au beau milieu de l'Amérique du Nord. Les vieilles rues, pittoresques, avaient des noms évocateurs comme l'Escalier du Casse-Cou, Sous le Fort et le Saut-au-Matelot. On eût dit une image d'Epinal encadrée de neige.

Ils visitèrent la Citadelle, dont les murs protégeaient la Vieille Ville, et assistèrent à la traditionnelle relève de la garde à l'intérieur des fortifications. Ils explorèrent les rues commerçantes, Saint-Jean, Cartier, Côte de la Fabrique, et flânèrent dans le Petit Quartier Champlain.

« C'est le plus ancien quartier commercial d'Amérique du Nord, lui expliqua Jean-Claude.

— C'est super. »

Partout où ils allaient, des arbres de Noël brillaient de mille feux, on croisait des crèches, et une musique d'ambiance ajoutait à l'agrément des promeneurs.

Jean-Claude l'emmena faire du moto-neige dans la campagne. Tandis qu'ils dévalaient une pente, il lui demanda en criant : « Tu passes un bon moment ? »

La question ne lui parut pas du tout incongrue. Elle fit signe que oui et dit d'une voix douce : « Je passe un moment superbe. »

Alette passa quant à elle son temps dans les musées. Elle visita la basilique Notre-Dame, la chapelle du Bon-Berger et le musée des Augustines, mais ce fut tout ce que Québec lui parut offrir d'intéressant. Ce n'étaient pas les bons restaurants qui manquaient mais, lorsqu'elle ne dînait pas à l'hôtel, elle prenait ses repas au Commensal, une cafétéria végétarienne.

Elle pensait de temps à autre à son ami artiste, Richard Melton, et se demandait ce qu'il faisait à la même heure à San Francisco et s'il se souvenait d'elle.

Ashley redoutait Noël. Elle fut tentée de téléphoner à son père pour lui dire de ne pas venir la retrouver. *Mais quel prétexte lui donner ? Tu es un assassin. Je ne veux pas te voir ?*

Et Noël approchait...

« Je voudrais te montrer ma bijouterie, dit Jean-Claude à Toni. Ça te dit de la voir ? »

Elle acquiesça. « J'en serais ravie. »

La Bijouterie Parent se trouvait en plein centre-ville, rue Notre-Dame. Toni fut stupéfaite en franchissant le seuil de la boutique. Sur Internet, Jean-Claude avait dit : *« J'ai une petite bijouterie.* » Celle-ci était en réalité de taille impressionnante et aménagée avec goût. Une demi-douzaine de vendeurs s'activaient auprès de clients.

Toni regarda autour d'elle et dit : « Elle est... elle est magnifique ! »

Jean-Claude sourit. « Merci. Je voudrais t'offrir un cadeau pour Noël.

— Non. Ce n'est pas nécessaire. Je...

— Je t'en prie, ne me refuse pas ce plaisir. » Il la conduisit vers un présentoir rempli de bagues. « Laquelle préfères-tu ? »

Elle secoua la tête. « Celles-ci sont beaucoup trop coûteuses. Je ne pourrais pas...

— Je t'en prie. »

Elle l'examina quelques instants puis acquiesça. « D'accord. » Elle regarda de nouveau le contenu du présentoir. Il y avait, au milieu, une grosse émeraude sertie de diamants.

Jean-Claude vit que c'était cette bague qu'elle regardait. « Tu aimes cette bague avec l'émeraude ?

— Elle est superbe mais elle est beaucoup trop...

— Je te l'offre. » Il ouvrit le présentoir avec une petite clé et y prit la bague.

« Non, Jean-Claude...

— Accepte-la pour me faire plaisir. » Il lui passa la bague qui s'ajusta parfaitement à son doigt.

« *Voilà !* C'est un symbole. »

Toni pressa la main de Jean-Claude dans la sienne. « Je... je ne sais pas quoi dire.

— Si tu savais comme je suis content. Je connais un excellent restaurant, Le Pavillon. Je t'invite à dîner ce soir. Ça te dit ?

— Tes désirs sont des ordres.

— Je passerai te prendre à huit heures. »

A six heures, ce soir-là, Ashley reçut un coup de fil de son père. « J'ai bien peur de te décevoir, Ashley. Je ne pourrai pas me déplacer pour Noël. J'ai un patient important en Amérique du Sud qui a eu un infarctus. Je prends l'avion pour l'Argentine ce soir.

— Je... je regrette, papa. » Elle s'efforça d'avoir l'air convaincante.

« Ce n'est que partie remise, n'est-ce pas, ma chérie ?

— Oui, papa. Je te souhaite un bon voyage. »

Toni attendait avec impatience l'heure de retrouver Jean-Claude pour ce repas au restaurant. Ils allaient passer une soirée délicieuse. Elle fredonnait en s'habillant.

> *Il court, il court, le furet,*
> *Le furet joli...*

Je crois que Jean-Claude est amoureux de moi, maman.

Le Pavillon se trouve sous la voûte de la Gare de Palais, la vieille gare de chemin de fer de Québec. C'est un vaste restaurant à l'entrée duquel s'étend un long bar derrière lequel sont disposées les tables. Tous les soirs, à 22 heures, on écarte une dizaine de celles-ci pour former une piste de danse et un disc-jockey anime le reste de la soirée avec une musique enregistrée, allant du reggae au jazz et au blues.

Toni et Jean-Claude arrivèrent à 21 heures et furent chaleureusement accueillis à la porte par le propriétaire du restaurant.

« Monsieur Parent. Heureux de vous voir.

— Merci, André. Je vous présente mademoiselle Toni Prescott. Monsieur Nicolas.

— Enchanté, Mademoiselle Prescott. Votre table est prête.

— La cuisine est excellente ici, dit Jean-Claude à Toni lorsqu'ils furent assis. Commençons par le champagne. »

Ils commandèrent un poisson – de la torpille –, une escalope de veau, une salade et une bouteille de Valpolicella.

Toni examina l'émeraude que lui avait offerte Jean-Claude. « Elle est vraiment magnifique ! » s'écria-t-elle.

Il se pencha au-dessus de la table. « Toi aussi, tu es magnifique. Si tu savais comme je suis heureux que nous nous soyons enfin rencontrés.

— Et moi donc », dit doucement Toni.

La musique commença. Jean-Claude la regarda. « Tu veux danser ?

— Avec plaisir. »

Danser était l'une des passions de Toni qui, aussitôt sur la piste de danse, oublia tout le reste. *Enfant, un jour qu'elle dansait avec son père, sa mère avait dit : « La petite est maladroite. »*

Jean-Claude la serrait contre lui. « Tu danses merveilleusement bien.

— Merci. » *Tu entends, maman ?*

Elle pensa : *Je voudrais que ça ne finisse jamais.*

En la raccompagnant à son hôtel, Jean-Claude lui demanda : « Chérie, que dirais-tu de venir chez moi boire un dernier verre ? »

Elle hésita. « Pas ce soir, Jean-Claude.

— Demain, *peut-être* ? »

Elle pressa sa main dans la sienne. « Demain. »

A trois heures, cette nuit-là, l'agent René Picard patrouillait dans l'avenue de la Grande-Allée du quartier Montcalm lorsqu'il remarqua que la porte d'entrée d'une maison en brique d'un étage était grande ouverte. Il se gara le long du trottoir et descendit de voiture pour examiner les lieux. Il alla jusqu'à la porte et cria : « Bonsoir. Il y a quelqu'un ? »

Il n'eut pas de réponse. Il pénétra dans le vestibule et se dirigea vers le vaste salon. « C'est la police. Il y a quelqu'un ? »

Un calme anormal régnait dans la maison. Dégageant son étui-revolver, l'agent Picard entreprit de fouiller les pièces du rez-de-chaussée en annonçant sa présence lorsqu'il passait de l'une à l'autre. Seul lui répondit un silence inquiétant. Il revint dans le vestibule. Un bel escalier menait à l'étage supérieur. « Hello ! » Rien.

Il commença à monter l'escalier. Lorsqu'il atteignit l'étage, son arme à la main, il appela encore puis s'engagea dans un couloir. Devant lui, la porte d'une chambre était entrouverte. Il s'en approcha, l'ouvrit toute grande et pâlit. « Mon Dieu. »

A cinq heures du matin, boulevard Story, dans l'immeuble de pierre grise et de brique jaune qui abrite le Commissariat central, l'inspecteur Paul Cayer demanda : « Que se passe-t-il ?

— La victime s'appelle Jean-Claude Parent, répondit l'agent Guy Fontaine. Il a été poignardé à plusieurs reprises et châtré. Le médecin légiste dit qu'il y a entre trois et cinq heures qu'il a été tué. Nous avons trouvé un reçu du restaurant Le Pavillon dans une poche de son veston. Il a dîné là plus tôt dans la soirée. Nous avons tiré du lit le propriétaire du restaurant.

— Et alors ?

— M. Parent était accompagné au Pavillon d'une femme du nom de Toni Prescott, une brune, très séduisante, qui avait un accent britannique. Le gérant de la bijouterie de M. Parent affirme que celui-ci, plus tôt dans la journée, a emmené au magasin une femme répondant à cette description et l'a présentée comme étant Toni Prescott. Il lui a offert une bague de prix. Nous croyons aussi que M. Parent a eu des rapports sexuels avant de mourir et que l'arme du crime est un coupe-papier en acier. Celui-ci portait des empreintes digitales. Nous les avons envoyées au labo et au FBI. Nous attendons pour recueillir des témoignages.

— Avez-vous embarqué Toni Prescott ?

— Non.

— Et pourquoi ?

— Elle est introuvable. Nous avons vérifié auprès de tous les hôtels de la ville. Le dernier train au départ de Québec est parti à 17 heures 35 hier. Le premier train de ce matin sera à

6 heures 39. Nous avons diffusé la description de Toni Prescott à la gare routière, aux deux sociétés de taxis et à la compagnie de chauffeurs de place.

— Mais enfin, nous avons son nom, sa description et ses empreintes ! Elle ne peut tout de même pas s'être évanouie dans la nature. »

Une heure plus tard, leur parvint le rapport du FBI. Celui-ci était incapable d'identifier les empreintes et ne possédait aucun dossier sur Toni Prescott.

CHAPITRE HUIT

Cinq jours après son retour de Québec, Ashley reçut un coup de fil de son père. « Je viens tout juste de rentrer.

— De rentrer ? » Il fallut à Ashley un instant pour se rappeler. « Oh. Ton patient en Argentine. Comment va-t-il ?

— Il est en vie.

— Tant mieux.

— Peux-tu venir me retrouver à San Francisco demain pour dîner ? »

Elle eut un mouvement de recul à l'idée de se retrouver en tête-à-tête avec lui mais ne sut pas trouver d'excuse pour se défiler. « D'accord.

— Je te retrouve Chez Lulu. 20 heures. »

Ashley, arrivée la première, attendait au restaurant lorsque son père y pénétra. Elle vit de nouveau des regards admiratifs se tourner vers lui. Son père était un homme célèbre. *Aurait-il risqué tout ce qu'il avait rien que pour... ?*

Il prit place à table.

« Ça fait du bien de te voir, ma chérie. Je regrette pour le réveillon de Noël.

— Moi aussi », se força-t-elle à dire.

Elle regardait le menu sans le voir, essayant de remettre de l'ordre dans ses esprits.

« De quoi as-tu envie ?

— Je... je n'ai pas très faim, dit-elle.

85

— Il faut que tu manges. Tu as maigri.

— Je vais prendre le poulet. »

Elle regarda son père passer la commande tout en se demandant si elle oserait cette fois aborder le sujet.

« Comment était Québec ?

— Très intéressant. C'est une ville superbe.

— Il faut que nous y allions ensemble un de ces jours. »

Elle se décida alors et dit, en essayant d'adopter le ton le plus naturel possible : « Oui. A propos... au mois de juin dernier, je suis allée à la réunion des dix ans de ma promotion de high-school à Bedford. »

Il hocha la tête. « C'était bien ?

— Non. » Elle parla lentement, en choisissant bien ses mots. « Je... J'ai appris que le lendemain de notre départ pour Londres, toi et moi, on avait découvert le corps de... Jim Cleary. Il avait été poignardé... et châtré. » Elle se tut et épia son père dont elle attendit la réaction.

Le Dr Patterson fronça les sourcils. « Cleary ? Oh, oui. Ce garçon qui te courait après. Je t'ai sauvée de lui, n'est-ce pas ? »

Comment fallait-il entendre cela ? Etait-ce une confession ? L'avait-il sauvée de Jim Cleary en le tuant ?

Ashley aspira profondément et continua. « Dennis Tibble a été assassiné de la même manière. Il a été poignardé et châtré. » Elle regarda son père choisir un petit pain et le beurrer soigneusement.

Lorsqu'il prit la parole, ce fut pour dire : « Ça ne m'étonne pas, Ashley. Les gens ont généralement la fin qu'ils méritent. » *Je ne le comprendrai jamais*, pensa-t-elle. *Je ne suis même pas sûre d'en avoir envie.*

Ils arrivèrent à la fin du repas sans qu'Ashley eût fait un pas en direction de la vérité.

« Québec m'a vraiment plu, Alette, dit Toni. J'aimerais y retourner un jour. Et toi, tu t'es bien amusée ?

— J'ai surtout fréquenté les musées, répondit timidement Alette.

— Et ton fiancé de San Francisco, tu l'as rappelé ?

— Ce n'est pas mon fiancé.

— Mais tu le voudrais bien, je parie.

— *Forse*. Peut-être.

— Pourquoi ne lui téléphones-tu pas ?

— Je ne sais pas si ça se fait de...

— Appelle-le. »

Ils convinrent de se retrouver au De Young Museum.

« Vous m'avez vraiment manqué, dit Richard Melton. Comment était Québec ?

— *Bene*.

— J'aurais aimé vous y accompagner. »

Un jour peut-être, pensa Ashley avec espoir. « Et la peinture, ça marche ?

— Pas mal. Je viens de vendre un tableau à un collectionneur connu.

— Fantastique ! » Elle était ravie. Et elle ne put s'empêcher de penser : *Tout est si différent quand je suis en sa compagnie. Avec quelqu'un d'autre, je me serais dit : Qui peut avoir assez mauvais goût pour vous acheter un tableau ? ou : N'abandonnez surtout pas votre travail alimentaire, ou un tas d'autres remarques cruelles de la même veine. Mais je ne me conduis pas comme ça avec Richard.*

Cela lui procura un incroyable sentiment de liberté, comme si elle avait enfin trouvé un remède à quelque maladie chronique.

Ils déjeunèrent au musée.

« De quoi avez-vous envie ? demanda Richard. Ils ont un excellent rosbif.

— Je suis végétarienne. Je me contenterai d'une salade. Merci.

— Très bien. »

Une jeune serveuse très séduisante s'approcha de leur table. « Bonjour, Richard.

— Salut, Bernice. »

87

De manière inattendue, Alette ressentit une pointe de jalousie. Sa réaction l'étonna elle-même.

« Etes-vous prêts à commander ?

— Oui. Mademoiselle Peters prendra une salade et pour moi ce sera un sandwich au rosbif. »

La serveuse examinait Alette. *Est-elle jalouse de moi ?* se demanda Alette. Lorsque la serveuse fut partie, elle dit : « Elle est très jolie. Vous la connaissez bien ? » Elle rougit aussitôt. *Je n'aurais pas dû lui poser cette question.*

Richard sourit. « Je viens ici souvent. Au début, je n'avais pas beaucoup d'argent. Je commandais un sandwich et Bernice m'apportait un banquet. Elle est adorable.

— Elle a l'air très gentille », dit Alette qui pensa : *Elle a de grosses cuisses.*

En attendant leurs plats, ils parlèrent des artistes.

« Un jour, j'aimerais aller à Giverny, dit Alette. Voir l'endroit où Monet a peint.

— Saviez-vous qu'il avait débuté comme caricaturiste ?

— Non.

— C'est vrai. Il a ensuite rencontré Boudin qui est devenu son maître et qui lui a appris à peindre en plein air. On raconte une histoire fameuse à ce sujet. Monet était si attaché à la peinture en plein air qu'un jour – il avait décidé de peindre le portrait d'une femme dans son jardin sur une toile de trois mètres de haut –, il a fait creuser une tranchée dans le jardin afin de pouvoir hausser ou abaisser la toile au moyen de poulies. Ce tableau est maintenant au musée d'Orsay à Paris. »

Le temps passa vite et dans la bonne humeur.

Après le déjeuner, ils se promenèrent au hasard dans le musée dont ils contemplèrent quelques-unes des pièces de la collection comprenant plus de quarante mille sujets de toute origine, depuis les antiquités égyptiennes jusqu'à l'art américain contemporain.

Alette n'en revenait pas de se trouver en compagnie de Richard et de n'être traversée par aucune de ses pensées négatives habituelles.

Un gardien en uniforme s'approcha d'eux. « Bonjour, Richard.

— Bonjour, Brian. Je te présente une amie, Alette Peters. Brian Hill.

— Le musée vous plaît ? demanda le dénommé Brian.

— Oh oui. Il est magnifique.

— Richard m'enseigne la peinture », reprit Brian.

Alette se tourna vers Richard : « C'est vrai ?

— Oh, répondit modestement Richard, je me contente de l'initier un peu.

— Il fait plus que ça, Mademoiselle. J'ai toujours voulu être peintre. C'est la raison pour laquelle j'ai pris ce travail au musée, parce que j'aime l'art. Quoi qu'il en soit, Richard vient souvent peindre ici. En voyant son travail, je m'étais dit : "Je veux être comme lui". Je lui ai donc demandé s'il voulait m'apprendre et il s'est montré on ne peut plus coopératif. Avez-vous déjà vu sa peinture ?

— Oui. Elle est superbe. »

Lorsqu'ils eurent quitté Brian, Alette dit : « C'est gentil à vous de faire ça, Richard.

— J'aime rendre service », répondit-il en regardant Alette.

Au moment où ils sortaient du musée, Richard dit : « Mon colocataire est à une soirée. Pourquoi ne viendriez-vous pas chez moi ? » Il sourit. « Je voudrais vous montrer des tableaux. »

Alette pressa la main de Richard dans la sienne. « C'est trop tôt, Richard.

— Comme vous voulez. On se revoit le week-end prochain ?

— Oui. »

Il la raccompagna au parc de stationnement où elle s'était garée. Il lui adressa un petit salut de la main lorsqu'elle s'éloigna au volant de sa voiture.

Ce soir-là, en s'endormant, Alette pensa : *C'est miraculeux. Richard m'a libérée.*

Cette même nuit, à deux heures, le colocataire de Richard Melton revint d'une soirée d'anniversaire chez des amis. L'appartement était plongé dans l'obscurité. Il alluma dans le séjour. « Richard ? »

Il se dirigea vers la chambre de son camarade. Arrivé à la porte, il regarda à l'intérieur et eut la nausée.

« Calmez-vous, mon garçon. » L'inspecteur Whittier regarda la forme tremblotante sur la chaise. « Allons, reprenons par le début. Avait-il des ennemis, quelqu'un qui lui en voulait assez pour lui faire une chose pareille ? »

Gary déglutit. « Non. Tout le monde... tout le monde l'aimait.

— Pas tout le monde. Depuis quand habitiez-vous ensemble ?

— Depuis deux ans.

— Etiez-vous amants ?

— Mais qu'est-ce que vous croyez ? s'écria Gary, indigné. Non. Nous étions amis. Nous habitions ensemble parce que ça nous arrangeait financièrement. »

L'inspecteur Whittier regarda autour de lui dans l'appartement exigu. « En tout cas, il ne s'agit sûrement pas d'un cambriolage, dit-il. Il n'y a rien à voler ici. Votre ami entretenait-il une relation amoureuse ?

— Non... Enfin, oui. Il s'intéressait à une fille. Je pense qu'il commençait à s'attacher réellement à elle.

— Vous connaissez son nom ?

— Oui. Alette. Alette Peters. Elle travaille à Cupertino. »

L'inspecteur Whittier et l'inspecteur Reynolds échangèrent un regard.

« Cupertino ?

— Ça alors ! », fit Reynolds.

Trente minutes plus tard, l'inspecteur Whittier était au téléphone avec le shérif Dowling. « Shérif, j'ai pensé que vous seriez peut-être intéressé d'apprendre que nous nous trouvons ici devant un crime qui a été commis de la même manière que celui sur lequel vous enquêtez à Cupertino – blessures causées par plusieurs coups de poignard et castration.

— Mon Dieu !

— Je viens de m'entretenir avec le FBI. L'ordinateur indique qu'il y a eu précédemment trois meurtres accompagnés de castration semblables à celui-ci. Le premier a été commis à Bedford, en Pennsylvanie, il y a une dizaine d'années, le suivant a été celui d'un homme du nom de Dennis Tibble – l'affaire sur laquelle vous enquêtez – et le troisième s'est produit à Québec. Avec celui-ci, ça fait quatre.

— Mais c'est absurde. La Pennsylvanie... Cupertino... Québec... San Francisco... Y a-t-il un lien entre les quatre affaires ?

— C'est ce que nous essayons de savoir. Il faut un passeport pour entrer au Québec. Le FBI est en train d'opérer des recoupements pour voir si quelqu'un qui se trouvait à Québec à l'époque de Noël était présent dans l'une ou l'autre des autres villes au moment où les meurtres ont été commis... »

Quand les médias eurent vent de ce qui se passait, leurs reportages firent la une des journaux dans le monde entier.

TUEUR EN SÉRIE DANS LA NATURE...
QUATRE HOMMES BRUTALEMENT TUÉS ET CHÂTRÉS...

WIR SUCHEN FÜR EIN MANN DER CASTRIERT SEINE HOPFER...

MANIAC DI HOMICIDAL SULLO CRESPO DI UCCISIONE.

Sur les écrans de télévision, des psychologues imbus d'eux-mêmes analysèrent les meurtres.

« ... et toutes les victimes étaient des hommes. Or, vu la manière dont ils ont été poignardés et châtrés, ce ne peut être que l'œuvre d'un homosexuel qui... »

« ... de sorte que si la police réussit à découvrir un lien

entre les victimes, elle s'apercevra probablement que c'est l'œuvre d'un amant que toutes les victimes avaient éconduit... »

« ... mais je dirais qu'il s'agit de crimes commis au hasard par quelqu'un qui avait une mère dominatrice... »

Le samedi matin, l'inspecteur Whittier téléphona au shérif adjoint Blake, de San Francisco.

« Adjoint, j'ai du nouveau pour vous.

— Je vous écoute.

— Je viens de recevoir un coup de fil du FBI. Cupertino figure comme lieu de résidence d'une Américaine qui se trouvait à Québec le jour de l'assassinat de Parent.

— Intéressant. Comment s'appelle-t-elle ?

— Patterson. Ashley Patterson. »

Ce soir-là, à six heures, le shérif adjoint sonna chez Ashley Patterson. Il l'entendit demander prudemment à travers la porte fermée : « Qui est-ce ?

— Le shérif adjoint Blake. Je voudrais vous parler, mademoiselle Patterson. »

Il se fit un long silence, puis la porte s'ouvrit. Ashley apparut sur le seuil, l'air méfiant.

« Puis-je entrer ?

— Oui, bien sûr. » *Est-ce au sujet de papa ? Il faut que je fasse attention.* Ashley conduisit Blake vers un canapé. « Que puis-je pour vous, shérif adjoint ?

— J'aimerais vous poser quelques questions, si ça ne vous ennuie pas. »

Ashley ne savait où se mettre. « Je... je ne sais pas. Me soupçonne-t-on de quelque chose ? »

Blake sourit de manière rassurante. « Pas du tout, mademoiselle Patterson. Simple routine. Nous enquêtons sur des meurtres.

— Je ne sais rien sur aucun meurtre », dit-elle rapidement. *Trop rapidement ?*

« Vous êtes allée à Québec récemment, n'est-ce pas ?

— Oui.

— Connaissez-vous un certain Jean-Claude Parent ?

— Jean-Claude Parent ? » Elle réfléchit quelques instants. « Non. Je n'ai jamais entendu ce nom. Qui est-ce ?

— Il possède une bijouterie à Québec. »

Ashley secoua la tête. « Je n'ai fait aucun achat dans une bijouterie de Québec.

— Vous travailliez avec Dennis Tibble. »

Ashley se sentit de nouveau envahie par la peur. C'était donc bien à cause de son père que le shérif adjoint était là. Prudemment, elle répondit : « Je ne travaillais pas avec lui. Nous travaillions pour la même société.

— Soit. Il vous arrive de temps à autre d'aller à San Francisco, n'est-ce pas, mademoiselle Patterson ? »

Elle se demanda où il voulait en venir. *Attention.* « Ça m'arrive, oui.

— Avez-vous déjà rencontré un artiste du nom de Richard Melton ?

— Non. Je ne connais personne de ce nom. »

Le shérif adjoint Blake observa quelques instants Ashley, dépité. « Mademoiselle Patterson, ça vous ennuierait de m'accompagner au quartier général et de vous soumettre à un détecteur de mensonge ? Si vous le désirez, vous pouvez appeler votre avocat et...

— Je n'ai pas besoin d'avocat. Je passerai le test avec plaisir. »

L'opérateur du détecteur de mensonge s'appelait Keith Rosson, un des meilleurs spécialistes en la matière. Il avait dû annuler un dîner en ville mais l'avait fait de bon cœur pour rendre service à Sam Blake.

Ashley, assise dans un fauteuil, était reliée au détecteur par des fils. Rosson avait déjà passé quarante-cinq minutes à bavarder avec elle, à noter des informations sur son passé et à évaluer son état affectif. Il était prêt à commencer.

« Etes-vous installée confortablement ?

— Oui.

— Bien. Allons-y. » Il appuya sur un bouton. « Comment vous appelez-vous ?

— Ashley Patterson. »

Les yeux de Rosson ne cessaient d'aller et venir entre Ashley et la sortie imprimée du détecteur.

« Quel âge avez-vous, mademoiselle Patterson ?

— Vingt-huit ans.

— Où habitez-vous ?

— Au 10964 Via Camino Court, à Cupertino.

— Vous êtes salariée ?

— Oui.

— Aimez-vous la musique classique ?

— Oui.

— Connaissez-vous Richard Melton ?

— Non. »

Le détecteur n'enregistra aucun changement.

« Où travaillez-vous ?

— A la Global Computer Graphics Corporation.

— Aimez-vous votre travail ?

— Oui.

— Vous travaillez cinq jours par semaine ?

— Oui.

— Avez-vous déjà rencontré Jean-Claude Parent ?

— Non. »

Toujours aucune modification sur le détecteur.

« Avez-vous pris un petit déjeuner ce matin ?

— Oui.

— Avez-vous tué Dennis Tibble ?

— Non. »

L'interrogatoire se poursuivit encore durant trente minutes et les questions furent répétées à trois reprises dans un ordre différent.

La séance terminée, Keith Rosson entra dans le bureau de Sam Blake et lui tendit les résultats du test. « Blanche comme

94

neige. Il n'y a pas une chance sur cent qu'elle mente. Vous êtes sur la mauvaise piste. »

Ashley quitta le quartier général de la police, étourdie de soulagement. *Dieu merci, c'est fini.* Elle avait eu terriblement peur qu'on lui pose des questions concernant son père, mais il n'en avait rien été. *Personne ne peut désormais établir de lien entre papa et cette affaire.*

Elle se gara au parking et prit l'ascenseur pour monter chez elle. Elle engagea sa clé dans la serrure et ouvrit, entra dans l'appartement et referma soigneusement la porte derrière elle. Elle se sentait lessivée et, en même temps, comme transportée. *Un bon bain chaud*, pensa-t-elle. Elle pénétra dans la salle de bains et devint livide. Quelqu'un avait écrit au rouge à lèvres sur le miroir : TU VAS MOURIR.

CHAPITRE NEUF

Elle luttait contre la crise de nerfs. Ses doigts tremblaient si fort que cela faisait trois fois qu'elle s'y reprenait pour composer le numéro. Elle aspira profondément et essaya de nouveau. Deux... neuf... neuf... deux... un... zéro... un... Le téléphone sonna enfin à l'autre bout de la ligne.

« Bureau du shérif.

— Le shérif adjoint Blake, s'il vous plaît. Vite !

— Il est rentré chez lui. Est-ce que je peux vous passer quelqu'un d'autre...

— Non ! Je... Pouvez-vous lui demander de me rappeler ? C'est Ashley Patterson. Il faut que je lui parle immédiatement.

— Ne quittez pas, Mademoiselle, je vais voir si je peux le joindre. »

Le shérif adjoint Sam Blake écoutait patiemment sa femme, Serena, qui était en train de lui faire une scène. « Mon frère te fait travailler comme une bête, jour et nuit, et il ne te paie même pas assez pour que tu puisses me faire vivre correctement. Pourquoi ne demandes-tu pas une augmentation ? *Pourquoi ?* »

Ils étaient à table. « Passe-moi les pommes de terre, chérie, veux-tu ? »

Serena s'empara du plat de pommes de terre qu'elle déposa avec fracas devant son mari. « Le problème, c'est qu'on ne t'apprécie pas à ta juste valeur.

— Tu as raison, chérie. Tu me passes la sauce ?

— Tu écoutes ou non ce que je te dis ? hurla-t-elle.

— Je n'en perds pas un mot, mon amour. Excellent dîner. Tu es un vrai cordon-bleu.

— Comment puis-je me bagarrer avec toi, salaud, si tu ne réagis même pas ? »

Il prit une bouchée de veau. « C'est parce que je t'aime, ma chérie. »

Le téléphone sonna. « Excuse-moi. » Il se leva et décrocha. « Allô... Oui... Passez-la-moi... Mademoiselle Patterson ? » Il l'entendit sangloter.

« Il est arrivé quelque chose... quelque chose de terrible. Il faut que vous veniez ici tout de suite.

— J'arrive. »

Serena se leva. « *Quoi ?* Tu sors ? En plein milieu du dîner !

— Une urgence, chérie. Je serai de retour le plus vite possible. » Elle le regarda boucler son étui-revolver. Il se pencha pour l'embrasser. « Tu cuisines divinement bien. »

Ashley lui ouvrit dès qu'il arriva. Elle avait les joues barbouillées de larmes. Elle tremblait.

Sam Blake s'avança dans l'appartement en regardant autour de lui d'un œil méfiant.

« Y a-t-il quelqu'un d'autre ici ?

— Il... il y avait quelqu'un. » Elle s'efforçait de garder son calme. « Re... Regardez... » Elle le conduisit à la salle de bains.

Le shérif adjoint Blake lut à voix haute les mots écrits sur le miroir : « Tu vas mourir. »

Il se tourna vers Ashley. « Avez-vous une idée de l'identité de la personne qui a pu écrire ça ?

— Non. Je suis ici chez moi. Personne d'autre n'a la clé... Et quelqu'un est entré... Quelqu'un m'a suivie... Quelqu'un qui a l'intention de me tuer. » Elle fondit en larmes. « Je n'en peux plus. »

Elle sanglotait de manière convulsive. Le shérif adjoint

l'enlaça et lui tapota l'épaule. « Allez. Tout va bien se passer. Nous allons vous accorder une protection et nous découvrirons qui est derrière ça. »

Ashley prit une inspiration profonde. « Je m'excuse. Je ne me conduis généralement pas de cette manière. C'était.. c'était tellement horrible.

— Parlons un peu. »

Elle esquissa un sourire. « D'accord.

— Si vous nous faisiez un thé ? »

Ils étaient assis devant leur thé. « Quand tout cela a-t-il commencé, mademoiselle Patterson ?

— Il y a environ... environ six mois. J'avais le sentiment d'être suivie. Au début, ce n'était qu'une vague impression, mais qui s'est faite de plus en plus précise. Je *savais* qu'on me suivait mais je ne voyais personne. Puis au travail, quelqu'un a eu accès à mon ordinateur et a dessiné l'image d'une main armée d'un couteau qui essayait de... de me poignarder.

— Et vous savez qui ça peut être ?

— Non.

— Vous avez dit que quelqu'un était déjà entré chez vous avant aujourd'hui.

— Oui. Un jour, on a allumé toutes les lumières en mon absence. Une autre fois, j'ai trouvé un mégot de cigarette sur ma coiffeuse. Je ne fume pas. Et on avait ouvert un tiroir de ma commode pour fouiller dans mes... sous-vêtements. » Elle prit une profonde respiration. « Et maintenant... ça.

— Avez-vous des amants qui auraient pu se sentir éconduits ? »

Ashley secoua la tête. « Non.

— Avez-vous opéré des transactions commerciales dans lesquelles quelqu'un aurait perdu de l'argent à cause de vous ?

— Non.

— Vous n'avez pas reçu de menaces ?

— Non. » Elle pensa lui parler du week-end « perdu » à Chicago, mais cela l'eût obligée à faire allusion à son père. Elle décida de ne rien dire.

« Je ne veux pas rester seule ici ce soir, déclara-t-elle.

— D'accord. Je vais téléphoner au poste pour qu'on envoie quelqu'un qui...

— Non ! Je vous en prie ! Je me méfie de tout le monde. Ne pourriez-vous pas rester ici avec moi, jusqu'à demain matin ?

— Je ne pense pas pouvoir...

— Oh, je vous en prie. » Elle tremblait.

Il plongea son regard dans ceux d'Ashley et se dit qu'il n'avait jamais vu quelqu'un d'aussi terrorisé.

« N'y a-t-il pas un endroit où vous pourriez dormir cette nuit ? Des amis qui...

— Et si c'est un de mes amis qui a fait ça ? »

Il hocha la tête. « En effet. Je vais rester. Demain matin, je veillerai à ce qu'on vous protège vingt-quatre heures sur vingt-quatre.

— Merci », dit-elle avec soulagement.

Le shérif adjoint lui tapota la main. « Et ne vous en faites pas. Je vous ai promis que nous irions au fond de cette histoire. Permettez que j'appelle le shérif Dowling pour lui dire ce qui se passe. »

Il resta cinq minutes au téléphone et dit en raccrochant : « Je ferais mieux d'appeler ma femme.

— Bien sûr. »

Il décrocha de nouveau et composa son numéro de téléphone personnel. « Allô, chérie. Je ne rentrerai pas cette nuit, alors pourquoi ne regarderais-tu pas une émission de télé...

— Tu *quoi* ? Où es-tu, avec une de tes putes de bas étage ? »

Ashley entendait la femme du shérif adjoint hurler dans l'appareil.

« Serena...

— Ne me prends pas pour une idiote.

— Serena...

— Les hommes ne pensent qu'à ça... tirer un coup.

99

— Serena...

— Eh bien, je ne tolérerai pas ça plus longtemps.

— Serena...

— Voilà la reconnaissance à laquelle j'ai droit pour être une si bonne épouse... »

Ce monologue se poursuivit durant dix bonnes minutes encore. Finalement, le shérif adjoint raccrocha et, embarrassé, se tourna vers Ashley.

« Je suis navré. Elle n'est pas dans son état normal. »

Ashley le regarda et dit : « Je comprends.

— Non... je parle sérieusement. Serena se conduit de cette manière parce qu'elle est paniquée. »

Ashley lui adressa un regard interrogatif. « Paniquée ? »

Il resta quelques instants silencieux. « Elle est en train de mourir. Elle a un cancer. Pendant un temps, il y a eu une rémission. La maladie s'est déclarée il y a sept ans à peu près. Nous sommes mariés depuis cinq ans.

— Vous connaissiez donc son...

— Oui. J'ai passé outre. Je l'aime. » Il s'interrompit. « Ça s'est aggravé ces derniers temps. Elle est affolée parce qu'elle a peur de mourir et que je la quitte. Tous ses cris sont une parade pour cacher cette peur.

— Je... je suis navrée.

— C'est un être merveilleux. Au fond d'elle-même, elle est gentille, affectueuse et aimante. C'est cette Serena-là que je connais.

— Je regrette d'avoir peut-être été la cause de...

— Pas du tout. » Il jeta un œil à la ronde.

« Il n'y a qu'une seule chambre, dit Ashley. Vous pouvez la prendre, je dormirai sur le canapé. »

Le shérif adjoint secoua la tête. « Pas question. Je m'accommoderai du canapé.

— Si vous saviez combien je vous suis reconnaissante.

— Aucun problème, mademoiselle Patterson. » Il la regarda se diriger vers un placard et y prendre des draps et des couvertures.

100

Elle revint vers le canapé sur lequel elle fit un lit. « J'espère que vous serez...

— C'est parfait. Je n'ai pas l'intention de beaucoup dormir de toute façon. » Il vérifia les fenêtres pour s'assurer qu'elles étaient bien fermées puis alla vers la porte d'entrée qu'il verrouilla à double tour. « Voilà. » Il posa son arme sur la table basse près du canapé. « Dormez bien. Demain matin, je ferai le nécessaire. »

Ashley hocha la tête. Elle s'approcha de lui et l'embrassa sur la joue. « Merci. »

Le shérif adjoint Blake la regarda entrer dans sa chambre et fermer la porte. Il revint vers les fenêtres qu'il vérifia de nouveau. La nuit allait être longue.

A Washington, au quartier général du FBI, l'agent spécial Ramirez s'entretenait avec Roland Kingsley, son chef de service.

« Nous avons les empreintes digitales et les rapports d'ADN des scènes de crime de Bedford, Cupertino, Québec et San Francisco. Nous venons tout juste de recevoir le rapport final d'ADN. Les empreintes des quatre crimes correspondent toutes, ainsi que les relevés d'ADN. »

Kingsley hocha la tête. « Il s'agit donc bien d'un tueur en série.

— Aucun doute là-dessus.

— Il faut trouver ce salaud. »

A six heures du matin, le corps du shérif adjoint Sam Blake, dénudé, fut découvert par la femme du gérant de l'immeuble dans la ruelle, derrière chez Ashley Patterson.

Il avait été poignardé à mort et châtré.

CHAPITRE DIX

Ils étaient cinq : le shérif Dowling, deux inspecteurs en civil et deux agents en uniforme. Debout dans le séjour, ils regardaient Ashley qui, assise dans un fauteuil, piquait une crise de larmes.

« Vous êtes la seule qui puissiez nous aider, mademoiselle Patterson », dit le shérif Dowling.

Ashley leva les yeux vers les policiers et hocha la tête. Elle respira profondément à plusieurs reprises. « Je vais... je vais essayer.

— Commençons par le commencement. Le shérif adjoint Blake a passé la nuit ici ?

— Oui. C'est moi... c'est moi qui le lui avais demandé. Je... J'avais tellement peur.

— Il n'y a qu'une chambre ici.

— En effet.

— Où a-t-il dormi ? »

Elle désigna le canapé sur lequel il y avait une couverture et un oreiller. « Il... il a passé la nuit là.

— A quelle heure vous êtes-vous couchée ? »

Elle réfléchit quelques instants. « Il... il devait être minuit environ. J'étais nerveuse. Nous avons bu du thé et nous avons conversé quelque temps, ce qui m'a calmée. Je lui ai fait un lit et je me suis retirée dans ma chambre. » Elle luttait pour garder son sang-froid.

« C'est la dernière fois que vous l'avez vu ?

— Oui.

— Et vous vous êtes endormie ?

— Pas tout de suite. J'ai fini par prendre un somnifère. Je me souviens seulement d'avoir été réveillée par les cris d'une femme, en bas, dans la ruelle. » Elle se mit à trembler.

« Vous croyez que quelqu'un est entré ici pour tuer le shérif adjoint Blake ?

— Je... je ne sais pas, répondit Ashley qui ne savait que penser. Quelqu'un était déjà entré auparavant. On avait même écrit un message de menace sur mon miroir.

— Il m'en avait parlé au téléphone.

— Il a peut-être entendu quelque chose et... il est peut-être sorti pour voir de quoi il s'agissait », dit Ashley.

Le shérif Dowling secoua la tête. « Je ne crois pas qu'il serait sorti tout nu.

— Je ne sais pas ! Je ne sais pas ! » Elle criait. « C'est un cauchemar. »

Elle se couvrit les yeux avec ses mains.

« Je vais jeter un coup d'œil dans l'appartement, dit le shérif Dowling. Dois-je me procurer un mandat de perquisition ?

— Bien sûr que non. Allez-y. »

Le shérif adressa un signe de tête aux inspecteurs. L'un d'eux entra dans la chambre, l'autre dans la cuisine.

« De quoi avez-vous parlé, vous et le shérif adjoint Blake ? »

Ashley soupira profondément. « Je... Je lui ai parlé de... de choses qui me sont arrivées. Il a été très... » Elle leva les yeux vers le shérif. « Qui aurait pu vouloir le tuer ? *Pourquoi ?*

— Je ne sais pas, mademoiselle Patterson. C'est ce que nous allons essayer de savoir. »

Le lieutenant Elton, l'inspecteur qui avait fouillé la cuisine, apparut sur le seuil du séjour. « Puis-je vous voir un instant, shérif ?

— Excusez-moi. »

Le shérif pénétra dans la cuisine.

« Quoi ?

— J'ai trouvé ça dans l'évier », dit le lieutenant Elton. Il tenait par l'extrémité de la lame un couteau de boucher taché de sang. « Il n'a pas été lavé. On devrait pouvoir y prélever des empreintes. »

Kostoff, le second inspecteur, qui sortait de la chambre, entra précipitamment dans la cuisine. Il tenait une bague, une émeraude sertie de diamants. « J'ai trouvé ça dans le coffret à bijoux dans la chambre. La bague correspond à celle dont Québec nous a envoyé la description et que Jean-Claude Parent avait offerte à Toni Prescott. »

Les trois hommes se regardèrent, perplexes.

« Mais ça ne rime à rien », dit le shérif. Prenant avec précaution le couteau de boucher et la bague, il revint dans le séjour. Montrant le couteau, il dit : « Mademoiselle Patterson, est-ce que ce couteau est à vous ? »

Ahsley regarda le couteau. « Je... Oui. Sans doute. Pourquoi ? »

Le shérif lui montra la bague : « Avez-vous déjà vu cette bague auparavant ? »

Elle regarda la bague et secoua la tête. « Non.

— Nous l'avons trouvée dans votre coffret à bijoux. »

Ils observèrent l'expression qui se peignit sur le visage d'Ashley. Elle était complètement abasourdie.

« Je... Quelqu'un doit l'y avoir mise... dit-elle dans un filet de voix.

— Qui aurait fait une chose pareille ? »

Ashley était toute pâle. « Je ne sais pas. »

Un inspecteur apparut à la porte d'entrée. « Shérif ?

— Oui, Baker ? » Il entraîna l'inspecteur à l'écart. « Qu'est-ce que vous avez trouvé ?

— Du sang sur le tapis du couloir et dans l'ascenseur. Le corps a l'air d'avoir été étendu sur un drap, tiré dans l'ascenseur et balancé dans la ruelle.

— Saloperie ! » Le shérif Dowling se tourna vers Ashley. « Mademoiselle Patterson, vous êtes en état d'arrestation. Je vais vous donner lecture de vos droits constitutionnels. Vous avez le droit de garder le silence. Si vous renoncez à ce droit, tout ce que vous direz pourra être retenu contre vous devant les tribunaux. Vous êtes autorisée à recourir aux services d'un avocat. Si vous n'en avez pas les moyens, la justice vous en fournira un d'office. »

Lorsqu'ils furent arrivés au bureau du shérif, celui-ci dit : « Prenez ses empreintes et procédez à l'incarcération. »

Ashley se prêta à la procédure comme un automate. Lorsqu'on eut pris ses empreintes, le shérif Dowling lui dit : « Vous avez droit à un appel téléphonique. »

Ashley leva les yeux vers lui et dit d'une voix terne : « Je n'ai personne à appeler. » *Je ne peux tout de même pas téléphoner à mon père.*

Le shérif la suivit des yeux tandis qu'on la conduisait dans une cellule.

« Je veux bien être damné si j'y comprends quelque chose. Vous avez vu le test de détection de mensonge ? Je jurerais qu'elle est innocente. »

L'inpecteur Kostoff pénétra dans la pièce. « Sam a eu des rapports sexuels avant de mourir. Nous avons passé son corps aux rayons ultra-violets ainsi que le drap dans lequel il était enveloppé. Ils contiennent du sperme et des traces de sécrétion vaginale. Nous... »

Le shérif grommela. « On verra ça plus tard ! » Il avait retardé le moment d'annoncer la nouvelle à sa sœur. Cela ne pouvait plus attendre. Il soupira et dit : « Je reviens. »

Vingt minutes plus tard, il arrivait chez Sam.

« Eh bien, voilà un plaisir auquel je ne m'attendais pas, dit Serena. Sam est avec toi ?

— Non, Serena. J'ai une question à te poser. » Ça n'allait pas être facile.

Elle le regarda avec curiosité. « Oui ?

— Est-ce... est-ce que Sam et toi avez eu des rapports sexuels ces dernières vingt-quatre heures ? »

Le visage de Serena changea d'expression. « Quoi ? Nous...
Non. Pourquoi veux-tu... ? Sam m'a quittée, n'est-ce pas ?

— Je déteste avoir à te l'annoncer, mais il...

— Il m'a laissée pour elle, c'est ça ? Je m'y attendais. Je ne
le lui reproche pas. J'ai été une très mauvaise épouse. Je...

— Serena, Sam est mort.

— Je passais mon temps à l'engueuler. Je ne pensais pas
sérieusement ce que je disais. Je me souviens... »

Il lui saisit les deux bras. « Serena, Sam est mort.

— Une fois, nous étions allés pique-niquer... »

Il la secouait. « Ecoute-moi. Sam est mort.

— ... à la plage. »

Il se rendit compte en la regardant qu'elle l'avait entendu.

« Nous étions donc sur la plage et un type s'amène qui dit :
"Donnez-moi votre argent." Et Sam lui rétorque : "Fais voir
ton arme." »

Le shérif Dowling, immobile, la laissa parler. Elle était en
état de choc, en plein déni de réalité.

« ... c'était Sam tout craché. Parle-moi de cette femme avec
laquelle il est parti. Elle est mignonne ? Sam me dit toujours
que je suis jolie, mais je sais que je ne le suis pas. Il dit ça
pour me faire plaisir parce qu'il m'aime. Il ne me quittera
jamais. Il reviendra. Tu verras. Il m'aime. » Elle continua à
parler.

Le shérif alla vers le téléphone et composa un numéro.
« Envoyez une infirmière ici. » Il s'approcha de sa sœur et
passa son bras autour de ses épaules. « Tout va bien se passer.

— Est-ce que je t'ai raconté la fois où Sam et moi... »

Quinze minutes plus tard, une infirmière arriva.

« Prenez bien soin d'elle », dit le shérif.

On était en conférence dans le bureau du shérif Dowling.
« On vous demande sur la une. »

Le shérif décrocha. « Ouais ?

— Shérif, ici l'agent spécial Ramirez, du quartier général
du FBI à Washington. Nous avons des informations concer-

nant l'affaire du tueur en série. Nous n'avions rien sur Ashley Patterson parce qu'elle n'avait pas de dossier judiciaire et, avant 1988, le département des Transports de l'Etat de Californie n'exigeait pas d'empreintes digitales pour délivrer les permis de conduire.

— Je vous écoute.

— Au début, nous avons cru qu'il s'agissait d'un bogue mais nous avons vérifié et... »

Le shérif resta encore cinq minutes à écouter tandis qu'une expression d'incrédulité se peignait sur son visage. Lorsqu'il prit enfin la parole, il dit : « Vous êtes sûr qu'il n'y a pas d'erreur ? On ne dirait pas... Tous... ? Je vois... Merci beaucoup. »

Il raccrocha et resta un long moment immobile. Puis il leva les yeux. « C'était le labo du FBI à Washington. Ils ont fini d'opérer les recoupements pour identifier les empreintes digitales trouvées sur les corps des victimes. Jean-Claude Parent fréquentait une Britannique du nom de Toni Prescott à l'époque où il a été assassiné.

— Oui.

— Richard Melton, de San Francisco, fréquentait une Italienne du nom d'Alette Peters à l'époque où il a été tué. »

Les autres acquiescèrent d'un hochement de tête.

« Et hier soir Sam Blake était avec Ashley Patterson.

— En effet. »

Le shérif prit une large inspiration. « Ashley Patterson...

— Oui ?

— Toni Prescott...

— Oui ?

— Alette Peters...

— Oui ?

— Ne font qu'une seule et même personne. »

LIVRE II

CHAPITRE ONZE

Robert Crowther, l'agent immobilier, copropriétaire de Bryant & Crowther, ouvrit la porte avec un geste emphatique et annonça : « Et voici la terrasse. D'ici, vous dominez la Coit Tower. »

Il regarda les jeunes mariés sortir sur la terrasse et s'approcher de la balustrade. La vue était magnifique, San Francisco s'étendait à leurs pieds en un panorama spectaculaire. Robert Crowther vit le couple échanger un regard et un sourire entendus, ce qui l'amusa. Ils essayaient de dissimuler leur excitation. Il en allait toujours ainsi : les clients potentiels croyaient que les prix allaient s'envoler s'ils manifestaient leur enthousiasme.

Pour ce duplex en terrasse, pensa cyniquement Crowther, *le prix est déjà assez élevé comme ça.* Il se demanda avec inquiétude si ce jeune couple avait les moyens de l'acheter. Le mari était avocat et les jeunes avocats ne gagnaient pas tant que ça.

Ils formaient un beau couple, manifestement très amoureux l'un de l'autre. David Singer, âgé d'une trentaine d'années, blond, avait l'air intelligent et possédait un côté juvénile fort engageant. Sa femme, Sandra, était charmante et chaleureuse.

Robert Crowther, remarquant le léger renflement de son ventre, avait dit : « La deuxième chambre d'ami fera une chambre d'enfant idéale. Il y a un terrain de jeu dans la rue voisine et deux écoles dans le quartier. » Il les vit échanger une fois encore leur petit sourire complice.

111

Le duplex était composé à l'étage supérieur d'une chambre de maître avec salle de bains et d'une chambre d'ami. A l'étage inférieur, il comprenait un séjour spacieux, une salle à manger, une bibliothèque, une cuisine, une seconde chambre d'ami et deux salles de bains. Presque toutes les pièces avaient une vue sur la ville.

Robert les suivit des yeux lorsqu'ils rentrèrent à l'intérieur. Ils restèrent dans un coin à chuchoter.

« Ce duplex me plaît énormément, dit Sandra à David. Et ce serait parfait pour le bébé. Mais, chéri, en avons-nous les moyens ? Six cent mille dollars !

— Plus les charges, ajouta David. La mauvaise nouvelle, c'est que nous ne pouvons pas nous l'offrir aujourd'hui. La bonne nouvelle, c'est que nous le pourrons jeudi. Le génie va sortir de sa bouteille magique et notre vie va changer.

— Je sais, dit-elle d'un ton joyeux. C'est merveilleux, non ?

— Alors on y va ? »

Sandra prit une profonde inspiration. « Allons-y. »

Le visage de David s'éclaira d'un grand sourire, il fit un signe de la main et dit : « Bienvenue chez vous, madame Singer. »

Bras dessus, bras dessous, ils se dirigèrent vers l'endroit où Robert Crowther les attendait. « Nous allons le prendre, lui dit David.

— Félicitations. C'est l'un des sites résidentiels les plus recherchés de San Francisco. Vous serez heureux ici.

— Je n'en doute pas.

— Vous avez de la chance. Je dois vous dire que d'autres personnes étaient aussi très intéressées.

— Combien voulez-vous en acompte ?

— Un dépôt de dix mille dollars fera l'affaire. Je ferai préparer le contrat de vente. Nous vous demanderons encore soixante mille dollars à la signature. Vous pouvez négocier une hypothèque de vingt ou trente ans avec votre banque. »

David échangea un coup d'œil avec Sandra. « D'accord.

— Je vais faire préparer les papiers.

— Puis-je jeter encore un coup d'œil ? » demanda Sandra d'un ton enthousiaste.

Crowther eut un sourire bienveillant. « Tant que vous voudrez, madame Singer. Vous êtes désormais chez vous.

— J'ai l'impression de vivre un conte de fées, David. Je n'arrive pas à y croire.

— C'est pourtant la réalité. » Il la prit dans ses bras. « Je veux que tous tes rêves se réalisent.

— Tu y réussis, mon chéri. »

Ils vivaient alors dans un petit deux-pièces de Marina District, mais l'enfant allait bientôt naître et on serait à l'étroit. Ils n'auraient jamais pu auparavant s'offrir cet appartement en terrasse à Nob Hill, sur les hauteurs de San Francisco, mais le jeudi suivant était le jour où l'on annonçait les nominations au poste de partenaire dans le cabinet de droit international de Kincaid, Turner, Rose & Ripley où David travaillait. Sur vingt-cinq candidats éligibles, six seraient selectionnés pour accéder à ces régions éthérées que représentait le partenariat dans ce cabinet juridique, et tout le monde s'accordait à penser que la candidature de David serait retenue. Kincaid, Turner, Rose & Ripley, qui possédait des bureaux à San Francisco, New York, Londres, Paris et Tokyo, était l'un des cabinets d'avocats les plus prestigieux de la planète et généralement la cible numéro un des diplômés qui sortaient parmi les tout premiers de leur promotion à la faculté de droit.

Le cabinet utilisait la politique de la carotte et du bâton à l'égard de ses jeunes recrues. Leurs aînés, les partenaires, les exploitaient sans merci, ne voulaient pas entendre parler de surmenage ou de maladie et se déchargeaient sur eux du travail de routine. C'était une dure pression, un travail de vingt-quatre heures sur vingt-quatre. C'était le bâton. La carotte résidait dans la perspective de devenir à son tour partenaire du cabinet. Cela signifiait un salaire plus important, une part des énormes bénéfices engrangés par le cabinet, un grand bureau avec vue panoramique, des lavabos privés, des missions à l'étranger et un nombre incalculable d'autres privilèges du même ordre.

David était avocat d'affaires chez Kincaid, Turner, Rose & Ripley depuis six ans et cela n'avait pas été facile tous les jours. On restait au bureau tard le soir, le stress était épouvantable, mais David, bien décidé à s'accrocher pour devenir partenaire, était resté et avait fait de l'excellent travail. Il allait bientôt recueillir les fruits de sa ténacité.

En quittant l'agent immobilier, Sandra et David allèrent faire des courses. Ils achetèrent un berceau, une chaise haute, un youpala, un parc et de la layette pour le bébé qu'ils appelaient déjà Jeffrey.

« Achetons-lui des jouets, dit David.

— Ça peut encore attendre », dit Sandra en riant.

Après les courses, ils flânèrent en ville, longèrent le front de mer jusqu'à Ghirardelli Square puis, au-delà de la Cannery, jusqu'au Fisherman's Wharf. Ils déjeunèrent à l'American Bistro.

On était samedi, une journée idéale à San Francisco pour les détenteurs de serviettes en cuir ornées de monogrammes en or et autres signes de pouvoir tels que cravates, costumes sombres, chemises aux initiales discrètes, une journée rêvée pour les déjeuners de tout ce joli monde affamé de puissance et propriétaire d'un appartement en terrasse. Une journée parfaite pour un avocat.

David et Sandra s'étaient rencontrés trois ans auparavant dans un dîner. Ce soir-là, David était accompagné de la fille d'un client du cabinet. Sandra, qui était assistante juridique, travaillait pour un cabinet rival. A table, ils avaient eu, elle et lui, une prise de bec au sujet d'un jugement des tribunaux de Washington dans une affaire politique. Ils s'étaient de plus en plus échauffés tandis que tous les autres convives suivaient la discussion. Subitement, en plein milieu de leur argumentation, ils s'étaient aperçus l'un et l'autre que la décision des tribunaux leur était complètement indifférente. Ce qui les intéressait, c'était de s'exhiber mutuellement comme s'ils accomplissaient une sorte de danse verbale préliminaire à l'accouplement.

David avait téléphoné à Sandra le lendemain. « J'aimerais que l'on termine cette discussion, avait-il dit. Je crois que c'est important.

— Moi aussi, avait confirmé Sandra.

— Si nous dînions ensemble ce soir pour en parler ? »

Sandra avait hésité. Elle était déjà invitée au restaurant ce soir-là. « Oui, avait-elle dit finalement. Ce soir, ça ira. »

Ils ne s'étaient plus quittés depuis. Un an jour pour jour après leur rencontre, ils s'étaient mariés.

Joseph Kincaid, le partenaire *senior* du cabinet, avait donné congé à David pour le week-end.

David gagnait 45 000 dollars par an chez Kincaid, Turner, Rose & Ripley. Sandra avait gardé son travail d'assistante juridique. Mais désormais, avec la naissance du bébé, les dépenses allaient augmenter.

« Je vais devoir quitter mon travail dans quelques mois, avait dit Sandra. Je ne veux pas que notre enfant soit élevé par une nounou, chéri. Je veux être là pour lui. » L'échographie avait indiqué que ce serait un garçon.

« Nous nous débrouillerons », l'avait assuré David. Sa promotion au rang de partenaire allait changer leur vie.

David avait commencé à faire des heures encore plus nombreuses. Il voulait être sûr de ne pas passer inaperçu lorsque viendrait le jour des nominations.

Le jeudi matin, David, tout en s'habillant, regarda les informations télévisées. Un présentateur, qu'on eût dit à bout de souffle, était en train de dire d'une voix précipitée : « Une nouvelle de dernière heure nous parvient à la minute même... Ashley Patterson, la fille du chirurgien bien connu de San

Francisco, Steven Patterson, a été arrêtée... On la soupçonne d'être le tueur en série que la police et le FBI recherchaient depuis... »

David resta figé sur place devant le téléviseur.

« ... Matt Dowling, le shérif du comté de Santa Clara a annoncé hier soir l'arrestation d'Ashley Patterson pour une série de meurtres dont les victimes avaient toutes été châtrées. Le shérif Dowling a déclaré à la presse : "Il ne fait aucun doute que nous détenons la coupable. Nous disposons de preuves accablantes." »

Le Dr Steven Patterson. David fit mentalement un retour en arrière, dans un lointain passé.

... Il avait vingt et un ans et venait de commencer ses études de droit. Un jour, en rentrant de la fac, il trouva sa mère étendue par terre dans sa chambre, inconsciente. Il appela Police Secours et une ambulance transporta sa mère au Memorial Hospital de San Francisco. Il attendit aux urgences jusqu'à ce qu'un médecin vienne lui parler.

« Est-ce qu'elle... est-ce qu'elle va bien ? »

Le médecin hésita. « Nous l'avons fait examiner par un de nos cardiologues. Elle a une rupture de cordon dans la valvule mitrale.

— C'est-à-dire ?

— J'ai bien peur que nous ne puissions rien pour elle. Elle est trop faible pour recevoir une greffe. Quant à la microchirurgie cardiaque, elle est nouvelle et trop risquée. »

David eut l'impression qu'il allait se trouver mal. « Pour combien... pour combien de temps en a-t-elle...

— Je dirais deux ou trois jours, peut-être une semaine. Je regrette, mon petit. »

David, paniqué, resta immobile. « Mais *personne* ne peut rien faire pour elle ?

— Je crains que non. La seule personne qui aurait pu lui venir en aide est le Dr Steven Patterson, mais il est très...

— Qui est le Dr Steven Patterson ?

— Le Dr Patterson est à l'origine de la microchirurgie cardiaque par incision. Mais il y a peu de chances qu'entre ses patients et sa recherche il trouve... »

David n'était plus là.

Il téléphona au bureau du Dr Patterson d'une cabine dans le couloir de l'hôpital. « Je voudrais prendre rendez-vous avec le Dr Patterson. C'est pour ma mère. Elle...

— Je regrette. Nous ne prenons plus de rendez-vous. Nous avons une liste d'attente de six mois.

— *Ma mère n'a pas le temps d'attendre six mois!* cria-t-il dans l'appareil.

— Je regrette. Je peux vous donner l'adresse d'un... »

Il raccrocha, furieux.

Le lendemain matin, il se rendit au bureau du Dr Patterson. La salle d'attente était comble. Il alla vers l'accueil. « Je voudrais prendre rendez-vous avec le Dr Patterson. Ma mère est très malade et... »

La réceptionniste leva les yeux et dit : « Vous avez téléphoné hier, n'est-ce pas ?

— Oui.

— Je vous l'ai dit. Notre carnet de rendez-vous est complet et nous n'en prenons plus pour le moment.

— J'attendrai, dit David avec entêtement.

— Vous ne pouvez pas attendre. Le Docteur est... »

David s'assit. Il suivit des yeux les gens que l'on appelait à tour de rôle dans le cabinet du chirurgien et se retrouva finalement seul dans la salle d'attente.

A 18 heures, la réceptionniste lui dit : « Il est inutile d'attendre plus longtemps. Le Dr Patterson est rentré chez lui. »

Ce soir-là, David alla voir sa mère dans le service des soins intensifs.

« Vous ne pouvez rester qu'une minute, pas plus, le prévint une infirmière. Elle est très faible. »

Il entra dans la chambre, les larmes aux yeux. Sa mère, rattachée à un respirateur dont les tubes s'enfonçaient dans ses bras et son nez, était d'une blancheur cadavérique. Elle avait les yeux fermés.

S'approchant d'elle, il dit : « C'est moi, maman. Je ne permettrai pas qu'il t'arrive quoi que ce soit. Tu vas recouvrer la santé. » David avait les joues inondées de larmes. « Tu m'entends ? Nous allons nous battre jusqu'au bout. Personne n'aura le dessus sur nous tant que nous serons ensemble. Je vais te trouver le meilleur médecin du monde. Tu ne bouges pas d'ici. Je reviendrai demain. » Il se pencha et l'embrassa tendrement sur la joue.

Sera-t-elle encore en vie demain ?

Le lendemain après-midi, David descendit dans le parking de l'immeuble où se trouvait le bureau du Dr Patterson. Un gardien était en train de garer des voitures.

Il s'approcha de David. « Puis-je vous être utile ?

— J'attends ma femme. Elle est en consultation chez le Dr Patterson. »

Le gardien sourit. « C'est un type génial.

— Il nous a parlé de sa voiture de luxe. » David marqua une pause comme s'il essayait de se souvenir du nom de la voiture. « Il a parlé d'une Cadillac je crois. »

Le gardien secoua la tête. « Non. » Il indiqua une Rolls-Royce garée dans un coin. « C'est la Rolls là-bas.

— Ah bon. Je crois qu'il a aussi parlé d'une Cadillac.

— Ça ne m'étonnerait pas », dit le gardien qui se précipita pour garer une voiture qui arrivait.

David marcha vers la Rolls d'un pas désinvolte. Lorsqu'il fut sûr que personne ne le voyait, il ouvrit la portière, se glissa à l'arrière et s'aplatit sur le plancher. Il resta là, ankylosé et dans l'inconfort, espérant de tout son cœur que le Dr Patterson sortirait enfin.

A 18 heures 15, il sentit un léger choc lorsque la portière avant de la voiture s'ouvrit tandis que quelqu'un prenait place au volant. Il entendit le moteur démarrer puis la voiture se mit en mouvement.

« Bonsoir, docteur Patterson.

— Bonsoir, Marco. »

La voiture sortit du parking et David sentit qu'elle prenait un virage. Il attendit deux minutes puis, prenant son courage à deux mains, se redressa.

Le Dr Patterson le vit dans le rétroviseur. Il dit calmement : « Si c'est à mon argent que vous en avez, je n'ai pas d'espèces sur moi.

— Tournez dans la première rue et garez-vous le long du trottoir. »

Le Dr Patterson acquiesça d'un hochement de tête. David le surveilla avec méfiance lorsqu'il s'engagea dans la rue transversale, se gara au bord du trottoir et coupa le moteur.

« Je vais vous donner ce que j'ai sur moi, dit le Dr Patterson. Vous pouvez prendre la voiture. Inutile de recourir à la violence. Si... »

David se glissa sur la banquette avant. « Je ne veux pas votre argent. Ni la voiture. »

Le Dr Patterson le regarda d'un air agacé. « Mais enfin que voulez-vous ?

— Je m'appelle Singer. Ma mère est en train de mourir. Je veux que vous la sauviez. »

Une brève expression de soulagement apparut sur le visage du Dr Patterson, vite remplacée par un air irrité.

« Prenez rendez-vous avec ma...

— Je n'ai pas de temps à perdre avec un foutu rendez-vous. » David hurlait littéralement. « Elle va mourir et je ne le permettrai pas. » Il s'efforça de retrouver son calme. « Je vous en prie. Les autres médecins m'ont dit que vous étiez mon seul espoir. »

Le Dr Patterson le regardait, toujours méfiant. « Qu'est-ce qu'elle a ?

— Elle a... une rupture de cordon dans la valvule mitrale. Les médecins ont peur de l'opérer. Ils disent que vous seul pourriez la sauver. »

Le Dr Patterson secoua la tête. « Mon emploi du temps...

— Je me fiche de votre foutu emploi du temps ! C'est ma mère. Vous devez la sauver ! Je n'ai qu'elle au monde... »

Un long silence tomba dans l'habitacle. David resta immobile, les yeux fermés. Il entendit la voix du Dr Patterson.

« Je ne vous promets rien, mais je la verrai. Où est-elle ? »

David se tourna pour le regarder. « Elle est dans le service des soins intensifs du Memorial Hospital de San Francisco.

— Venez m'y retrouver à 8 heures demain matin.

— Je ne sais comment...

— Rappelez-vous, je ne promets rien. Et je n'apprécie guère qu'on me fiche la trouille, jeune homme. La prochaine fois, essayez le téléphone. »

David, rigide, resta silencieux.

Le Dr Patterson le regarda. « Quoi ?

— Il y a autre chose...

— Tiens donc !

— Je... Je n'ai pas d'argent. Je suis étudiant en droit et je travaille pour payer mes études. »

Le Dr Patterson le fixait intensément.

David dit avec chaleur : « Je vous jure que je trouverai un moyen de vous payer. Même s'il me faut une vie entière pour y parvenir, je m'acquitterai de ma dette. Je connais le coût élevé de vos honoraires et je...

— Je ne crois pas que vous le connaissiez, mon petit.

— Je n'ai personne d'autre vers qui me tourner, docteur Patterson. Je... je vous en supplie. »

Il y eut un autre silence.

« Combien d'années de fac avez-vous derrière vous ?

— Aucune. Je commence.

— Mais vous croyez pouvoir me rembourser ?

— Je le jure.

— Fichez-moi le camp ! »

De retour chez lui, David était convaincu que la police allait venir le chercher pour enlèvement, agression, Dieu sait quoi encore. Mais il n'en fut rien. Restait à savoir si le Dr Patterson serait au rendez-vous le lendemain matin.

Lorsque David entra dans le service des soins intensifs, le lendemain, le Dr Patterson était là, en train d'examiner sa mère.

David le regarda faire, le cœur battant, la gorge sèche.

Le Dr Patterson se tourna vers un membre du groupe des médecins qui l'entouraient. « Conduisez-la en salle d'opération, Al. Vite ! »

Tandis que l'on faisait glisser sa mère sur un brancard, David demanda d'une voix brisée : « Est-ce qu'elle...

— On verra. »

Six heures plus tard, le Dr Patterson vint vers David dans la salle d'attente.

Il se leva d'un bond. « Comment est... ? » Il eut peur d'aller au bout de sa question.

« Elle va s'en sortir. Votre mère est robuste. »

David resta sans voix, envahi par un immense sentiment de soulagement. Il murmura une prière à mi-voix. *Merci, mon Dieu.*

Le Dr Patterson l'observait. « Je ne connais même pas votre prénom.

— David, Monsieur.

— Eh bien, monsieur David, savez-vous pourquoi j'ai accepté de faire ça ?

— Non...

— Pour deux raisons. L'état de votre mère représentait un défi pour moi. J'aime les défis. La seconde raison, c'est vous.

— Je... je ne comprends pas.

— Vous vous êtes conduit dans cette affaire comme je l'aurais fait à votre âge. Vous avez fait preuve d'imagination. Or » – son intonation changea – « vous avez dit que vous alliez me rembourser. »

121

David éprouva un sentiment de découragement. « Oui, Monsieur. Un jour...

— Et pourquoi pas maintenant ? »

David déglutit. « *Maintenant ?*

— Je vous propose un marché. Savez-vous conduire ?

— Oui, Monsieur...

— Parfait. J'en ai assez de conduire cette grosse voiture. Vous me conduisez au travail tous les matins et vous venez me chercher tous les soirs à 18 ou 19 heures pendant un an. Au terme de ce laps de temps, je considérerai que mes honoraires sont réglés... »

Ce fut marché conclu. David conduisit le Dr Patterson à son bureau le matin et le reconduisit chez lui le soir et, en échange, le chirurgien sauva la vie de sa mère.

Pendant cette année-là, David en vint à éprouver une véritable vénération pour le Dr Patterson. Malgré ses sautes d'humeur occasionnelles, celui-ci était l'homme le plus altruiste que David eût connu. Il se dépensait beaucoup dans diverses activités caritatives et accomplissait du travail bénévole dans des cliniques gratuites. Durant le trajet entre son domicile et l'hôpital ou son bureau, à l'aller et au retour, David et lui avaient de longues conversations.

« Quelle sorte de droit étudiez-vous, David ?

— Le droit pénal.

— Pourquoi ? Pour aider tous ces voyous à vivre libres comme l'air ?

— Non, Monsieur. Il y a beaucoup d'honnêtes gens en butte aux tracasseries de la loi et qui ont besoin d'aide. Je veux les aider. »

Lorsque l'année convenue entre eux arriva à sa fin, le Dr Patterson échangea une poignée de main avec David et lui dit : « Nous sommes quittes... »

David n'avait pas revu le Dr Patterson au cours des années suivantes mais il avait fréquemment lu ou entendu son nom.

« Le Dr Patterson vient d'ouvrir une clinique gratuite pour les nouveau-nés atteints du Sida... »

« Le Dr Patterson est arrivé au Kenya aujourd'hui pour l'inauguration du Patterson Medical Center... »

« Les travaux de construction du Centre d'Hébergement Patterson ont débuté aujourd'hui... »

On aurait dit qu'il était partout et qu'il employait son temps et son argent à soulager tous les nécessiteux.

La voix de Sandra tira David de sa rêverie. « David. Ça va ? »

Il se détourna du téléviseur. « On vient d'arrêter la fille de Steven Patterson pour ces meurtres en série.

— C'est terrible ! dit Sandra. Je suis vraiment navrée, chéri.

— Grâce à lui, maman a pu vivre encore sept années merveilleuses. Il est injuste qu'un homme comme lui doive subir une épreuve pareille. Je n'ai jamais rencontré un aussi chic type, Sandra. Il ne mérite pas ça. Comment peut-il avoir pour fille un monstre pareil ! » Il consulta sa montre. « Zut ! Je vais être en retard.

— Tu n'as pas pris ton petit déjeuner.

— Je suis trop bouleversé pour manger. » Il jeta un coup d'œil en direction du téléviseur. « Il y a ça... et les nominations au poste de partenaire qui ont lieu aujourd'hui...

— Tu vas être nommé. C'est dans la poche.

— Ce n'est *jamais* dans la poche, mon chou. Tous les ans, quelqu'un qu'on donnait gagnant se retrouve Gros-Jean comme devant. »

Elle l'étreignit et dit : « Ils auront la chance de t'avoir. »

Il se pencha pour l'embrasser. « Merci, ma chérie. Je ne sais pas ce que je deviendrais sans toi.

— Je serai toujours là. Tu m'appelles dès que tu as la nouvelle, n'est-ce pas, David ?

— Bien sûr. Nous irons fêter ça quelque part. » Et ces paroles firent écho en lui. Plusieurs années auparavant, il avait dit cela à quelqu'un d'autre : *Nous irons fêter ça quelque part.*

Et il l'avait tuée.

123

Les bureaux de Kincaid, Turner, Rose & Ripley occupaient trois étages de la TransAmerica Pyramid, dans le centre de San Francisco.

A son arrivée, David Singer fut accueilli par des sourires complices. Il lui parut même que la manière dont on le saluait était d'une qualité différente, comme si on savait que l'on s'adressait à un futur partenaire du cabinet.

En se rendant à son bureau, relativement exigu, il passa devant un bureau nouvellement décoré qui allait être celui de l'un des partenaires choisis et ne put se retenir de regarder à l'intérieur. C'était une belle pièce, spacieuse, avec des toilettes attenantes, un bureau et des fauteuils tournés vers une fenêtre panoramique d'où on avait une vue magnifique de la baie de San Francisco. Il resta un moment immobile, dévorant le spectacle des yeux.

Lorsqu'il entra dans son bureau, sa secrétaire, Holly, dit de sa voix mélodieuse : « Bonjour, monsieur Singer.

— Bonjour, Holly.

— J'ai un message pour vous.

— Ah ?

— Monsieur Kincaid voudrait vous voir dans son bureau à 5 heures. » Elle se fendit d'un large sourire.

La chose allait donc se faire. « Génial ! »

Se rapprochant de David, elle dit : « Je pense que je devrais aussi vous le dire. J'ai pris un café ce matin avec Dorothy, la secrétaire de M. Kincaid. Elle dit que vous venez en tête des candidats. »

David eut un grand sourire. « Merci, Holly.

— Vous voulez un café ?

— Avec plaisir.

— Brûlant et fort, je vous apporte ça. »

David alla vers son bureau sur lequel s'entassaient des brefs de procédure, des contrats et des dossiers.

Le grand jour était arrivé. Enfin. « *M. Kincaid voudrait*

vous voir dans son bureau à 5 heures... Vous êtes en tête des candidats. »

Il fut tenté de téléphoner à Sandra pour lui communiquer la bonne nouvelle. Quelque chose l'en retint. *Ne vendons pas la peau de l'ours...* pensa-t-il.

Il passa les deux heures suivantes à régler les affaires en cours. A 11 heures, Holly entra dans le bureau. « Un certain docteur Patterson demande à vous voir. Il n'a pas de rendez- ... »

Il leva un œil étonné vers sa secrétaire. « Le docteur Patterson est *ici* ?

— Oui. »

David se leva. « Faites-le entrer. »

Steven Patterson pénétra dans le bureau tandis que David s'efforçait de dissimuler sa réaction. Le chirurgien paraissait vieilli et fatigué.

« Bonjour, David.

— Docteur Patterson. Je vous en prie, asseyez-vous. » David le regarda prendre lentement un siège. « J'ai vu les informations ce matin. Je... je ne saurais vous dire à quel point je suis navré. »

Le Dr Patterson hocha la tête d'un air las. « Oui. Ça a été un coup dur. » Il leva les yeux. « J'ai besoin de votre aide, David.

— Bien sûr, répondit avec empressement le jeune avocat. Je ferai tout ce que je peux. *Tout.*

— Je veux que vous défendiez Ashley. »

David mit quelques instants à assimiler le sens de ses paroles. « Je... Je ne peux pas. Je ne suis pas avocat pénaliste. »

Le Dr Patterson, le regardant droit dans les yeux, dit : « Ashley n'est pas une criminelle.

— Je... Vous ne comprenez pas, docteur Patterson. Je suis avocat d'affaires. Je peux vous recommander un excellent...

— J'ai déjà été contacté par une demi-douzaine d'avocats pénalistes parmi les plus célèbres. Ils veulent tous la

125

défendre. » Il se pencha en avant sur son siège. « Mais ce n'est pas ma fille qui les intéresse, David. C'est une affaire fortement médiatisée et ils cherchent à se mettre en vedette. Ils se fichent d'elle comme de leur dernière chemise. Je n'ai qu'elle au monde. »

« *Je veux que vous sauviez la vie de ma mère. Je n'ai qu'elle au monde.* »

« Je voudrais vous aider, dit David, mais...

— En sortant de la faculté de droit, vous avez travaillé pour un cabinet de droit pénal. »

Le cœur de David battit plus fort. « C'est vrai mais...

— Vous avez été avocat pénaliste durant plusieurs années. »

David acquiesça. « Oui, mais je... j'ai abandonné. Il y a longtemps et...

— Pas si longtemps que ça, David. Et c'est vous-même qui me disiez combien ce genre de pratique vous plaisait. Pourquoi avez-vous quitté le droit pénal pour le droit des affaires ? »

David resta silencieux quelques instants. « Aucune importance. »

Le Dr Patterson tira de sa serviette une lettre manuscrite qu'il tendit à David. Celui-ci sut, sans avoir besoin de la lire, ce qu'elle contenait.

> Cher docteur Patterson,
> Je ne trouve pas les mots pour vous dire ma reconnaissance et combien j'apprécie votre générosité. Si jamais je peux vous rendre un service quelconque, n'hésitez pas à vous adresser à moi...

David regarda la lettre sans la voir.

« David, acceptez-vous de voir Ashley ? »

Il acquiesça. « Oui, bien sûr. Mais je... »

Le Dr Patterson se leva. « Merci. »

David le regarda sortir du bureau.

« *Pourquoi avez-vous quitté le droit pénal pour le droit commercial ?* »

Parce que j'ai commis une erreur et qu'une innocente que j'aimais est morte. J'avais juré de ne jamais plus me charger de la vie d'autrui. Jamais.

Je ne peux pas défendre Ashley Patterson.

Il appuya sur le bouton de l'intercom. « Holly, pourriez-vous demander à M. Kincaid s'il peut me recevoir maintenant ?

— Oui, monsieur. »

Trente minutes plus tard, David pénétrait dans les pièces luxueuses qui tenaient lieu de bureau à Joseph Kincaid. Celui-ci, un sexagénaire, était un personnage terne, tant physiquement que mentalement et affectivement.

« Eh bien, dit-il lorsque David entra, vous êtes drôlement impatient, jeune homme. Nous n'avions rendez-vous qu'à 5 heures. »

David s'approcha du bureau. « Je sais. Je suis venu vous parler d'autre chose, Joseph. »

Quelques années auparavant, David avait commis l'erreur de l'appeler Joe et le vieil homme avait presque piqué une crise. « *Ne m'appelez plus jamais Joe, vous m'entendez !* »

« Asseyez-vous, David. »

Celui-ci prit un siège.

« Cigare ? Ce sont des havanes.

— Non, merci.

— Qu'est-ce qui vous amène ?

— Le Dr Patterson est venu me voir tout à l'heure.

— On parlait de lui aux informations ce matin. Quelle honte ! Qu'est-ce qu'il vous voulait ?

— Que je défende sa fille. »

Kincaid le regarda, étonné. « Vous n'êtes pas avocat pénaliste.

— C'est ce que je lui ai dit.

— Ça alors. » Kincaid demeura quelques instants songeur.

« J'aimerais avoir le Dr Patterson comme client, vous savez. Il est très influent. Il pourrait apporter beaucoup d'affaires au cabinet. Il entretient des relations avec de nombreuses organisations médicales qui...

— Il y a un autre problème. »

Kincaid lui adressa un regard intrigué. « Ah oui ?

— Je lui ai promis de parler à sa fille.

— Je vois. Mais enfin, pourquoi pas, après tout. Parlez-lui et nous lui trouverons un bon avocat pénaliste.

— C'est mon intention.

— Bien. Nous allons marquer des points avec le Dr Patterson. Allez-y. » Il sourit. « Je vous verrai à 5 heures.

— D'accord. Merci, Joseph. »

En retournant à son bureau, David se demanda : *Mais pourquoi donc le Dr Patterson tient-il tant à ce que ce soit moi qui défende sa fille ?*

CHAPITRE DOUZE

Ashley était assise dans sa cellule de la prison du comté de Santa Clara, trop traumatisée pour essayer de comprendre comment elle s'était retrouvée là. Elle était toutefois ravie d'être derrière les barreaux car ceux-ci la mettaient à l'abri de celui ou celle qui la harcelait. Elle s'était pelotonnée dans sa cellule comme on s'enveloppe dans une couverture, pour se protéger des forces aveugles dont elle était victime. Sa vie s'était transformée en cauchemar. Elle repensait à tous les événements mystérieux qui lui étaient arrivés : quelqu'un entrant par effraction chez elle pour se livrer à des actes malveillants à son égard... le voyage à Chicago... les mots tracés sur le miroir... et à présent la police qui l'accusait des crimes indicibles dont elle ne savait rien. Quelque chose se tramait derrière son dos mais elle ignorait qui tirait les ficelles et pourquoi.

Tôt, ce matin-là, un gardien était venu la chercher dans sa cellule. « Visiteur. »

Il l'avait conduite au parloir où l'attendait son père.

Celui-ci l'avait regardée, les yeux ravagés par le chagrin. « Ma chérie... je ne sais pas quoi dire.

— Je ne suis pas coupable des horreurs dont on m'accuse, avait-elle dit à voix basse.

— Je le sais. C'est une terrible méprise mais nous allons régler tout ça. »

Elle avait dévisagé son père en se demandant comment elle avait même pu le soupçonner.

« ... ne t'inquiète pas, était-il en train de lui dire. Tout va s'arranger. Je t'ai trouvé un avocat. David Singer. C'est l'un des jeunes gens les plus brillants que je connaisse. Il va venir te voir. Je veux que tu lui dises tout. »

Elle le regarda et dit d'un ton désespéré : « Papa, je... je ne sais pas quoi lui dire. Je ne sais pas ce qui se passe.

— Nous allons éclaircir cette histoire, ma petite chérie. Je ne laisserai personne te faire du mal. Personne ! Jamais ! Tu signifies trop pour moi. Je n'ai que toi au monde, mon ange.

— Et moi, je n'ai que toi », murmura Ashley.

Son père était resté encore une heure. Après son départ, l'univers d'Ashley s'était rétréci aux dimensions de sa petite cellule. Etendue sur la couchette, elle s'était efforcée de ne pas penser. *Ce sera bientôt fini et je m'apercevrai que ce n'était qu'un mauvais rêve... Uniquement un mauvais rêve... Un rêve...* Elle s'était enfin endormie.

La voix d'un gardien la réveilla. « Vous avez de la visite. »

On l'emmena au parloir où l'attendait Shane Miller.

Il se leva à son entrée. « Ashley... »

Le cœur d'Ashley se mit à battre. « Oh, Shane ! » Elle n'avait jamais dans sa vie été aussi heureuse de voir quelqu'un. Elle avait toujours su qu'il viendrait la sortir de là, qu'il ferait le nécessaire pour qu'on la remette en liberté.

« Shane, je suis tellement contente de te voir !

— Moi aussi », répondit Shane d'un air gêné. Il regarda autour de lui dans le morne parloir. « Mais je dois t'avouer que j'aurais préféré que ce soit dans d'autres circonstances. Quand j'ai appris la nouvelle, je... je n'arrivais pas à le croire. Que s'est-il passé ? Qu'est-ce qui t'a pris de faire ça, Ashley ? »

Elle blêmit. « Qu'est-ce qui m'a pris... ? Tu penses vraiment que j'ai... ?

— Peu importe, fit vivement Shane. Ne dis plus rien. Tu ne devrais parler à personne sauf à ton avocat. »

Ashley le dévisagea. Il la croyait coupable. « Pourquoi es-tu venu ?

— Eh bien, cette démarche me déplaît, mais vu... vu les circonstances, je... l'entreprise... met fin à ton contrat. Enfin... nous ne pouvons naturellement pas nous permettre d'être associés à quelque titre que ce soit à une affaire pareille. Déjà que la presse a signalé le fait que tu travailles pour Global. Tu comprends, n'est-ce pas ? Ne le prends pas mal. »

Tout en roulant en direction de San Jose, David Singer arrêta dans son esprit ce qu'il allait dire à Ashley Patterson. Il en tirerait le maximum d'informations qu'il transmettrait ensuite à Jesse Quiller, l'un des meilleurs avocats d'assises du pays. Si quelqu'un pouvait faire quelque chose pour Ashley, c'était lui.

On le fit entrer dans le bureau du shérif Dowling. Il lui tendit sa carte. « Je suis avocat. Je viens voir Ashley Patterson et...

— Elle vous attend. »

David le regarda avec étonnement. « Ah oui ?

— Ouais. » Le shérif Dowling se tourna vers un adjoint à qui il adressa un signe de tête.

« Par ici », dit l'adjoint à David. Il le conduisit au parloir et, quelques minutes plus tard, on amena Ashley.

David fut saisi d'étonnement en la voyant. Il l'avait rencontrée plusieurs années auparavant, à l'époque où il était étudiant en droit et servait de chauffeur à son père. Il se souvenait d'une jeune fille charmante et intelligente. Il avait à présent devant lui une jeune femme d'une grande beauté au regard craintif. Elle s'assit en face de lui.

« Bonjour, Ashley. Je suis David Singer.

— Mon père m'avait prévenue de votre visite. » Sa voix tremblait.

« Je suis venu vous poser quelques questions. »

Elle acquiesça.

131

« Je tiens auparavant à préciser que tout ce que vous me direz est strictement confidentiel. Ça restera entre nous. Mais il faut que je sache la vérité. » Il hésita. Il n'avait pas prévu d'aller aussi loin mais il voulait être en mesure de donner à Jesse Quiller le plus d'informations possible afin de le convaincre d'assurer la défense d'Ashley. « Avez-vous tué ces hommes ?

— Non ! » La voix d'Ashley était vibrante de conviction. « Je suis innocente ! »

David tira une feuille de papier de sa poche et y jeta un coup d'œil. « Connaissiez-vous Jim Cleary ?

— Oui. Nous... nous devions nous marier. Je n'avais aucune raison de lui faire du mal. Je l'aimais. »

David l'observa durant quelques instants puis regarda de nouveau la feuille de papier. « Et Dennis Tibble ?

— Nous étions collègues de travail. Je l'ai vu le soir où il a été assassiné mais je n'y suis pour rien. J'étais à Chicago. »

David examinait son visage.

« Vous devez me croire. Je... Je n'avais aucune raison de le tuer.

— D'accord, dit David qui regarda de nouveau la feuille. Quelles étaient vos relations avec Jean-Claude Parent ?

— La police m'a interrogée à ce sujet. J'ignorais jusqu'à l'existence de cet homme. Comment aurais-je pu le tuer si je ne le connaissais même pas ? » Elle adressa à David un regard implorant. « Ne voyez-vous pas que l'on se méprend ? Que l'on a arrêté la mauvaise personne ? » Elle se mit à pleurer. « Je n'ai pas tué.

— Richard Melton ?

— Je ne le connais pas non plus. »

David attendit qu'Ashley reprenne le contrôle d'elle-même. « Et le shérif adjoint Blake ? »

Ashley secoua la tête. « Le shérif adjoint Blake était resté chez moi cette nuit-là pour veiller sur moi. Quelqu'un me harcelait et me menaçait. J'ai dormi dans ma chambre et il a dormi sur le canapé dans le séjour. On... on a trouvé son corps dans la ruelle. » Ses lèvres tremblaient. « Pourquoi l'aurais-je tué ? Il était là pour me venir en aide ! »

David examinait Ashley, intrigué. *Il y a quelque chose qui cloche dans cette histoire*, pensa-t-il. *Soit elle dit la vérité, soit c'est une sacrée bonne comédienne.* Il se leva. « Je reviendrai. Je voudrais dire un mot au shérif. »

Deux minutes plus tard, il était dans le bureau du shérif.

« Alors, vous l'avez vue ? demanda ce dernier.

— Oui. Je pense que vous vous êtes mis dans de beaux draps, shérif.

— Comment ça, Maître ?

— Vous étiez trop pressé d'opérer une arrestation. Ashley Patterson ne connaît même pas deux des personnes que vous l'accusez d'avoir tuées. »

Un petit sourire flotta sur les lèvres du shérif Dowling. « Elle vous a fait le coup à vous aussi, hein ? Elle nous a tous bien fait marcher.

— De quoi parlez-vous ?

— Je vais vous montrer, maître. » Il ouvrit une chemise sur son bureau et tendit des documents à David. « Voici des doubles de rapports des médecins légistes, de rapports du FBI, de rapports de tests d'ADN et de rapports d'Interpol concernant les cinq hommes qui ont été assassinés et châtrés. Chacun d'eux avait eu des relations sexuelles avec une femme avant d'être assassiné. Il y avait des traces de sécrétions vaginales et des empreintes digitales sur chacune des scènes du crime. On avait d'abord cru avoir affaire à des femmes différentes. Eh bien, le FBI a rassemblé ces pièces à conviction, et devinez ce qu'il en est résulté ? Il se trouve que les trois femmes ne sont autres qu'Ashley Patterson. Son ADN et ses empreintes sont positifs pour chacun des meurtres. »

David le dévisageait d'un air incrédule. « Vous êtes... bien sûr ?

— Ouais. A moins de vouloir croire qu'Interpol, le FBI et cinq médecins légistes différents se sont donné le mot pour piéger votre cliente. Tout est là, maître. Un des hommes qu'elle a tués était mon beau-frère. Ashley Patterson va être jugée pour meurtre avec préméditation et elle sera condamnée. Autre chose ?

— Oui. Je voudrais la revoir. »

On la ramena au parloir. Lorsqu'elle y entra, David demanda d'un ton irrité : « Pourquoi m'avez-vous menti ?

— Quoi ? Je ne vous ai pas menti. Je suis innocente. Je...

— On a assez de preuves contre vous pour vous envoyer une douzaine de fois au bûcher. Je vous ai dit que je voulais la vérité. »

Ashley le regarda durant une longue minute puis prit la parole d'une voix douce. « Je vous ai dit la vérité. Je n'ai rien à ajouter. »

En l'écoutant, David pensa : *Elle croit vraiment ce qu'elle dit. J'ai affaire à une cinglée. Que vais-je dire à Jesse Quiller ?*

« Accepteriez-vous de voir un psychiatre ?

— Non... Oui. Si vous y tenez.

— Je vais m'en occuper. »

En revenant à San Francisco, David pensa, *J'ai respecté ma part du marché. Je l'ai vue. Si elle est vraiment convaincue de dire la vérité, elle est folle à lier. Je vais la refiler à Jesse qui plaidera la démence et ce sera terminé.*

Il eut un mouvement de compassion pour Steven Patterson.

A la même heure, le Dr Patterson recevait des témoignages de sympathie de la part de ses collègues du Memorial Hospital de San Francisco.

« C'est une vraie honte, Steven. Vous ne méritiez sûrement pas ça... »

« Ce doit être pour vous une épreuve terrible à supporter. Si je puis faire quelque chose... »

« Je ne sais pas ce qu'ont les enfants de nos jours. Ashley paraissait si normale... »

Et derrière ces témoignages de sympathie, chacun pensait : *Dieu merci, ce n'est pas mon enfant.*

Dès son retour au cabinet, David s'empressa d'aller voir Joseph Kincaid.

Celui-ci leva les yeux de son bureau et dit : « Eh bien, il est 6 heures passées, David, mais je vous attendais. Avez-vous vu la fille du Dr Patterson ?

— Oui.

— Et avez-vous trouvé un avocat pour la défendre ? »

David hésita. « Pas encore, Joseph. Je suis en train de faire des démarches pour qu'un psychiatre l'examine. Je retournerai la voir demain matin. »

Joseph Kincaid regarda David d'un air étonné. « Oh ? Franchement, je suis surpris que vous vous impliquiez à ce point dans cette histoire. Naturellement, nous ne saurions tolérer que le cabinet soit associé de près ou de loin à l'horreur dans laquelle va dégénérer cette affaire.

— Je ne m'implique pas vraiment, Joseph, mais j'ai une grande dette envers son père. Je lui ai fait une promesse.

— Pas par écrit, n'est-ce pas ?

— Non.

— Dans ce cas, ce n'est qu'une obligation morale. »

David l'examina quelques instants, fut sur le point de dire quelque chose, puis se ravisa. « Oui. Ce n'est qu'une obligation morale.

— Eh bien, lorsque vous en aurez fini avec Mlle Patterson, revenez me voir et nous causerons. »

Pas un mot sur le partenariat.

Lorsqu'il rentra chez lui, ce soir-là, l'appartement était plongé dans l'obscurité.

« Sandra ? »

Il n'y eut pas de réponse. Il s'apprêtait à allumer dans le couloir lorsqu'elle apparut soudain, sortant de la cuisine et portant un gâteau décoré de bougies.

« Je t'ai fait une surprise ! Nous fêtons... » En voyant l'expression de David, elle s'arrêta. « Il y a quelque chose qui ne va pas, chéri ? Tu n'as pas eu le poste ? On l'a donné à un autre ?

135

— Non, non, dit-il d'un ton rassurant. Tout va bien. »

Sandra posa le gâteau et s'approcha de lui. « Il y a quelque chose qui ne va pas.

— Il y a un... délai, c'est tout.

— N'avais-tu pas rendez-vous avec Joseph Kincaid aujourd'hui ?

— Oui. Assieds-toi, mon chou. Il faut que nous parlions. »

Ils s'assirent sur le canapé. « Il s'est produit un imprévu, expliqua David. Steven Patterson est venu me voir ce matin.

— Ah oui ? A quel sujet ?

— Il veut que j'assure la défense de sa fille. »

Sandra lui adressa un regard étonné. « Mais, David... tu n'es pas...

— Je sais. Je me suis évertué à le lui dire. Sauf que j'ai déjà pratiqué le droit pénal.

— Mais plus maintenant. Lui as-tu dit que tu allais bientôt être partenaire au cabinet ?

— Non. Il prétend mordicus que je suis le seul en mesure de défendre sa fille. C'est ridicule, évidemment. J'ai voulu lui recommander quelqu'un comme Jesse Quiller mais il n'a pas voulu m'écouter.

— Eh bien, il va devoir prendre quelqu'un d'autre.

— Bien sûr. Je lui ai promis d'aller voir sa fille et j'y suis allé. »

Sandra s'enfonça dans le canapé. « M. Kincaid est au courant ?

— Oui. Je le lui ai dit. Il n'était pas emballé. » Il imita la voix de Kincaid : « Naturellement, nous ne saurions tolérer que le cabinet soit associé de près ou de loin à l'horreur dans laquelle va dégénérer cette affaire.

— La fille du Dr Patterson, comment est-elle ?

— Médicalement parlant, elle est folle.

— Je ne suis pas médecin, dit Sandra. Qu'est-ce que ça veut dire ?

— Ça veut dire qu'elle se croit vraiment innocente.

— Et c'est impossible qu'elle le soit ?

— Le shérif de Cupertino m'a montré son dossier. On retrouve son ADN et ses empreintes digitales sur toutes les scènes de crime.

— Que vas-tu faire ?

— J'ai appelé Royce Salem. C'est un psychiatre auquel le cabinet de Jesse Quiller fait parfois appel. Je vais lui demander d'examiner Ashley et de transmettre ses conclusions à son père. Le Dr Patterson pourra faire intervenir un autre psychiatre s'il le désire ou remettre le rapport à l'avocat qui assurera la défense d'Ashley.

— Je vois. » Sandra examina le visage préoccupé de son mari. « M. Kincaid t'a-t-il parlé du partenariat, David ? »

Il secoua la tête. « Non. »

Sandra dit d'un ton enjoué : « Il le fera. A chaque jour suffit sa peine. »

Le Dr Royce Salem était un grand maigre affublé d'une barbe à la Sigmund Freud.

Peut-être n'est-ce qu'une coïncidence, se dit David. *Il n'essaie sûrement pas de ressembler à Freud.*

« Jesse m'a souvent parlé de vous, dit le Dr Salem. Il vous apprécie beaucoup.

— C'est réciproque, docteur Salem.

— L'affaire Patterson est très intéressante. Nous avons manifestement affaire à une psychopathe. Vous avez l'intention de plaider la démence ?

— En fait, lui dit David, ce n'est pas moi qui vais la défendre. Avant de lui trouver un avocat, je voudrais une évaluation de son état mental. » Il relata au Dr Salem les faits tels qu'il les connaissait. « Elle clame son innocence mais les pièces à conviction montrent qu'elle est bien l'auteur des crimes.

— Si nous allions jeter un œil sur le psychisme de cette dame, qu'en dites-vous ? »

La séance d'hypnotisme devait avoir lieu dans une salle

d'interrogatoire de la prison du comté de Santa Clara. La pièce était meublée d'une table rectangulaire et de quatre chaises en bois.

Ashley, pâle et les traits tirés, fut introduite par une gardienne.

« J'attendrai dehors, dit celle-ci en se retirant.

— Ashley, dit David, voici le Dr Salem. Ashley Patterson.

— Bonjour Ashley », dit le Dr Salem.

Elle resta silencieuse, son regard allant nerveusement de l'un à l'autre. Elle fit à David l'impression d'une bête aux abois.

« M. Singer me dit que vous n'avez pas d'objection à ce qu'on vous hypnotise. »

Silence.

« Me laissez-vous vous hypnotiser, Ashley ? », reprit le Dr Salem.

Ashley ferma les yeux l'espace d'une seconde et acquiesça. « Oui.

— Alors, si on commençait ?

— Eh bien, moi je file, dit David. Si...

— Un instant. » Le Dr Salem s'approcha de David. « Je voudrais que vous restiez. »

David hésita, mécontent. Il regrettait à présent d'être allé aussi loin. *Je ne m'engage pas plus avant dans cette affaire*, décida-t-il. *Ça suffit comme ça.*

« D'accord », dit-il enfin à contrecœur. Il était pressé d'en finir afin de pouvoir retourner au bureau. La rencontre prochaine avec Kincaid venait au premier plan de ses préoccupations.

« Pourquoi ne vous asseyez-vous pas sur cette chaise ? », dit le Dr Salem à Ashley.

Elle s'assit.

« Avez-vous déjà été hypnotisée, Ashley ? »

Elle hésita un instant puis secoua la tête. « Non.

— Ce n'est rien. Vous n'avez qu'à vous détendre et à écouter le son de ma voix. Vous n'avez rien à craindre. Vous n'allez pas souffrir. Sentez vos muscles se relâcher. Voilà. Détendez-vous et sentez comme vos paupières s'alourdissent. Vous avez vécu des moments difficiles. Votre corps est fatigué, très fatigué. Vous avez uniquement envie de dormir. Fermez les yeux et détendez-vous. Vous avez sommeil... sommeil... »

Il fallut dix minutes pour l'hypnotiser. Le Dr Salem s'approcha d'elle. « Ashley, savez-vous où vous êtes ?

— Oui. En prison. » Elle avait la voix caverneuse, comme lointaine.

« Savez-vous pourquoi vous êtes en prison ?

— On pense que j'ai fait quelque chose de mal.

— Et c'est vrai ? Vous avez fait quelque chose de mal ?

— Non.

— Ashley, avez-vous déjà tué quelqu'un ?

— Non. »

David adressa un regard étonné au Dr Salem. *N'était-on pas censé dire la vérité sous hypnose ?*

« Savez-vous qui pourrait avoir commis ces meurtres ? »

Tout à coup, le visage d'Ashley se contorsionna et sa respiration devint difficile, haletante, saccadée. Les deux hommes virent avec étonnement sa personnalité se transformer. Elle serra les lèvres et on eût dit que ses traits changeaient. Elle se redressa et son visage s'anima brusquement. Elle ouvrit les yeux. Ils étincelaient. C'était une métamorphose stupéfiante. Puis, de manière tout aussi inattendue, elle se mit à chanter d'une voix provocante avec un accent britannique :

> *Il court, il court le furet*
> *Le furet des bois, mesdames.*
> *Il court, il court le furet,*
> *Le furet des bois jolis.*
> *Il est passé par ici. Il repassera par là.*
> *Il court, il court...*

David n'en croyait pas ses oreilles. *Qui pense-t-elle duper ainsi ? Elle feint d'être quelqu'un d'autre.*

« Je voudrais vous poser d'autres questions, Ashley. »

Elle secoua la tête d'un geste sec et dit avec un accent britannique : « Je ne suis pas Ashley. »

Le Dr Salem échangea un regard avec David puis revint à Ashley. « Si vous n'êtes pas Ashley, qui êtes-vous ?

— Toni. Toni Prescott. »

Et elle garde son sérieux, pensa David. *Combien de temps va-t-elle continuer de jouer cette comédie idiote ?* Elle leur faisait perdre leur temps.

« Ashley, dit le Dr Salem.

— Toni. »

Elle n'en démord pas, pensa David.

« D'accord, Toni. Ce que j'aimerais, c'est que...

— Permettez que je vous dise ce que moi j'aimerais. J'aimerais ficher le camp d'ici. Pouvez-vous nous sortir d'ici ?

— Ça dépend, dit le Dr Salem. Que savez-vous au sujet de...

— ... des meurtres pour lesquels cette petite sainte-nitouche est enfermée ici ? Je pourrais vous raconter des choses qui... »

L'expression d'Ashley commençait de nouveau à se transformer. Sous le regard ébahi de David et du Dr Salem, elle parut rapetisser sur sa chaise tandis que son visage s'adoucissait et se transformait incroyablement au point de devenir celui de quelqu'un d'autre.

Elle dit d'une voix douce, avec un accent italien : « Toni... ne dis plus rien, *per piacere*. »

David ne savait quoi penser.

« Toni ? » Le Dr Salem se rapprocha légèrement d'elle.

« Pardonnez-moi de vous avoir interrompu, docteur Salem, susurra la voix douce.

— Qui êtes-vous ?

— Je suis Alette. Alette Peters. »

Mon Dieu, elle ne joue pas la comédie, pensa David. *Tout cela est bien réel.* Il se tourna vers le Dr Salem.

140

Celui-ci dit vivement : « Ce sont des personnalités d'emprunt. »

David le dévisagea, totalement dérouté. « Des quoi ?

— Je vous expliquerai plus tard. »

Le Dr Salem revint à Ashley. « Ashley... je veux dire Alette... Combien... combien êtes-vous là, en vous ?

— A part Ashley, seulement Toni et moi.

— Vous avez un accent italien.

— Oui. Je suis née à Rome. Etes-vous déjà allé à Rome ?

— Non, jamais. »

Je n'arrive pas à croire que j'entends cette conversation.

« *E molto bello.*

— Sûrement. Connaissez-vous Toni ?

— *Si, naturalmente.*

— Elle a un accent britannique.

— Elle est née à Londres.

— En effet. Alette, je voudrais vous poser quelques questions au sujet de ces meurtres. Avez-vous une idée de l'identité de la personne qui... »

Et ils virent le visage et la personnalité d'Ashley se transformer de nouveau sous leurs yeux. Ils surent, sans qu'elle ait à prononcer un mot, qu'elle était redevenue Toni.

« Vous perdez votre temps avez elle, mon beau. »

Cela dit avec l'accent britannique.

« Alette ne sait rien. C'est à moi que vous allez devoir parler.

— Très bien, Toni. C'est à vous que je vais parler. J'ai des questions à vous poser.

— Je n'en doute pas mais je suis fatiguée. » Elle bâilla. « Mademoiselle Cul-Serré nous a fait passer une nuit blanche. J'ai besoin de sommeil.

— Pas maintenant, Toni. Ecoutez-moi. Il faut que vous nous aidiez à... »

Son visage se durcit. « Pourquoi devrais-je vous aider ? Qu'a fait la sainte-nitouche pour Alette ou pour moi ? Elle est tout juste bonne à jouer les rabat-joie. Eh bien, j'en ai jusque-

141

là de ses leçons de morale et j'en ai assez d'elle. Vous m'entendez ? » Elle hurlait, le visage convulsé.

Le Dr Salem dit : « Je vais la réveiller. »

David était en sueur. « Oui. »

Le Dr Salem s'approcha tout près d'Ashley. « Ashley... Ashley... Tout va bien. Fermez les yeux à présent. Vous êtes très lourde, très lourde. Vous êtes complètement détendue. Ashley, vous avez l'esprit en paix. Votre corps est détendu. Je vais compter jusqu'à cinq et vous allez vous réveiller, complètement détendue. Un... » Son regard alla vers David puis vers Ashley. « Deux... »

Ashley commença à s'agiter. Ils virent son expression changer.

« Trois... »

Son visage s'adoucit.

« Quatre... »

Ils sentirent qu'elle redevenait elle-même. Ils en eurent le frisson.

« Cinq. »

Ashley ouvrit les yeux. Elle regarda autour d'elle. « Je me sens... Est-ce que j'ai dormi ? »

David la regardait, abasourdi.

« Oui », répondit le Dr Salem.

Ashley se tourna vers David. « Est-ce que j'ai dit quelque chose ? Enfin... est-ce que je vous ai été utile ? »

Mon Dieu, pensa David. *Elle ne sait pas ! Elle ne sait vraiment pas !* « Vous avez été très bien, Ashley. J'aimerais m'entretenir seul à seul avec le Dr Salem.

— D'accord.

— A tout à l'heure. »

Ils regardèrent la gardienne entraîner Ashley à l'extérieur de la pièce.

David se laissa tomber sur une chaise. « Mais enfin... qu'est-ce que c'est que cette histoire ? »

Le Dr Salem soupira profondément. « En plusieurs années de pratique, c'est la première fois que je vois un cas aussi clair.

— Un cas de *quoi* ?

— Avez-vous déjà entendu parler du syndrome de personnalité multiple ?

— Qu'est-ce que c'est ?

— C'est un état psychique où plusieurs personnalités se rencontrent chez un même sujet. On appelle aussi cela une identité dissociée. Le phénomène est connu en psychiatrie depuis plus de deux cents ans. Il a généralement comme origine un traumatisme infantile. La victime refoule le trau-matisme en se créant une autre identité. Il arrive qu'un même sujet ait des dizaines d'identités différentes ou personnalités d'emprunt.

— Et ces personnalités connaissent leurs existences mutuelles ?

— Parfois oui. Parfois non. Toni et Alette se connaissent. Ashley n'est manifestement pas au courant de leur existence. Les personnalités d'emprunt se créent parce que le sujet ne supporte pas la souffrance causée par le traumatisme. C'est un mécanisme de défense. A chaque expérience douloureuse nouvelle, une nouvelle personnalité d'emprunt peut naître. L'abondante littérature psychiatrique sur la question montre que les personnalités d'emprunt peuvent différer totalement les unes des autres. Certaines seront stupides tandis que d'autres seront très intelligentes. Elles peuvent parler diffé-rentes langues. Elles ont des caractères et des goûts différents.

— Mais... c'est fréquent ?

— Certaines études permettent de penser qu'un pour cent de la population souffre de dissociation de la personnalité, et que jusqu'à vingt pour cent des patients des hôpitaux psychia-triques en sont atteints.

— Mais Ashley semble normale et...

— Les gens qui souffrent de ce genre de pathologie *sont* normaux... jusqu'à ce qu'une personnalité d'emprunt prenne le dessus. Le sujet peut avoir un travail, élever une famille et mener une vie tout à fait ordinaire, mais une personnalité d'emprunt peut prendre le dessus à n'importe quel moment.

Cette personnalité d'emprunt peut occuper l'appareil psychique tout entier pendant une heure, une journée, voire des semaines, et alors le sujet s'absente de lui-même, il subit une éclipse de temps et de mémoire, pendant la durée où la personnalité d'emprunt est aux commandes.

— Ashley – le sujet – ne garderait donc aucun souvenir de ce que fait sa personnalité d'emprunt ?

— Aucun. »

David écoutait, comme envoûté.

« Le cas le plus célèbre de dissociation de la personnalité a été celui de Bridey Murphy. C'est ce cas qui a attiré l'attention du public sur la question. Depuis, on a dénombré des milliers de cas, mais aucun d'aussi spectaculaire ou auquel on ait fait une aussi bonne publicité.

— Ça... ça semble incroyable.

— C'est un sujet qui me fascine depuis longtemps. Il y a certains motifs récurrents. Par exemple, les personnalités d'emprunt utilisent fréquemment les mêmes initiales que la personnalité d'accueil – Ashley Patterson... Alette Peters... Toni Prescott...

— Toni... ? », allait demander David lorsqu'il comprit : « Antoinette ?

— Exact. Vous connaissez l'expression *alter ego* ?

— Oui.

— En un sens, nous avons tous des *alter ego*, une personnalité multiple. Quelqu'un de bon peut commettre un acte cruel. Des gens cruels peuvent faire le bien. La gamme des émotions humaines est illimitée. *Dr Jekyll et M. Hyde* est de la fiction, mais fondée sur la réalité. »

Les idées se bousculaient dans l'esprit de David. « Si Ashley a commis ces meurtres...

— Elle n'en est pas consciente. Ils ont été commis par une de ses personnalités d'emprunt.

— Mon Dieu ! Comment vais-je pouvoir expliquer ça devant un tribunal ? »

Le Dr Salem adressa un regard intrigué à David. « Ne

m'aviez-vous pas dit que vous n'aviez pas l'intention d'assurer sa défense ? »

David secoua la tête. « Je ne la défendrai pas. Enfin, je ne sais pas. Je... En ce moment, j'ai moi-même une personnalité multiple. » Il se tut quelques instants. « Ça se soigne ?

— Souvent, oui.

— Et si c'est incurable, que se passe-t-il ? »

Il y eut un silence. « Le taux de suicides est passablement élevé.

— Et Ashley ne sait rien de tout ça ?

— Rien.

— Vous accepteriez de... de le lui expliquer ?

— Oui, bien sûr. »

« Non ! », cria-t-elle. Elle était de nouveau blottie contre le mur de sa cellule, le regard terrorisé. « Vous mentez ! Ce n'est pas vrai !

— C'est vrai, Ashley, dit le Dr Salem. Vous devez regarder la réalité en face. Je vous ai expliqué que vous n'étiez pas responsable de ce qui était arrivé. Je...

— Ne vous approchez pas de moi !

— Personne ne vous fera du mal.

— Je veux mourir. Aidez-moi à mourir ! » Elle se mit à pleurer convulsivement.

Le Dr Salem regarda la gardienne et dit : « Vous devriez lui donner un sédatif. Et lui mettre un bracelet de surveillance antisuicide. »

David téléphona au Dr Patterson. « Il faut que je vous voie.

— J'attendais de vos nouvelles, David. Avez-vous vu Ashley ?

— Oui. Pouvons-nous nous retrouver quelque part ?

— Je vous attends à mon bureau. »

En revenant à San Francisco, David pensa : *Il n'est pas question que j'accepte cette affaire. J'ai trop à perdre.*

Je vais lui trouver un bon avocat et ça sera terminé.

Le Dr Patterson l'attendait à son bureau. « Vous avez parlé à Ashley ?

— Oui.

— Elle va bien ? »

Comment répondre à cette question ? David retint sa respiration. « Avez-vous déjà entendu parler des troubles associés à la dissociation de la personnalité ? ».

Le Dr Patterson fronça les sourcils. « Vaguement...

— Ces troubles se produisent quand une personnalité d'emprunt ou davantage existe chez une personne et usurpe de temps en temps sa personnalité sans que cette personne en soit consciente. Votre fille est atteinte de ce dysfonctionnement. »

Le Dr Patterson le regardait, abasourdi. « *Quoi ?* Je... Je n'arrive pas à le croire. Vous en êtes sûr ?

— J'étais près d'Ashley pendant que le Dr Salem la mettait sous hypnose. Elle a deux personnalités d'emprunt. Elles prennent possession d'elle à divers moments. » David avait un débit plus rapide à présent. « Le shérif m'a montré les preuves qui incriminent votre fille. Il ne fait aucun doute qu'elle est l'auteur des meurtres.

— Oh, mon Dieu ! Alors, elle est... elle est coupable ?

— Non. Parce que je crois qu'elle n'était pas consciente de commettre ces crimes. Elle était sous l'influence de l'une de ses personnalités d'emprunt. Elle n'avait aucune raison de perpétrer ces meurtres. Elle n'avait pas de mobile et n'était pas en possession d'elle-même. Je pense que le ministère public aurait du mal à trouver un mobile ou à prouver qu'il y avait intention de tuer.

— Votre système de défense sera donc que... »

David l'interrompit. « Je n'ai pas l'intention d'assurer sa défense. Je vais vous procurer un brillant avocat d'assises, Jesse Quiller. J'ai travaillé avec lui et il est le plus...

— Non, fit le Dr Patterson d'une voix tranchante. Vous devez défendre Ashley.

— Vous ne comprenez pas, dit patiemment David. Je ne suis pas la personne qu'il faut pour assurer sa défense. Elle a besoin de...

— Je vous ai déjà dit que je n'ai confiance qu'en vous. Ma fille compte plus que tout au monde pour moi, David. Vous allez lui sauver la vie.

— Je ne peux pas. Je ne suis pas compétent pour...

— Mais si vous l'êtes. Vous avez été avocat pénaliste.

— Oui, mais je...

— Je ne veux personne d'autre. » David vit que le Dr Patterson faisait un effort sur lui-même pour ne pas s'emporter.

C'est absurde, pensa David. Il revint à la charge. « Jesse Quiller est le meilleur... »

Le Dr Patterson se pencha en avant, le visage empourpré. « David, la vie de votre mère représentait beaucoup pour vous. La vie d'Ashley représente tout autant pour moi. Vous avez autrefois sollicité mon aide, vous m'avez confié le soin de sauver votre mère. C'est moi maintenant qui vous demande votre aide et qui vous confie le soin de sauver Ashley. Je veux que vous assuriez sa défense. Vous me le devez. »

Il ne veut rien entendre, pensa David, qui ne savait à quel saint se vouer. *Qu'est-ce qui lui prend ?* Une douzaine d'objections lui traversèrent l'esprit mais toutes se heurtaient à cette seule phrase : « *Vous me le devez.* » David essaya une nouvelle fois. « Docteur Patterson...

— Oui ou non, David ? »

CHAPITRE TREIZE

Lorsque David rentra chez lui, Sandra l'attendait. « Bonsoir, mon chéri. »

Il la prit dans ses bras en pensant : *Mon Dieu, ce qu'elle est adorable. Quel idiot a dit que les femmes enceintes n'étaient pas belles ?*

« Le bébé a encore donné des coups de pied aujourd'hui », dit Sandra avec enthousiasme. Elle prit la main de David et la posa sur son ventre. « Tu le sens ? »

Au bout d'un moment, David dit : « Non. Il est têtu, ce petit sacripant.

— A propos, M. Crowther a téléphoné.

— Crowther ?

— L'agent immobilier. Les papiers sont prêts pour la signature. »

David eut un brusque accès de découragement. « Oh.

— Je voudrais te montrer quelque chose, dit Sandra d'un ton enthousiaste. Ne te sauve pas. »

David la regarda se précipiter vers la chambre et pensa : *Que faire ? Il faut que je prenne une décision.*

Sandra revint avec plusieurs échantillons de papier mural bleu. « Nous ferons la chambre d'enfants en bleu et le séjour du nouvel appartement en bleu et blanc, tes couleurs préférées. Quel papier aimerais-tu, le bleu clair ou le bleu foncé ? »

David fit un effort pour se concentrer. « Le bleu clair a l'air bien.

148

— Je l'aime aussi. Le seul problème est que la moquette va être bleu foncé. Tu crois que ça ira ? »

Je ne peux pas renoncer au partenariat. J'ai travaillé trop dur pour l'obtenir. Ça signifie trop de choses pour moi.

« David. Tu crois que ces deux bleus iraient ensemble ? »

Il la regarda. « Quoi ? Oh, oui. Comme tu voudras, ma chérie.

— Je suis tout excitée. Cet appartement en terrasse sera superbe. »

Il sera au-dessus de nos moyens à moins que je n'obtienne le partenariat.

Sandra jeta un regard à la ronde sur leur petit appartement. « Nous pourrons garder une partie de ce mobilier mais j'ai bien peur qu'il nous faille acheter beaucoup de meubles neufs. » Elle lui adressa un regard inquiet. « Nous y arriverons, n'est-ce pas, chéri ? Je ne voudrais pas faire de folies.

— Bien sûr », dit David d'un ton absent.

Elle se blottit contre son épaule. « Nous allons vivre une vie complètement différente, n'est-ce pas ? Le bébé, le partenariat et l'appartement en terrasse. J'y suis passée aujourd'hui. Je voulais voir le terrain de jeu et l'école. Le terrain de jeu est superbe. Il y a des toboggans, des balançoires et des portiques. Je voudrais que tu m'accompagnes samedi pour le voir. Jeffrey va adorer. »

J'arriverai peut-être à convaincre Kincaid que c'est une bonne chose pour le cabinet.

« L'école a l'air bien. Elle est à deux rues seulement de notre immeuble et elle n'est pas trop grande. C'est important, je trouve. »

David, qui l'écoutait à présent, pensa : *Je ne peux pas la laisser tomber. Je ne peux pas lui ôter ses rêves. Demain matin, je dirai à Kincaid que je ne prends pas l'affaire Patterson. Celui-ci trouvera quelqu'un d'autre.*

« Tu devrais te préparer, mon chéri. On est attendus chez les Quiller à 8 heures. »

L'heure de vérité était arrivée. David était tendu. « Il y a une chose dont il faut que nous discutions.

— Oui ?

— Je suis allé voir Ashley Patterson ce matin.

— Oh ? Raconte. Est-elle coupable ? A-t-elle commis ces horribles crimes ?

— Oui et non.

— Tu tiens un langage d'avocat. Qu'est-ce que ça signifie ?

— Elle a commis les meurtres... mais elle n'est pas coupable.

— David... !

— Ashley souffre de ce qu'on appelle en médecine une personnalité dissociée. Il s'agit d'un clivage du Moi qui a pour conséquence de la rendre inconsciente de ses actes. »

Sandra le regardait attentivement. « Mais c'est épouvantable.

— Il y a deux autres personnalités en elle. Je les ai entendues.

— Tu les as *entendues* ?

— Oui. Et elles existent bel et bien. Je veux dire qu'elle ne simule pas.

— Et elle ne se doute pas qu'elle...

— Non.

— Dans ce cas est-elle innocente ou coupable ?

— Ce sera au tribunal de décider. Son père ne veut pas s'adresser à Jesse Quiller. Je vais donc devoir lui trouver un autre avocat.

— Mais Jesse est parfait. Pourquoi ne veut-il pas de lui ? »

David hésita. « Il veut que ce soit moi qui la défende.

— Mais tu lui as dit, évidemment, que tu ne pouvais pas.

— Evidemment.

— Et alors...

— Il n'a rien voulu entendre.

— Qu'est-ce qu'il a dit, David ? »

Il secoua la tête. « Peu importe.

— Qu'est-ce qu'il a dit ?

150

— Il a dit, répondit lentement David, que je lui avais fait suffisamment confiance pour remettre la vie de ma mère entre ses mains et que c'était lui maintenant qui me faisait assez confiance pour remettre la vie de sa fille entre les miennes. Il me demande de la sauver. »

Sandra examinait attentivement son visage. « Crois-tu que tu pourrais ?

— Je ne sais pas. Kincaid ne veut pas que je prenne l'affaire. Si je l'acceptais, je pourrais dire adieu au partenariat.

— Oh. »

Il se fit un long silence.

Lorsqu'il reprit la parole, Dàvid dit : « Je suis placé devant un dilemme. Je peux dire non au Dr Patterson et devenir partenaire du cabinet, ou défendre sa fille, prendre un congé sans solde et attendre la suite des événements. »

Sandra l'écoutait calmement.

« Il y a des gens mieux qualifiés que moi pour assurer la défense d'Ashley mais, pour une raison qui m'échappe, son père a jeté son dévolu sur moi. Je ne comprends pas la cause de son entêtement, mais il n'en démordra pas. Si j'accepte l'affaire et n'obtiens pas le partenariat, il ne sera plus question de déménager. Nous devrons faire une croix sur un grand nombre de nos projets, Sandra.

— Ça me revient maintenant, dit doucement Sandra, tu m'avais parlé de lui avant notre mariage. C'était l'un des médecins les plus demandés de la planète mais il avait trouvé du temps à consacrer à un jeune garçon sans le sou. C'était ton héros, David. Tu disais que si jamais tu avais un fils, tu voudrais qu'il ressemble à Steven Patterson en grandissant. »

David acquiesça.

« Quand dois-tu faire connaître ta décision ?

— Je vois Kincaid demain matin à la première heure. »

Sandra lui prit la main et dit : « Tu n'as pas besoin d'attendre si longtemps. Le Dr Patterson a sauvé ta mère. Tu vas sauver sa fille. » Elle regarda autour d'elle et sourit. « Et puis, de toute façon, nous pourrons toujours redécorer cet appartement en bleu et blanc. »

Jesse Quiller était l'un des meilleurs avocats d'assises du pays. Il était de haute taille, robuste, d'une simplicité qui faisait que les jurés s'identifiaient volontiers à lui. Ayant l'impression qu'il était de leur monde, ils avaient envie de l'aider. En partie pour cette raison, il perdait rarement un procès. Pour le reste, il avait une mémoire d'éléphant et une intelligence peu commune.

Au lieu de partir en vacances, il consacrait ses étés à l'enseignement, et c'est ainsi que David avait été son élève plusieurs années auparavant. Lorsque David avait fini ses études, Quiller lui avait proposé d'entrer dans son cabinet de droit pénal et David en était devenu partenaire deux ans plus tard. David aimait la pratique du droit pénal et il y excellait. Il tenait à défendre au moins dix pour cent de ses clients à titre bénévole. Trois ans après être devenu partenaire du cabinet, David avait brusquement démissionné pour aller travailler chez Kincaid, Turner, Rose & Ripley afin de pratiquer le droit commercial.

Les années avaient passé mais David et Quiller étaient restés amis. Une fois par semaine, ils se rencontraient avec leurs épouses.

Jesse Quiller avait toujours eu un faible pour les grandes blondes raffinées et très minces. Il avait alors rencontré Emily, dont il était tombé amoureux. Celle-ci était une petite boulotte prématurément grisonnante, originaire d'une ferme de l'Iowa – l'exact opposé des femmes que fréquentait Jesse jusqu'alors. Emily était une mère poule. Ils formaient un couple que l'on n'aurait pas cru viable, mais leur mariage tenait parce qu'ils étaient profondément amoureux l'un de l'autre.

Tous les mardis, les Singer et les Quiller dînaient ensemble puis jouaient à un jeu de cartes compliqué appelé Liverpool.

A leur arrivée à la superbe maison des Quiller dans Hayes

Street, Sandra et David furent accueillis à la porte par Jesse.

Il étreignit Sandra et dit : « Entrez. Nous avons du champagne au frais. C'est un grand jour pour vous, hein ? L'appartement en terrasse et le partenariat. A moins que ce ne soit le partenariat et l'appartement en terrasse ? »

David et Sandra se regardèrent.

« Emily est à la cuisine en train de préparer un dîner pour fêter ce double événement. » Il regarda leurs visages. « Je *pense* qu'il s'agit d'un dîner pour fêter ce... Y a-t-il quelque chose qui m'échappe ?

— Non, Jesse, répondit David. Nous avons tout simplement un... un petit problème.

— Allez, entrez. Je te sers à boire ? » Il regarda Sandra.

« Non, merci. Je ne veux pas que le bébé prenne de mauvaises habitudes.

— Il a de la chance, ce petit, d'avoir des parents comme vous », dit Quiller avec chaleur. Il se tourna vers David. « Et toi ?

— Ça va comme ça », dit David.

Sandra esquissa un pas en direction de la cuisine. « Je vais voir si je peux donner un coup de main à Emily.

— Assieds-toi, David. Tu as l'air bien sérieux.

— Je suis placé devant un dilemme, reconnut David.

— Laisse-moi deviner. L'appartement en terrasse ou le partenariat ?

— Les deux.

— *Les deux ?*

— Oui. Tu es au courant de l'affaire Patterson ?

— Ashley Patterson ? Bien sûr. Qu'est-ce que ç'a à voir avec... ? » Il s'interrompit. « Une minute. Tu m'as parlé de Steven Patterson autrefois à la fac de droit. Il avait sauvé la vie de ta mère.

— Oui. Il veut que je défende sa fille. J'ai essayé de faire en sorte qu'il te confie l'affaire mais il tient à tout prix à ce que ce soit moi qui la défende. »

Quiller fronça les sourcils. « Est-ce qu'il sait que tu ne pratiques plus le droit pénal ?

— Oui. C'est ça qui est particulièrement étrange. Il y a des dizaines d'avocats nettement plus qualifiés que moi.

— Il sait que tu *as été* avocat d'assises ?

— Oui.

— Quels sont ses sentiments à l'égard de sa fille ? », demanda Quiller d'un ton quelque peu soucieux.

Quelle question bizarre, pensa David. « Il tient à elle comme à la prunelle de ses yeux.

— D'accord. Supposons que tu assures sa défense. L'envers de la médaille est que...

— L'envers de la médaille est que Kincaid ne veut pas que je prenne cette affaire. J'ai le sentiment, si je le fais, que le partenariat me passera sous le nez.

— Je vois. Et c'est ici que l'appartement en terrasse entre en jeu ?

— C'est ici que tout mon fichu avenir entre en jeu, rétorqua David en colère. Il faudrait que je sois idiot pour faire ça, Jesse. Je veux dire, vraiment *idiot* !

— Pourquoi es-tu en colère ? »

David soupira profondément. « Parce que je vais accepter. »

Quiller sourit. « Tu m'étonnes ! »

David passa la main sur son front. « Si je refuse et si sa fille est reconnue coupable et exécutée sans que j'aie rien fait pour lui venir en aide, je... je ne pourrais plus jamais me regarder en face.

— Je comprends. Qu'en pense Sandra ? »

David réussit à sourire. « Tu connais Sandra.

— Oui. Elle veut que tu acceptes.

— Exactement. »

Quiller se pencha en avant. « Je ferai tout mon possible pour t'aider, David. »

Celui-ci soupira. « Non. C'est moi qui ai une dette envers Patterson. Il faut que je me débrouille tout seul. »

Quiller s'assombrit. « Mais c'est ridicule.

— Je sais. C'est ce que j'ai essayé d'expliquer au Dr Patterson mais il n'a rien voulu entendre.

— As-tu annoncé ta décision à Kincaid ?

— Je le vois demain matin.

— Que va-t-il se passer à ton avis ?

— Je ne le sais que trop bien. Il va me conseiller de ne pas accepter l'affaire et, si j'insiste, il va me demander de prendre un congé sans solde.

— Déjeunons ensemble demain. Au Rubicon, à 13 heures. »

David acquiesça. « Bien. »

Emily arriva de la cuisine en s'essuyant les mains sur un torchon. David et Quiller se levèrent.

« Bonjour, David. » Emily alla vivement vers lui et il l'embrassa sur la joue.

« J'espère que vous avez faim. Le dîner est presque prêt. Sandra m'aide à la cuisine. Elle est tellement adorable. » Elle prit un plateau et repartit précipitamment vers ses fourneaux.

Quiller se tourna vers David. « Nous tenons beaucoup à toi, Emily et moi. Je vais te donner un conseil. Accepte. »

David demeura silencieux.

« C'est de l'histoire ancienne, David. Et tu n'étais pas responsable de ce qui s'est passé. Cela aurait pu arriver à n'importe qui. »

David regarda Quiller. « C'est à moi que c'est arrivé, Jesse. Je l'ai tuée. »

Et cela lui revint en mémoire. Encore. Une fois de plus. Il resta silencieux, ramené en arrière, transporté dans un autre temps et un autre lieu.

... C'était une affaire que le cabinet avait acceptée à titre bénévole et David avait dit à Jesse : « Je m'en charge. »

Helen Woodman était une charmante jeune femme accusée d'avoir assassiné sa riche belle-mère. Elles s'étaient violem-

155

ment querellées en public, mais on n'avait que des preuves indirectes contre Helen. Après être allé la voir à la prison, David avait été convaincu de son innocence. A chaque rencontre, il s'était senti de plus en plus engagé affectivement au point d'en venir à transgresser une règle élémentaire : ne jamais tomber amoureux d'une cliente.

Le procès s'était bien passé. David avait réfuté par le menu les preuves avancées par le procureur et entraîné le jury du côté de sa cliente. Une catastrophe s'était alors produite. Helen avait un alibi : elle était au cinéma avec une amie à l'heure du meurtre. Lors de l'interrogatoire au tribunal, l'amie avait reconnu que l'alibi était faux et un témoin était venu à la barre déclarer avoir vu Helen chez sa belle-mère à cette heurelà. Helen avait perdu toute crédibilité aux yeux du jury qui l'avait reconnue coupable de meurtre avec préméditation et le juge l'avait condamnée à la peine capitale. David était atterré.

« Comment avez-vous pu faire ça, Helen ? lui avait-il demandé. Pourquoi m'avez-vous menti ?

— Je n'ai pas tué ma belle-mère, David. En arrivant chez elle, je l'ai vue étendue par terre, morte. Je craignais que vous ne me croyiez pas, et c'est pour cette raison que j'ai inventé cette histoire selon laquelle j'étais au cinéma. »

Il l'avait écoutée, une expression cynique sur le visage.

« Je vous dis la vérité, David.

— Ah oui ? » Il lui avait tourné le dos et était sorti furieux.

Cette nuit-là, Helen s'était suicidée.

Une semaine plus tard, un repris de justice surpris sur le fait durant un cambriolage avait avoué le meurtre de la belle-mère d'Helen.

Le lendemain, David quittait le cabinet de Jesse Quiller. Celui-ci avait tenté de l'en dissuader.

« Ce n'était pas ta faute, David. Elle t'avait menti et...

— Justement. Je l'ai laissée me mentir. Je n'ai pas fait mon travail. Je n'ai pas fait en sorte qu'elle me dise la vérité. Je voulais la croire et, à cause de cela, je lui ai fait défaut. »

Deux semaines plus tard, David entrait chez Kincaid, Turner, Rose & Ripley.

« Jamais plus je ne serai responsable de la vie d'autrui », avait-il juré.

Et voilà qu'il défendait à présent Ashley Patterson.

CHAPITRE QUATORZE

A 10 heures, le lendemain matin, David pénétra dans le bureau de Joseph Kincaid. Celui-ci, qui était en train de signer des documents, leva un œil à l'entrée de David.

« Ah. Asseyez-vous, David. Je suis à vous dans un instant. »

David s'assit et attendit.

Lorsqu'il eut fini, Kincaid sourit et dit : « Alors ! Vous avez de bonnes nouvelles, j'espère. »

De bonnes nouvelles pour qui ? se demanda David.

« Vous avez un très bel avenir ici, David, et je suis sûr que vous ne voudriez pas le gâcher. Le cabinet a de grands projets pour vous. »

David, qui cherchait les mots justes, se tut.

« Alors ? dit Kincaid. Avez-vous dit au Dr Patterson que vous lui aviez trouvé un autre avocat ?

— Non. J'ai décidé de la défendre. »

Le sourire de Kincaid s'effaça. « Vous avez vraiment l'intention de la défendre, David ? C'est une meurtrière perverse, une malade. Quiconque la défendra sera couvert de la même opprobre qu'elle.

— Je ne le fais pas parce que j'en ai envie, Joseph. J'y suis obligé. J'ai une grande dette envers le Dr Patterson et c'est la seule façon dont je puisse m'en acquitter. »

Kincaid resta silencieux un long moment. Prenant finalement la parole, il dit : « Si vous avez vraiment décidé d'accepter cette affaire, je trouve qu'il conviendrait que vous vous mettiez en disponibilité. Sans solde, évidemment. »

Adieu le partenariat.

« Après le procès, vous nous reviendrez naturellement et le partenariat vous attendra. »

David hocha la tête. « Naturellement.

— Je vais confier vos dossiers en cours à Collins. Je suis sûr que vous tenez dès maintenant à vous concentrer sur ce procès. »

Trente minutes plus tard, les partenaires de Kincaid, Turner, Rose et Ripley étaient en réunion.

« Nous ne pouvons nous permettre de laisser le cabinet s'impliquer dans un procès pareil », objecta Henry Turner.

Joseph Kincaid avait une réponse toute prête. « Nous ne nous impliquons pas vraiment, Henry. Nous accordons au petit un congé sans solde. »

Albert Rose prit la parole. « Je pense que nous devrions nous défaire de lui.

— Pas tout de suite. Ce serait agir inconsidérément. Le Dr Patterson peut être une vache à lait pour nous. Il connaît tout le monde et il nous sera reconnaissant de lui avoir prêté David. Peu importe l'issue du procès, nous gagnons sur tous les tableaux. Si le procès se passe bien, nous nous assurons la clientèle du docteur et élevons David au partenariat. Si le procès se passe mal, nous laissons tomber David tout en voyant si nous ne pouvons pas garder le bon docteur. Nous n'avons rien à perdre. »

Il y eut quelques instants de silence puis John Ripley eut un grand sourire. « Bien vu, Joseph. »

En quittant le bureau de Kincaid, David alla voir Steven Patterson. Il lui avait téléphoné au préalable et le chirurgien l'attendait.

« Alors, David ? »

Ma réponse va changer ma vie, pensa David. *Et pas pour le mieux.* « Je vais défendre votre fille, docteur Patterson. »

Celui-ci soupira profondément. « Je le savais. J'en aurais

mis ma main au feu. » Il marqua un instant d'hésitation. « Je joue la tête de ma fille.

— Mon cabinet m'a accordé un congé sans solde. Je vais me faire aider de l'un des meilleurs avocats pénalistes du... »

Le Dr Patterson leva la main. « David, je croyais avoir bien précisé que je voulais que personne d'autre ne se mêle de ce procès. C'est à vous et à vous uniquement que je confie la vie d'Ashley.

— Je comprends. Mais Jesse Quiller est... »

Le Dr Patterson se leva. « Je ne veux plus entendre parler de Jesse Quiller ou de tous ces autres avocats d'assises. Je les connais, David. Il n'y a que l'argent et la publicité qui les intéressent. Il ne s'agit pas d'argent ou de publicité. Il s'agit d'Ashley. »

David allait prendre la parole mais il se ravisa. Il n'y avait rien à dire. Le Dr Patterson était inébranlable. *Je saurais tirer parti de toute l'aide que je pourrais me procurer,* pensa David. *Pourquoi veut-il m'en empêcher ?*

« Est-ce que je me suis bien fait comprendre ? »

David hocha la tête. « Oui.

— Evidemment, je prendrai en charge vos honoraires et vos frais.

— Non. Je le fais à titre bénévole. »

Le Dr Patterson l'examina quelques instants puis acquiesça. « Disons des dédommagements ?

— Dédommagements. » David esquissa un sourire. « Savez-vous conduire ?

— David, si vous êtes en congé sans solde, vous aurez besoin d'argent pour tenir. J'insiste.

— Comme vous voulez. »

Au moins nous mangerons durant le procès.

Jesse Quiller l'attendait au Rubicon.

« Comment ça s'est passé ? »

David soupira. « Comme prévu. Congé sans solde.

— Les salauds. Comment peuvent-ils...

— Je ne les blâme pas. C'est un cabinet très traditionnel.

— Que vas-tu faire maintenant ?

— Que veux-tu dire ?

— Ce que je veux dire ? Tu es avocat de la défense dans le procès du siècle. Tu n'as plus de bureau pour travailler, pas de documentation, pas de dossiers sur les précédents juridiques, pas d'ouvrages de consultation ni de fax, et j'ai vu l'ordinateur obsolète que vous avez, Sandra et toi. Cet ordinateur ne pourra jamais recevoir le logiciel juridique dont tu vas avoir besoin ni te permettre de te brancher sur Internet.

— Je me débrouillerai.

— En effet. Il y a un bureau vide à côté du mien au cabinet. Tu vas l'utiliser. Tu y trouveras tout ce dont tu as besoin. »

David était si interloqué qu'il mit quelques instants à retrouver la voix. « Jesse, je ne peux pas...

— Si, tu peux. » Quiller se fendit d'un grand sourire. « Tu trouveras bien un moyen de me rendre ça. Tu paies toujours tes dettes, n'est-ce pas, saint David ? » Il prit un menu. « Je meurs de faim. » Il leva les yeux. « A propos, c'est toi qui m'invites. »

David alla voir Ashley à la prison du comté de Santa Clara.

« Bonjour, Ashley.

— Bonjour. » Elle était encore plus pâle que d'habitude. « Mon père est venu ce matin. Il m'a dit que vous alliez me sortir d'ici. »

Je voudrais être aussi optimiste, pensa David. « Je vais faire le maximum, Ashley, dit-il prudemment. L'ennui est que peu de gens connaissent bien les troubles dont vous souffrez. Nous allons les informer. Nous allons faire venir ici les meilleurs médecins du monde qui témoigneront en votre faveur.

— Ça me fait peur, murmura Ashley.

— De quoi avez-vous peur ?

— C'est comme si deux personnes différentes et que je ne connais même pas vivaient à l'intérieur de moi. » Sa voix

161

tremblait. « Elles s'imposent à moi à tout moment à leur guise et je n'ai aucun contrôle sur elles. Ça me terrifie. » Les larmes lui montèrent aux yeux.

« Ce ne sont pas des gens réels, dit calmement David. Ces personnes n'existent que dans votre esprit, Ashley. Elles font partie de vous. Et avec un bon traitement, vous irez mieux. »

Lorsque David revint chez lui, ce soir-là, Sandra l'étreignit et dit : « Est-ce que je t'ai déjà dit à quel point j'étais fière de toi ?

— Parce que je suis sans travail ?

— Pour ça aussi. A propos, M. Crowther a téléphoné. L'agent immobilier. Il a dit que les papiers étaient prêts pour la signature. Ils veulent un acompte de soixante mille dollars. J'ai bien peur que nous ne devions lui dire que nous n'avons pas les moyens de...

— Attends ! J'ai cette somme sur mon plan de retraite au cabinet. Avec l'argent que va me donner le Dr Patterson pour mes frais, on devrait y arriver.

— Ça n'a pas d'importance, David. De toute façon, nous ne voudrions pas gâter le bébé avec un appartement en terrasse.

— Eh bien, j'ai de bonnes nouvelles. Jesse va me laisser...

— Je sais. J'ai parlé à Emily. Nous emménageons dans les bureaux de Jesse.

— *Nous ?*

— Tu oublies que tu as épousé une assistante juridique. Serieusement, mon chéri, je crois que je peux être très utile. Je travaillerai avec toi jusqu'à... » – elle se toucha le ventre – « l'arrivée de Jeffrey et alors on verra.

— Madame Singer, savez-vous à quel point je vous aime ?

— Non. Mais prends ton temps. On a encore une heure avant le dîner.

— Une heure ne suffit pas. »

Elle l'enlaça et murmura : « Pourquoi ne te déshabilles-tu pas, mon Tigre ? »

— Quoi ? » Il se dégagea et la regarda, l'air inquiet. « Et le... Qu'est-ce que dit le Dr Bailey ?

— Il dit que si tu ne te déshabilles pas au plus vite, je vais devoir te prendre de force. »

David eut un grand sourire. « Si c'est lui qui le dit... »

Le lendemain matin, David emménagea dans un bureau du cabinet de Jesse Quiller. C'était un local bien équipé, situé tout au fond d'une enfilade de cinq bureaux.

« Nous nous sommes un peu agrandis depuis ton départ, lui expliqua Jesse. Je suis sûr que tu trouveras tout ce qu'il te faut. La bibliothèque de droit est dans la pièce voisine. Si tu as besoin de quelque chose, tu n'as qu'à le demander.

— Merci. Je... Si tu savais comme je t'en suis reconnaissant, Jesse. »

Celui-ci sourit. « Tu me le revaudras. Tu n'oublieras pas ? »

Sandra arriva quelques minutes plus tard. « Je suis prête, dit-elle. Par où commence-t-on ?

— Nous allons commencer par rechercher tous les précédents de procès de prévenus atteints du syndrome d'identité multiple. Il doit y en avoir à la tonne sur Internet. Nous allons essayer le *California Criminal Court Observer*, une publication spécialisée, le site *Court TV* et d'autres canaux de droit pénal, et nous allons recueillir le maximum d'informations accessibles sur Westlaw et Lexis-Nexis. Ensuite, nous contacterons tous les médecins spécialisés dans les problèmes de personnalité multiple en leur demandant s'ils sont disposés à témoigner éventuellement en tant qu'experts. Nous allons devoir les interviewer pour voir si leur témoignage peut étayer notre plaidoirie. Je vais avoir besoin de me rafraîchir la mémoire sur les règles de procédure et me préparer à la sélection des jurés. Il va falloir aussi que nous nous procurions une liste des témoins du procureur et de leurs dépositions. Je veux qu'il nous communique toutes les pièces à charge qu'il détient.

— Et nous devons lui envoyer les nôtres. As-tu l'intention de faire témoigner Ashley ? »

David secoua la tête. « Elle est beaucoup trop fragile. Le ministère public la mettrait en pièces. » Il leva les yeux vers Sandra. « C'est loin d'être dans la poche. »

Sandra sourit. « Mais tu vas gagner. Je le sais. »

David téléphona à Harvey Udell, le comptable de Kincaid, Turner, Rose & Ripley.

« Harvey, David Singer.

— Bonjour, David. Il paraît que vous nous quittez pour quelque temps.

— Oui.

— C'est un procès intéressant que vous acceptez là. Les journaux ne parlent que de ça. Qu'est-ce que je peux faire pour vous ?

— J'ai soixante mille dollars sur mon plan de retraite au cabinet, Harvey. Je ne pensais pas les retirer si vite mais nous venons d'acheter un appartement en terrasse, Sandra et moi, et je vais avoir besoin de cet argent pour l'acompte.

— Un appartement en terrasse. Eh bien, félicitations.

— Merci. Quand puis-je avoir l'argent ? »

Il y eut une brève hésitation. « Je peux vous rappeler ?

— Bien sûr. » David lui donna son numéro de téléphone.

« A tout de suite.

— Merci. »

Harvey Udell raccrocha puis décrocha aussitôt. « Dites à M. Kincaid que je voudrais le voir. »

Trente minutes plus tard, Udell était dans le bureau de Joseph Kincaid. « Qu'y a-t-il, Harvey ?

— J'ai reçu un coup de fil de David Singer, monsieur Kincaid. Il a acheté un appartement en terrasse et il a besoin des soixante mille dollars qu'il a sur son plan de retraite pour régler l'acompte. Selon moi, nous ne sommes pas obligés de lui donner l'argent maintenant. Il est en congé et n'est pas...

— Je me demande s'il sait ce que coûte l'entretien d'un appartement en terrasse.

— Probablement pas. Je vais lui dire que nous ne pouvons pas...

— Donnez-lui l'argent. »

Udell lui adressa un regard étonné. « Mais rien ne nous oblige à... »

Kincaid se pencha en avant sur son fauteuil. « Nous allons l'aider à s'enfoncer, Harvey. Une fois qu'il aura payé l'acompte de cet appartement... il sera à nous. »

Harvey Udell téléphona à David. « J'ai une bonne nouvelle pour vous, David. Cet argent que vous avez sur votre plan de retraite, vous le retirez un peu tôt, mais ça ne fait rien. M. Kincaid m'a dit de vous donner tout ce que vous voulez. »

« Monsieur Crowther. David Singer.

— J'attendais de vos nouvelles, monsieur Singer.

— L'acompte pour l'appartement est en route. Vous l'aurez demain.

— Parfait. Comme je vous l'ai dit, nous avons d'autres clients qui le veulent absolument, mais j'ai l'impression que votre femme et vous êtes exactement les propriétaires qui conviennent à un appartement comme celui-là. Vous y serez très heureux. »

Et, pensa David, *ça demandera une bonne demi-douzaine de miracles.*

Ashley Patterson comparut finalement devant la Cour supérieure du comté de Santa Clara, située dans la Première Rue Nord à San Jose. Les démêlés juridiques concernant la juridiction compétente avaient duré des semaines. Ils étaient compliqués du fait que les meurtres avaient été commis dans deux pays et deux Etats différents. Une réunion avait eu lieu à San Francisco, à laquelle assistaient un officier de la police provinciale québécoise, Guy Fontaine, le shérif Dowling du comté de Santa Clara, l'inspecteur Eagan, de Bedford, en Pennsylvanie, le capitaine Rudford, de la police de San Francisco, et Roger Toland, le chef de police de San Jose.

Fontaine avait dit : « Nous voudrions la juger au Québec car nous avons la preuve absolue de sa culpabilité. Là-bas, elle n'a aucune chance de gagner son procès. »

L'inspecteur Eagan avait dit : « A cet égard, nous aussi avons des preuves absolues, officier Fontaine. Le meurtre de Jim Cleary a été le premier qu'elle a commis et je pense qu'il devrait avoir préséance sur les autres. »

Le capitaine Rudford de la police de San Francisco avait dit : « Messieurs, il ne fait aucun doute que nous pouvons tous prouver sa culpabilité. Mais trois des meurtres ont été commis en Californie et elle devrait être jugée ici pour tous les crimes. Ça renforcerait le dossier de l'accusation. »

— Je suis d'accord, avait dit le shérif Dowling. Et deux d'entre eux ont été commis dans le comté de Santa Clara. Le procès devrait donc relever de notre juridiction. »

Ils avaient ainsi passé deux heures à discuter des mérites de leurs positions respectives et, finalement, ils avaient décidé que le procès pour les meurtres de Dennis Tibble, Richard Melton, et du shérif adjoint Sam Blake, aurait lieu au Palais de justice de San Jose. Il fut convenu que les procès pour les meurtres de Bedford et de Québec seraient repoussés à une date ultérieure.

Le jour de la comparution, David, debout, se tenait au côté d'Ashley.

« Que plaidez-vous ? demanda le juge qui siégeait ce jour-là.

— Non coupable et non coupable pour raison d'aliénation mentale.

— Très bien, acquiesça le juge.

— Votre Honneur, nous demandons une remise en liberté sous caution. »

L'avocat du ministère public intervint. « Votre Honneur, nous élevons une objection ferme. La prévenue est accusée de trois meurtres sauvagement commis et est passible de la peine de mort. Si l'occasion lui en était donnée, elle en profiterait pour fuir le pays.

— Ce n'est pas vrai, dit David. Il n'y a pas de... »

Le juge l'interrompit. « J'ai examiné le dossier ainsi que la déclaration sous serment du représentant du ministère public, lequel s'oppose à une mise en liberté sous caution. Celle-ci est refusée. A toutes fins pratiques, l'affaire est confiée au juge Williams. La prévenue sera détenue à la prison du comté de San Jose jusqu'au procès. »

David soupira. « Oui, Votre Honneur. » Il se tourna vers Ashley. « Ne vous en faites pas. Tout va s'arranger. Souvenez-vous... vous n'êtes pas coupable. »

Quand David revint au bureau, Sandra lui dit : « As-tu vu les titres des journaux ? La presse à sensation appelle Ashley "la Bouchère". On n'entend que ça à la télévision.

— Nous savions que ce serait dur, dit David. Et ça ne fait que commencer. Mettons-nous au travail. »

Le procès était dans huit semaines.

Semaines remplies d'une activité fébrile. Sandra et David travaillaient toute la journée et jusque tard dans la nuit, s'employant à découvrir des procès-verbaux d'affaires impliquant des prévenus souffrant d'un syndrome d'identité multiple. Ce n'était pas ce qui manquait. Les accusés en question avaient été jugés pour meurtre, viol, vol, trafic de drogue, incendie criminel... Certains avaient été condamnés, d'autres acquittés.

« Nous allons faire acquitter Ashley », déclara David à Sandra.

Sandra recueillit les noms de personnes susceptibles de témoigner et leur téléphona.

« Docteur Nakamoto, je suis la collaboratrice de David Singer. Je crois que vous avez témoigné dans l'affaire Bohannan. Maître Singer assure la défense d'Ashley Patterson... Ah bon ? Oui. Eh bien, nous aimerions que vous veniez à San Jose afin de témoigner en sa faveur... »

« Docteur Booth, je vous appelle du bureau de David Singer. Il défend Ashley Patterson. Vous avez témoigné dans l'affaire Dickerson. Nous apprécierions que vous témoigniez à titre d'expert... Nous aimerions que vous veniez à San Jose pour témoigner en faveur de Mlle Patterson. Nous avons besoin de votre expertise... »

« Docteur Jameson, ici Sandra Singer. Nous aimerions que vous veniez à... »

Et ainsi de suite, du matin jusqu'à minuit. Une liste d'une douzaine de témoins fut finalement dressée. David la regarda et dit : « Impressionnant. Des médecins, un doyen de faculté de médecine, des doyens de facultés de droit. » Il leva les yeux vers Sandra et sourit. « Je pense que nous tenons le bon bout. »

Jesse Quiller entrait de temps à autre dans le bureau qu'il avait prêté à David. « Comment vous débrouillez-vous ? Je peux faire quelque chose pour vous ? demanda-t-il ce jour-là.

— Ça va. »

Quiller regarda autour de lui. « Tu n'as besoin de rien ? »

David sourit. « J'ai tout ce qu'il me faut, sauf mon meilleur ami. »

Un lundi matin, David reçut du ministère public un courrier qui contenait la liste des pièces à conviction détenues par l'accusation. En la lisant, il fut saisi de découragement.

Sandra l'observait, soucieuse. « Qu'y a-t-il ?

— Regarde ça. Le procureur convoque un lot de sommités médicales pour témoigner contre le fait qu'Ashley souffre de dissociation de la personnalité.

— Que comptes-tu faire ?

— Nous allons reconnaître qu'Ashley était présente sur les lieux des crimes mais nous allons prouver que les meurtres ont été commis en réalité par un *alter ego.* » *Pourrai-je en persuader le jury ?*

Cinq jours avant l'ouverture du procès, David reçut un appel téléphonique disant que le juge Williams voulait le rencontrer.

Il alla voir Jesse Quiller dans son bureau. « Jesse, que peux-tu me dire sur le juge Williams ? »

Jesse s'appuya au dossier de son fauteuil et se croisa les doigts derrière la tête. « Tessa Williams... As-tu déjà été scout, David ?

— Oui...

— Tu te souviens de la devise des scouts : "Toujours prêt ?"

— Bien sûr.

— Quand tu entreras dans le prétoire de Tessa Williams, sois prêt. Elle est remarquable. Elle s'est faite à la force du poignet. Ses parents étaient ouvriers agricoles dans le Mississippi. Elle a fait ses études secondaires grâce à une bourse et ses concitoyens étaient si fiers d'elle qu'ils ont organisé une souscription pour lui payer ses études de droit. On raconte qu'elle a refusé un poste important à Washington parce qu'elle est bien là où elle est. C'est un personnage légendaire.

— Intéressant.

— Le procès va se tenir dans le comté de Santa Clara ?

— Oui.

— Dans ce cas, tu auras affaire à mon vieil ami Mickey Brennan comme procureur général.

— Parle-moi de lui.

— C'est un Irlandais agressif, un dur qui ne fait pas de cadeaux. Il vient d'une famille à qui tout réussit. Son père dirige une énorme maison d'édition ; sa mère est médecin ; sa sœur est professeur d'université. Lui-même était un joueur de football vedette durant ses études et il a fini major de sa promotion à la fac de droit. » Il se pencha en avant. « Il est fort, David. Fais attention. Son truc consiste à désarmer les témoins puis à les achever. Il aime les prendre par là où ils s'y attendent le moins... Pourquoi le juge Williams veut-elle te voir ?

— Je l'ignore. On m'a seulement dit au téléphone qu'elle voulait discuter du procès Patterson avec moi. »

Jesse Quiller fronça les sourcils. « C'est inhabituel. Quand la vois-tu ?

— Mercredi matin.

— Surveille tes arrières.

— Merci, Jesse. Je n'y manquerai pas. »

Le Palais de justice du comté de Santa Clara est un bâtiment blanc de trois étages dans la Première Rue Nord. Immédiatement à l'entrée, il y a un bureau d'accueil dont la permanence est assurée par un vigile en uniforme, un détecteur de métaux, une barrière de contrôle et un ascenseur. Le Palais de justice comprend sept salles d'audience, chacune présidée par un juge assisté de son personnel.

Ce mercredi-là, à 10 heures, on fit entrer David Singer dans le cabinet du juge Tessa Williams. Mickey Brennan se trouvait dans la pièce avec elle. L'avocat général était un quinquagénaire râblé et trapu qui parlait avec un léger accent irlandais. Tessa Williams, âgée d'une quarantaine d'années, était une Noire mince et élancée, séduisante, aux manières brusques et autoritaires.

« Bonjour, monsieur Singer. Je suis le juge Williams. Voici monsieur Brennan. »

Les deux hommes échangèrent une poignée de main.

« Asseyez-vous, monsieur Singer. Je veux vous entretenir du procès Patterson. Selon les registres, vous avez l'intention de plaider la non-culpabilité, et cela pour cause d'aliénation mentale ?

— Oui, Votre Honneur.

— Je vous ai réunis tous les deux parce que je crois que

nous pouvons sauver beaucoup de temps et épargner à l'Etat beaucoup de frais, dit le juge Williams. Je suis généralement hostile aux tractations entre l'accusation et la défense aux termes desquelles l'accusé plaide coupable en échange d'une réduction de peine. Mais, dans ce cas, je crois que cela se justifie. »

David écoutait, intrigué.

Le juge se tourna vers Brennan. « J'ai lu le procès-verbal de l'audience préliminaire et je ne vois pas de raison de juger cette affaire devant les tribunaux. J'aimerais que le ministère public renonce à demander la peine de mort et accepte un aveu de culpabilité excluant toute perspective de libération conditionnelle.

— Une minute, dit David. C'est hors de question ! »

Ils tournèrent tous les deux leur regard vers lui.

« Monsieur Singer...

— Ma cliente n'est pas coupable. Elle a passé un test de détecteur de mensonge qui prouve...

— Ces tests ne prouvent rien et vous savez bien qu'ils ne sont pas recevables par un tribunal. Avec toute cette publicité qui est faite autour de l'affaire, ça va être un procès long et compliqué.

— Je suis convaincu de...

— J'ai une longue pratique du droit, monsieur Singer. J'ai entendu toutes sortes d'arguments de la part d'avocats de la défense. J'ai entendu plaider la légitime défense – ce qui est un argument acceptable ; j'ai entendu plaider l'irresponsabilité temporaire – ce qui peut se défendre ; j'ai entendu plaider la compétence juridique restreinte du tribunal... Mais s'il y a un argument auquel je n'ajoute pas foi, Maître, c'est celui-ci : "Je suis non coupable parce que ce n'est pas moi qui ai commis le crime mais mon *alter ego*." Pour employer un terme que vous ne trouverez pas dans les traités de droit, c'est de la "foutaise". Ou votre cliente a commis les crimes ou elle ne les a pas commis. Si vous changez votre système de défense et plaidez la culpabilité, vous pourrez épargner beaucoup de...

171

— Non, Votre Honneur. Je ne changerai pas de système de défense. »

Le juge Williams examina David durant quelques instants. « Vous êtes très entêté. Beaucoup de gens voient là une qualité admirable. » Elle se pencha en avant sur son fauteuil. « Pas moi.

— Votre Honneur...

— Vous nous imposez un procès qui va durer au moins trois mois – peut-être davantage. »

Brennan hocha la tête. « Je suis d'accord.

— Je suis désolé que vous preniez les...

— Monsieur Singer, je suis ici pour vous rendre un service. Si nous jugeons votre cliente, elle mourra.

— Holà ! Vous préjugez de l'affaire sans...

— Je préjuge ? Vous avez vu les pièces à conviction ?

— Oui, je...

— Mais enfin, Maître, l'ADN d'Ashley Patterson et ses empreintes digitales se retrouvent sur tous les lieux des crimes. Je n'ai jamais vu un cas de culpabilité aussi net. Eh bien, je ne laisserai pas les choses se passer comme ça. Je ne veux pas que mon tribunal dégénère en cirque. Expédions cette affaire sur-le-champ. Je vous le demande encore, êtes-vous prêt à plaider la culpabilité en échange d'une condamnation à vie de votre cliente sans possibilité de libération conditionnelle ?

— Non », répondit David avec entêtement.

Elle le foudroya du regard. « Bien. A la semaine prochaine. »

Il venait de se faire une ennemie.

CHAPITRE QUINZE

San Jose avait rapidement pris l'allure d'une ville de carnaval. Des représentants des médias du monde entier y débarquaient. Les hôtels étaient remplis et certains correspondants de la presse obligés de loger à l'extérieur de la ville, à Santa Clara, Sunnyvale et Palo Alto. David était assiégé par les journalistes.

« Maître Singer, parlez-nous du procès. Allez-vous plaider la non-culpabilité... ? »

« Allez-vous citer Ashley Patterson à la barre des témoins... ? »

« Est-il vai que le procureur général était prêt à transiger sur la peine ? »

« Le Dr Patterson va-t-il témoigner en faveur de sa fille... ? »

« Mon magazine est disposé à payer cinquante mille dollars pour une interview avec votre cliente... »

Mickey Brennan lui aussi était pourchassé par les médias.

« Maître Brennan, acceptez-vous de nous dire quelques mots sur le procès ? »

Brennan se retourna et sourit aux caméras de télévision. « Oui. Je vais résumer ce procès en quatre mots. "Nous allons le gagner." Je n'ai rien à ajouter.

— Attendez ! Croyez-vous qu'elle souffre d'aliénation mentale... ? »

« Le ministère public va-t-il requérir la peine de mort... ? »

« Est-il vrai que vous avez dit de cette affaire qu'elle était d'une simplicité enfantine... ? »

David loua un bureau à San Jose, tout près du tribunal, où il pouvait interviewer ses témoins et les préparer au procès. Il avait été décidé que Sandra tiendrait le bureau de San Francisco prêté par Quiller jusqu'au début du procès. Le Dr Salem venait d'arriver à San Jose.

« Je voudrais que vous hypnotisiez Ashley de nouveau, dit David. Essayons de leur soutirer, à elle et aux personnalités d'emprunt, le plus d'informations possible avant le début du procès. »

Ils virent Ashley dans une cellule du centre de détention du comté. Elle s'efforçait de dissimuler sa nervosité. Elle parut à David comme une biche aux abois sous les projecteurs d'une machine infernale.

« Bonjour, Ashley. Vous vous souvenez du Dr Salem ? »
Elle acquiesça.

« Il va vous hypnotiser de nouveau. Vous êtes d'accord ?
— Il va parler... aux autres ? demanda Ashley.
— Oui. Ça vous ennuie ?
— Non. Mais... Je ne veux pas leur parler.
— Très bien. Rien ne vous y oblige.
— Je n'en ai pas envie ! dit-elle avec irritation.
— Je sais, dit David d'un ton réconfortant. Ne vous en faites pas. Ce sera bientôt fini. » Il fit un signe de tête au Dr Salem.

« Mettez-vous à l'aise, Ashley. Rappelez-vous comme ç'a été facile la dernière fois. Fermez les yeux et détendez-vous. Ecoutez le son de ma voix. Laissez aller tout le reste. Vous vous endormez. Vos paupières s'alourdissent. Vous avez envie de dormir... Dormez... »

Dix minutes plus tard, elle était sous hypnose. Le Dr Salem fit signe à David. Celui-ci s'approcha d'Ashley.

« Je voudrais parler à Alette. Etes-vous là, Alette ? »

Ils virent le visage d'Ashley s'adoucir et passer par les mêmes transformations que la fois précédente. Ils entendirent ensuite le doux et mélodieux accent italien.

« *Buongiorno*.

— Bonjour, Alette. Comment allez-vous ?

— *Male*. C'est un moment difficile à passer.

— Pour nous tous, l'assura David, mais tout va s'arranger.

— Je l'espère.

— Alette, je voudrais vous poser quelques questions.

— *Si*...

— Connaissiez-vous Jim Cleary ?

— Non.

— Connaissez-vous Richard Melton ?

— Oui. » Une grande tristesse perça dans sa voix. « Ce qui lui est arrivé est... est terrible. »

David jeta un regard en direction du Dr Salem. « Oui, c'est terrible. Quand l'avez-vous rencontré pour la dernière fois ?

— Je suis allée le voir à San Francisco. Nous sommes allés au musée et avons déjeuné ensemble. Avant mon départ, il m'a invitée à venir chez lui.

— Et vous avez accepté ?

— Non. Je le regrette, répondit-elle d'un ton nostalgique. Je lui aurais peut-être sauvé la vie. » Il y eut un bref silence. « Nous nous sommes souhaité le bonsoir et je suis rentrée en voiture à Cupertino.

— Et c'est la dernière fois que vous l'avez vu ?

— Oui.

— Merci, Alette. »

David se rapprocha d'Ashley et dit : « Toni ? Etes-vous là, Toni ? Je voudrais vous parler ! »

Ils virent le visage d'Ashley se transformer de nouveau de manière remarquable. Elle changea de personnage sous leurs yeux, celui-ci plein d'assurance et exhibant une sexualité agressive. Elle se mit à chanter de sa voix claire, de gorge :

175

Il court, il court le furet
Le furet des bois, mesdames.
Il court, il court le furet,
Le furet des bois jolis.
Il est passé par ici. Il repassera par là.
Il court, il court...

Elle regarda David. « Vous savez, Chou, pourquoi j'aime chanter cette chanson ?

— Non.

— Parce que ma mère la détestait. Elle me haïssait.

— Pourquoi vous haïssait-elle ?

— Ça, nous pouvons difficilement le lui demander maintenant, n'est-ce pas ? » Elle se mit à rire. « Pas là où elle est. Je ne peux plus rien pour elle. Et vous, David, comment était votre mère ?

— Elle était merveilleuse.

— Alors vous avez de la chance. C'est vraiment la loterie, non ? Dieu s'amuse à nos dépens, vous ne trouvez pas ?

— Croyez-vous en Dieu ? Avez-vous la foi, Toni ?

— Je ne sais pas. Il y a peut-être un Dieu. S'il existe, il a un curieux sens de l'humour, ne trouvez-vous pas ? Alette a la foi. Elle, elle va régulièrement à l'église.

— Et vous ? »

Toni eut un petit rire. « Quand elle va à l'église, je l'accompagne. Je n'ai pas beaucoup le choix, n'est-ce pas ?

— Toni, croyez-vous qu'il soit permis de tuer ?

— Non, bien sûr que non.

— Dans ce cas...

— Sauf s'il le faut. »

David et le Dr Salem échangèrent un regard.

« Que voulez-vous dire par là ? »

Toni changea d'intonation. Elle parut soudainement sur la défensive. « Eh bien, pour se protéger, par exemple. Si quelqu'un vous attaque. » Elle donnait des signes d'agitation. « Si un salaud veut vous faire subir des sévices sexuels... » Son agitation atteignait au paroxysme.

176

« Toni... »

Elle se mit à sangloter. « Pourquoi ne me fichez-vous pas la paix ? Pourquoi faut-il qu'on... ? » Elle hurlait.

« Toni... »

Silence.

« Toni... »

Rien.

« Elle n'est plus là, dit le Dr. Salem. J'ai envie de réveiller Ashley. »

David soupira. « D'accord. »

Quelques minutes plus tard, Ashley ouvrit les yeux.

« Comment vous sentez-vous ? demanda David.

— Fatiguée. Ça s'est... ça s'est bien passé ?

— Oui. Nous avons parlé à Alette et à Toni. Elles...

— Je ne veux pas le savoir.

— Comme vous voudrez. Vous devriez peut-être vous reposer maintenant, Ashley. Je reviendrai vous voir cet après-midi. »

Ils regardèrent une gardienne la reconduire à sa cellule.

« Il faut que vous la fassiez témoigner, David. N'importe quel jury au monde sera convaincu que...

— J'y ai beaucoup réfléchi. Je crois que ça me sera impossible. »

Le Dr Salem lui adressa un regard intrigué. « Pourquoi ?

— Brennan, le procureur, ne fait pas de cadeaux. Il la réduirait en miettes. Je ne peux pas courir ce risque. »

Deux jours avant l'ouverture du procès, Sandra et David étaient à table avec les Quiller.

« Nous avons pris une chambre à l'hôtel Wyndham, dit David. Le gérant m'a fait une fleur. Sandra m'accompagne. Incroyable ce qu'il peut y avoir de monde à l'hôtel.

— Si c'est à ce point maintenant, dit Emily, vous imaginez ce que ça sera au commencement du procès.

— Je peux t'être utile en quelque chose ? » demanda Quiller en s'adressant à David.

Celui-ci secoua la tête. « J'ai une décision importante à prendre. Faire témoigner ou non Ashley.

— C'est une question à double tranchant, dit Jesse Quiller. Dans un sens ou dans l'autre, tu es fichu. L'ennui, c'est que Brennan va présenter Ashley comme un monstre sadique, sanguinaire. Si tu ne la fais pas comparaître à la barre des témoins, c'est l'image que garderont d'elle les jurés quand ils se retireront pour délibérer. D'un autre côté, d'après ce que tu me dis, si tu la cites à la barre, Brennan pourrait la démolir.

— Il va faire discréditer par ses experts médicaux la thèse de la dissociation de personnalité.

— Tu vas devoir leur prouver que le syndrome de personnalité multiple existe bel et bien.

— C'est bien mon intention. Tu sais ce qui m'inquiète, Jesse ? Les blagues. La dernière en date est que je voulais que le procès ait lieu dans un autre comté mais que je me suis ravisé parce qu'il n'existe pas un seul endroit où Ashley n'ait pas tué quelqu'un. Tu te rappelles l'époque où Johnny Carson animait son émission à la télé ? Il était spirituel et demeurait toujours dans les limites de la décence. Maintenant, les animateurs de *talk-shows* ont tous l'esprit mal tourné. Ils exercent leur humour aux dépens du public.

— David ?

— Oui.

— Et ça ne va aller qu'en empirant », déclara tranquillement Jesse Quiller.

La veille du procès, David Singer ne put trouver le sommeil. Il ne parvenait pas à endiguer les pensées négatives qui lui traversaient l'esprit. Il avait enfin réussi à s'endormir lorsqu'il entendit une voix lui dire : *Tu as laissé mourir ta dernière cliente. Que se passera-t-il si tu fais la même chose cette fois-ci ?*

Il se redressa dans le lit, tout en sueur.

Sandra ouvrit les yeux. « Ça va ?

— Oui. Non. Je me demande comment j'ai pu m'embarquer dans cette galère. Je n'avais qu'à dire non au Dr Patterson. »

Sandra lui étreignit le bras et demanda d'une voix douce : « Pourquoi ne l'as-tu pas fait ?

— Tu as raison, grommela David. Je n'ai pas pu m'y résoudre.

— Eh bien voilà. Maintenant, si tu dormais un peu pour être frais et dispos demain matin ?

— Tu parles ! »

Et il passa le reste de la nuit éveillé.

Le juge Williams avait été correct avec les médias. La presse était impitoyable. Les journalistes arrivaient en masse du monde entier, avides de couvrir le procès d'une belle jeune femme accusée d'être une tueuse en série, et qui pratiquait de surcroît sur ses victimes des mutilations sexuelles.

Le fait que l'on eût interdit à Mickey Brennan de citer les noms de Jim Cleary et de Jean-Claude Parent avait causé au procureur quelque dépit que les médias s'étaient cependant empressés de compenser à leur manière : les *talk-shows* télévisés, les magazines et les journaux contenaient tous des reportages horribles sur les cinq meurtres et castrations. Mickey Brennan était ravi.

Lorsque David arriva au tribunal, la presse l'attendait de pied ferme. Il fut littéralement assiégé.

« Maître Singer, êtes-vous employé par le cabinet Kincaid, Turner, Rose & Ripley ? »

« Regardez par ici, maître Singer... »

« Est-il vrai que vous avez été licencié pour avoir accepté cette affaire... ? »

« Que pouvez-vous nous dire au sujet d'Helen Woodman ? N'est-ce pas vous qui l'aviez défendue lors de son procès pour meurtre... ? »

« Allez-vous appeler votre cliente à la barre des témoins... ? »

« Je n'ai rien à déclarer », répondit sèchement David.

Dès son arrivée au tribunal à bord de sa voiture, Mickey Brennan fut entouré par les journalistes.

« Maître Brennan, comment le procès va-t-il se passer, à votre avis... ? »

« Avez-vous déjà plaidé dans un procès de personnalité multiple... ? »

Brennan eut un sourire chaleureux. « Non. Mais je suis impatient de m'entretenir avec toutes les accusées. » Il obtint les rires qu'il désirait. « Si elles sont assez nombreuses, elles pourront faire équipe. » Nouveaux rires. « Il faut maintenant que je rentre à l'intérieur du tribunal. Je ne voudrais pas faire attendre l'une ou l'autre des prévenues. »

Le juge Williams entama la procédure de sélection du jury en posant des questions générales aux jurés potentiels. Lorsqu'elle eut terminé, ce fut au tour de la défense puis de l'accusation de procéder aux interrogatoires.

Aux yeux d'un profane, la sélection d'un jury semble consister tout simplement à choisir le juré qui semble animé d'intentions amicales et à écarter les autres. En fait, la procédure de sélection obéit à un rituel soigneusement préparé. Les avocats d'assises expérimentés n'interrogent pas les jurés potentiels sur des points susceptibles de provoquer des réponses affirmatives ou négatives. Ils posent des questions générales qui encouragent les jurés à parler et à révéler quelque chose sur eux-mêmes et sur leurs véritables sentiments.

A cet égard, Mickey Brennan et David Singer voyaient les choses d'un œil différent. Brennan voulait que le jury soit en majorité composé d'hommes, lesquels seraient dégoûtés et scandalisés à la seule idée qu'une femme pût poignarder et châtrer ses victimes. Les questions de Brennan visaient à repérer avec exactitude entre les jurés potentiels ceux qui avaient une mentalité traditionnelle, ceux qui étaient le moins susceptibles de croire aux esprits et aux farfadets et ceux qui affirmaient être habités par des *alter ego*. David avait adopté la démarche opposée.

« Monsieur Harris, n'est-ce pas ? Je représente la prévenue. Avez-vous déjà fait partie d'un jury dans le passé, monsieur Harris ?

— Non.

— Je vous remercie d'avoir pris le temps et la peine de vous déplacer.

— Un grand procès pour meurtre comme celui-là devrait être intéressant.

— Oui. Je le pense aussi.

— En fait, j'avais hâte qu'il commence.

— Ah oui ?

— Ouais.

— Où travaillez-vous, monsieur Harris ?

— A la United Steel. Dans la métallurgie.

— Je suppose qu'au travail vous avez parlé de l'affaire Patterson entre vous.

— Oui. Tout à fait.

— C'est compréhensible. Tout le monde en parle, on dirait. Qu'est-ce qu'on en pense, généralement ? Vos camarades de travail jugent-ils Ashley Patterson coupable ?

— Ouais. Ça, je dois dire que oui.

— Et vous le pensez aussi ?

— Oui, elle m'a tout l'air d'être coupable.

— Mais vous êtes disposé à écouter l'exposé des preuves avant de vous faire une opinion définitive ?

— Ouais.

— Quelles sont vos lectures préférées, monsieur Harris.

— Je ne lis pas beaucoup. Moi ce que j'aime, c'est bivoua- quer en plein air, la pêche et la chasse.

— Vous aimez la nature. Quand vous campez la nuit et que vous regardez les étoiles, vous arrive-t-il de vous demander s'il existe d'autres planètes habitées ?

— C'est-à-dire ces idioties comme les soucoupes volantes ? Je ne crois pas à toutes ces balivernes. »

David se tourna vers le juge Williams.

« Refusé avec motifs à l'appui, Votre Honneur. »

Autre interrogatoire d'un juré potentiel :

« A quoi occupez-vous de préférence vos loisirs, monsieur Allen ?

— Eh bien, à lire et à regarder la télévision.

— Ce sont aussi mes loisirs préférés. Que regardez-vous à la télévision ?

— Les grandes émissions de variétés du jeudi soir. Ce n'est pas facile de choisir. Ces sacrées chaînes, elles programment toutes leurs bonnes émissions à la même heure.

— Vous avez raison. Avez-vous déjà regardé X-*Files* ?

— Oui. Mes gosses adorent.

— Et *Sabrina, la petite sorcière* ?

— Ah oui. Nous la regardons. C'est une bonne émission.

— Quelles sont vos lectures préférées ?

— Anne Rice, Stephen King... »

Oui.

Autre interrogatoire d'un juré :

« Quelles sont vos émissions préférées à la télévision, monsieur Mayer ?

— Surtout les journaux télévisés, les émissions d'information, les documentaires...

— Que lisez-vous de préférence ?

— Surtout des ouvrages d'histoire et des livres sur la politique.

— Merci. »

Non.

Le juge Tessa Williams suivait les interrogatoires, le visage impassible. Mais, chaque fois qu'elle regardait David, celui-ci percevait chez elle un sentiment de réprobation.

Lorsqu'on eut finalement procédé à la sélection, le jury se trouva composé de sept hommes et cinq femmes. Brennan adressa un regard triomphal à David. *Ça va être un massacre.*

CHAPITRE SEIZE

Le jour où le procès devait débuter, au début de la matinée, David alla voir Ashley Patterson au centre de détention. Elle était au bord de la crise de nerfs.

« C'est insupportable ! Je ne peux pas ! Dites-leur de me laisser tranquille.

— Ashley, tout va bien se passer. Nous allons les affronter et nous allons gagner.

— Vous ne savez pas... Vous ne savez pas ce que c'est. J'ai l'impression de vivre un enfer. »

Elle tremblait. « J'ai peur qu'ils... qu'ils me fassent subir des choses horribles.

— Je les en empêcherai, déclara David avec fermeté. Faites-moi confiance. Rappelez-vous seulement que vous n'êtes pas responsable des faits qui vous sont reprochés. Vous n'avez rien fait de mal. On nous attend. »

Elle respira profondément. « D'accord. Ça ira. Ça ira. Ça ira. »

Le Dr Steven Patterson était assis parmi le public. Il avait répondu par une seule réponse au tir de questions que lui avaient adressées les journalistes à l'extérieur du tribunal : « Ma fille est innocente. »

Jesse et Emily Quiller, venus apporter leur soutien moral, avaient pris place plusieurs rangées derrière lui.

184

Sandra et Ashley étaient assises à la table de la défense, de chaque côté de David.

« David, *il suffit* de regarder Ashley pour voir qu'elle est innocente.

— Sandra, il suffit aussi de regarder les preuves compromettantes qu'elle a laissées sur ses victimes pour savoir qu'elle les a tuées. Mais les avoir tuées et être coupable sont deux choses différentes. Il me reste à en convaincre le jury. »

Le juge Williams pénétra dans le prétoire et se dirigea vers son siège. Le greffier annonça : « Tout le monde se lève. L'audience est ouverte sous la présidence de l'Honorable Juge Tessa Williams. »

Celle-ci dit : « Vous pouvez vous asseoir. Nous allons juger l'affaire Ashley Patterson instruite par le ministère public de l'Etat de Californie. Commençons. » Le juge regarda Brennan. « Le procureur désire-t-il faire une déclaration préliminaire ? »

Mickey Brennan se leva. « Oui, Votre Honneur. » Se tournant vers les jurés, il s'approcha d'eux. « Bonjour. Comme vous le savez, Mesdames et Messieurs, la prévenue est mise en accusation dans ce procès pour avoir commis trois. meurtres extrêmement cruels. Les assassins se dissimulent sous divers travestissements. » Il se tourna vers Ashley. « Le sien consiste à jouer la jeune femme innocente, fragile. Mais le ministère public vous prouvera au-delà de tout doute raisonnable que l'accusée a délibérément et en connaissance de cause assassiné et mutilé trois innocents.

« Elle a utilisé un alias pour commettre l'un de ces meurtres, espérant ne pas se faire prendre. Elle savait exactement ce qu'elle faisait. Nous parlons ici de meurtre prémédité, commis de sang-froid. A mesure du déroulement du procès, je démêlerai un à un devant vous tous les fils qui relient ces crimes à l'accusée ici présente. Merci. »

Il retourna à son siège.

Le juge Williams regarda David. « La défense a-t-elle une déclaration préliminaire à faire ?

— Oui, Votre Honneur. » David se leva et se tourna pour faire face au jury. Il prit une longue inspiration. « Mesdames et Messieurs, au cours de ce procès, je vous apporterai la preuve qu'Ashley Patterson n'est pas responsable des faits dont on l'accuse. Elle n'avait aucune raison de commettre l'un ou l'autre de ces meurtres et en ignorait tout. Ma cliente est une victime. Elle souffre d'un syndrome de personnalité multiple, une pathologie qui vous sera, bien entendu, expliquée au cours du procès. »

Avec un coup d'œil en direction du juge Williams, il ajouta d'une voix ferme : « Le syndrome de personnalité multiple est un fait médical établi. Il signifie que d'autres personnalités, ou *alter ego*, prennent possession du sujet dont ils contrôlent les actes. Cette pathologie n'est pas nouvelle. Benjamin Rush, un médecin signataire de la Déclaration de l'Indépendance des Etats-Unis, au XVIIIe siècle, discutait déjà de certains cas atteints de cette maladie dans ses conférences. Au XIXe siècle et durant ce siècle-ci, il est fréquemment fait état de gens envahis par des personnalités d'emprunt. »

Brennan écoutait, un sourire cynique plaqué sur le visage.

« Nous vous démontrerons que c'est un *alter ego* qui a pris le dessus et a perpétré les meurtres qu'Ashley Patterson n'avait absolument aucune raison de commettre. Aucune. Elle n'était pas du tout maîtresse de ses actes et, au nom de la justice, nous demandons qu'elle ne soit pas reconnue coupable de crimes dont elle n'est pas responsable. »

David se rassit.

Le juge Williams regarda Brennan. « Le ministère public est-il prêt à procéder ? »

Brennan se leva. « Oui, Votre Honneur. » Il adressa un sourire à ses collaborateurs et alla se placer devant le box des jurés. Il y resta quelques instants silencieux et lâcha délibérément un rot bruyant. Les jurés, surpris, le dévisageaient.

Il les regarda durant de longues secondes d'un air perplexe puis son visage s'éclaira. « Oh, je vois. Vous attendiez que je vous fasse des excuses. Eh bien, je ne me suis pas excusé parce que ce n'est pas moi qui ai roté. C'est Pete, mon *alter ego.* »

David se leva, furieux. « Objection. Votre Honneur, c'est la plus scandaleuse...

— Objection retenue. »

Mais le mal était fait.

Brennan adressa à David un sourire condescendant puis revint au jury. « Eh bien, j'ose espérer que l'on n'a pas adopté un système de défense comme celui-ci depuis les procès des sorcières de Salem, il y a trois siècles. » Il se tourna pour regarder Ashley. « Ce n'est pas moi, m'sieur. Non, m'sieur. C'est le diable qui m'a fait agir. »

David se leva de nouveau. « Objection. Le...

— Objection rejetée. »

David se rassit brutalement.

Brennan se rapprocha du jury. « Je vous ai promis de vous apporter la preuve que l'accusée avait assassiné et mutilé avec préméditation et de sang-froid trois hommes – Dennis Tibble, Richard Melton et le shérif adjoint Sam Blake. *Trois hommes!* Malgré ce que dit la défense » – il se tourna et montra de nouveau Ashley – « il n'y a qu'une seule accusée assise là et c'est elle qui a commis les meurtres. Comment maître Singer appelle-t-il ça? Syndrome de personnalité multiple? Eh bien, je vais faire témoigner des médecins éminents qui vous diront, sous serment, qu'un tel syndrome n'existe pas! Mais écoutons d'abord quelques experts qui établiront le lien existant entre l'accusée et les crimes. »

Il se tourna vers le juge Williams. « Je voudrais appeler mon premier témoin, l'agent spécial Vincent Jordan. »

Un petit homme chauve se leva et se dirigea vers le box des témoins.

« Déclinez votre nom en entier, s'il vous plaît, et épelez-le pour le procès-verbal, dit le greffier.

— Agent spécial Vincent Jordan, *J-o-r-d-a-n.* »

Brennan attendit qu'il ait prêté serment et se soit assis. « Vous travaillez à Washington pour le FBI?

— Oui, Monsieur.

— Et que faites-vous au FBI, agent spécial Jordan ?

— Je suis responsable du service des empreintes digitales.

— Depuis combien de temps exercez-vous cet emploi ?

— Quinze ans.

— Quinze ans. Durant tout ce temps, avez-vous déjà rencontré deux personnes qui aient les mêmes empreintes digitales ?

— Non, monsieur.

— Combien y a-t-il d'empreintes enregistrées actuellement dans les dossiers du FBI ?

— Au dernier relevé, un peu plus de cent cinquante millions, mais nous en recevons trente-cinq mille par jour.

— Et aucune ne se confond avec les autres ?

— Non, monsieur.

— Comment identifiez-vous une empreinte ?

— Nous comparons certains échantillons. Les empreintes sont uniques. Elles se forment avant la naissance et durent toute la vie. Si l'on excepte une mutilation accidentelle ou intentionnelle, il n'existe pas deux échantillons semblables.

— Agent spécial Jordan, on vous a envoyé les empreintes trouvées sur les lieux où ont été assassinées les trois victimes que la prévenue est accusée d'avoir tuées.

— Oui, monsieur. En effet.

— Et on vous a aussi envoyé les empreintes de l'accusée, Ashley Patterson ?

— Oui, monsieur.

— Les avez-vous examinées personnellement ?

— Oui.

— Et quelle a été votre conclusion ?

— Que les empreintes laissées sur les lieux des crimes et celles prises chez Ashley Patterson étaient identiques. »

Un murmure bruyant se fit entendre dans la salle.

« Silence ! Silence ! »

Brennan attendit que le calme soit revenu. « Elles étaient

identiques ? Vous en êtes bien sûr, agent Jordan ? Il ne peut pas y avoir eu d'erreur ?

— Non, monsieur. Toutes les empreintes étaient nettes et identifiables.

— Pour que les choses soient claires... vous parlez bien des empreintes laissées sur les lieux des meurtres de Dennis Tibble, Richard Melton et le shérif adjoint Samuel Blake ?

— Oui, monsieur.

— Et les empreintes de l'accusée, Ashley Patterson, ont été trouvées sur les lieux de ces meurtres ?

— En effet.

— Et quelle est la marge d'erreur selon vous ?

— Il n'y en a aucune.

— Merci, agent Jordan. » Brennan se tourna vers David Singer. « Le témoin est à vous. »

David demeura quelques instants immobile puis se leva et s'approcha du box des témoins. « Agent Jordan, lorsque vous examinez des empreintes, découvrez-vous parfois que certaines ont été délibérément brouillées ou endommagées d'une manière ou d'une autre par le suspect pour dissimuler son crime ?

— Oui, mais nous sommes généralement capables de les restaurer au moyen de techniques au laser haute intensité.

— Avez-vous dû le faire dans le cas d'Ashley Patterson ?

— Non, monsieur.

— Pour quelle raison ?

— Eh bien, comme je l'ai dit... les empreintes étaient toutes nettes. »

David jeta un coup d'œil en direction du jury. « Donc ce que vous êtes en train de dire, c'est que la prévenue n'a fait aucune tentative pour effacer ou déguiser ses empreintes ?

— En effet.

— Merci. Pas d'autres questions. » Il se tourna vers le jury. « Ashley Patterson n'a fait aucune tentative pour dissimuler ses empreintes parce qu'elle était innocente et...

— Assez, Maître ! jeta sèchement le juge Williams. Vous aurez l'occasion plus tard d'exposer votre plaidoirie. »

189

David retourna à sa place.

Brennan se tourna vers l'agent spécial Jordan. « Vous pouvez disposer. » L'agent du FBI descendit du box des témoins.

« Je voudrais appeler mon témoin suivant, Stanley Clarke », dit Brennan.

On fit entrer dans la salle d'audience un jeune homme aux cheveux longs. Il se dirigea vers le box des témoins. Le silence se fit dans le prétoire pendant qu'il prêtait serment et s'asseyait.

« Que faites-vous dans la vie, monsieur Clarke ? demanda Brennan.

— Je travaille au Laboratoire national de biotechnologie. Je fais de la recherche sur l'acide désoxyribonuclénique.

— Plus communément connu de profanes comme nous sous le nom d'ADN ?

— Oui, monsieur.

— Depuis combien de temps travaillez-vous au Laboratoire national de biotechnologie ?

— Sept ans.

— Et quelles y sont vos fonctions ?

— Je suis directeur.

— Ainsi, durant ces sept années, je suppose que vous avez dû avoir de nombreuses occasions de faire des tests d'ADN ?

— Bien sûr. J'en fais tous les jours. »

Brennan jeta un coup d'œil en direction du jury. « Je pense que nous sommes tous conscients de l'importance de l'ADN. » Il désigna le public. « Diriez-vous qu'il se peut qu'une demi-douzaine de personnes dans cette salle aient un ADN identique ?

— Ah ça, non, monsieur. Si nous prenions par exemple un modèle de molécules d'ADN et le comparions à un grand nombre d'exemplaires, seul un sur cinq cents milliards d'individus de race blanche aurait le même profil ADN. »

Brennan parut impressionné. « Un sur cinq cents milliards. Monsieur Clarke, comment faites-vous pour prélever l'ADN sur les lieux d'un crime ?

— De plusieurs manières. Nous trouvons l'ADN dans la salive, le sperme ou les sécrétions vaginales, un cheveu, les dents, la moelle osseuse...

— Et à partir de n'importe lequel de ces échantillons il vous est possible de voir si l'ADN correspond à celui d'un individu ?

— Exactement.

— Avez-vous personnellement comparé les données ADN dans les meurtres de Dennis Tibble, Richard Melton et Samuel Blake ?

— Oui.

— Et on vous a par la suite remis des cheveux de l'accusée, Ashley Patterson ?

— Oui.

— Quand vous avez comparé les prélèvements recueillis sur les lieux des divers meurtres avec les cheveux de l'accusée, qu'en avez-vous conclu ?

— Qu'ils étaient identiques. »

Cette fois, la réaction du public fut encore plus bruyante.

Le juge Williams abattit son maillet. « Silence ! Du calme ou je fais évacuer la salle. »

Brennan attendit que le silence revienne. « Monsieur Clarke, vous avez bien dit que l'ADN prélevé sur chaque lieu des crimes et celui de l'accusée étaient *identiques* ? » Brennan appuya sur le mot.

« Oui, monsieur. »

Brennan jeta un coup d'œil en direction de la table de la défense où Ashley était assise, puis se tourna de nouveau vers le témoin. « Et la contamination ? Nous avons tous entendu parler d'un célèbre procès d'assises où les données ADN avaient, paraît-il, été contaminées. Se pourrait-il que les pièces à conviction de ce procès aient été manipulées avec négligence, ce qui les entacherait de nullité, ou que... ?

— Non, monsieur. Les pièces à conviction ADN de ces affaires de meurtres ont été manipulées très soigneusement et mises sous scellés.

— Ainsi donc aucun doute ne subsiste. L'accusée a assassiné les trois... ? »

David se leva de nouveau. « Objection, Votre Honneur. L'accusation oriente les réponses du témoin et...

— Objection maintenue. »

David se rassit.

« Merci, monsieur Clarke. » Brennan se tourna vers David. « Je n'ai pas d'autre question.

— Le témoin est à vous, maître Singer, dit le juge Williams.

— Pas de questions. »

Les jurés avaient tous les yeux posés sur David.

Brennan feignit l'étonnement. « *Pas de questions ?* » Il se tourna vers le témoin. « Vous pouvez disposer. »

Brennan regarda les jurés et dit : « Je m'étonne que la défense n'ait pas de questions à poser sur ce témoignage, parce qu'il prouve sans aucun doute possible que l'accusée a assassiné et châtré trois innocents et que... »

David bondit de son siège. « Votre Honneur...

— Objection maintenue. Vous passez les bornes, maître Brennan !

— Excusez-moi, Votre Honneur. Pas d'autres questions. »

Ashley, effrayée, regardait David.

Il lui chuchota : « Ne vous inquiétez pas. Ce sera bientôt notre tour. »

L'après-midi vit défiler de nouveaux témoins de l'accusation dont le témoignage fut dévastateur.

« Le gérant de l'immeuble vous a demandé de venir à l'appartement de Dennis Tibble, inspecteur Lightman ?

— Oui.

— Et qu'y avez-vous trouvé ?

— Tout était sens dessus dessous. Il y avait du sang partout.

— Dans quel état était la victime ?

— Elle avait été poignardée à mort et châtrée. »

Brennan jeta un coup d'œil en direction du jury, une expression horrifiée sur le visage. « Poignardée à mort et châtrée. Avez-vous trouvé des pièces à conviction sur les lieux du crime ?

— Oh, oui. La victime avait eu des rapports sexuels avant de mourir. Nous avons trouvé des sécrétions vaginales et des empreintes digitales.

— Pourquoi n'avez-vous pas immédiatement procédé à une arrestation ?

— Les empreintes que nous avions trouvées n'allaient avec aucune de celles que nous possédons au fichier.

— Mais quand vous avez finalement eu celles d'Ashley Patterson ainsi que son ADN, tout correspondait ?

— En effet. Tout correspondait. »

Le Dr Steven Patterson assistait au procès tous les jours. Il s'asseyait au milieu du public, immédiatement derrière la table de la défense. Chaque fois qu'il entrait dans la salle d'audience ou en sortait, il était assailli par les journalistes.

« Docteur Patterson, que pensez-vous du déroulement du procès ?

— Du bien.

— Que va-t-il se passer, à votre avis ?

— Ma fille va être innocentée. »

Un jour, en fin d'après-midi, en rentrant à leur hôtel, Sandra et David trouvèrent un message qui les attendait. « Veuillez appeler M. Kwong à votre banque. »

Ils se regardèrent. « Il faut déjà payer une autre traite ? demanda Sandra.

— Oui. Le temps passe vite quand on s'amuse », répondit-il sèchement. Il demeura quelques instants songeur. « Le procès sera bientôt fini, ma chérie. Nous avons assez sur notre compte bancaire pour régler la traite de ce mois-ci. »

Sandra le regarda, soucieuse. « David, si nous n'arrivons

pas à payer toutes les traites... est-ce que nous perdrons tout ce que nous avons déjà versé ?

— Oui. Mais ne t'en fais pas. Les dieux sont avec nous. »

Et il pensa à Helen Woodman.

Brian Hill avait prêté serment et il était à présent assis dans le box des témoins. Mickey Brennan lui adressa un sourire amical.

« Pouvez-vous nous dire ce que vous faites dans la vie, monsieur Hill ?

— Oui, monsieur. Je suis gardien au musée De Young à San Francisco.

— Ce doit être intéressant comme travail.

— Oui, à condition d'aimer l'art. Je suis un peintre frustré.

— Depuis quand y travaillez-vous ?

— Quatre ans.

— Est-ce qu'on revoit beaucoup les mêmes têtes au musée ? C'est-à-dire, est-ce que les gens reviennent souvent ?

— Oh, oui. Certains.

— Je suppose par conséquent que vous apprenez à les connaître avec le temps, ou du moins que leur visage vous devient familier ?

— C'est vrai.

— Et il paraît que les artistes sont autorisés à venir copier certains tableaux du musée ?

— Oh, oui. Nous avons beaucoup d'artistes.

— Avez-vous déjà fait connaissance avec certains d'entre eux, monsieur Hill ?

— Oui, nous... On se lie d'amitié à la longue.

— Avez-vous déjà rencontré un nommé Richard Melton ? »

Brian Hill soupira. « Oui. Il avait beaucoup de talent.

— Il en avait tellement, en fait, que vous lui aviez demandé de vous apprendre à peindre ?

— En effet. »

David se leva. « Votre Honneur, tout cela est passionnant,

mais je ne vois pas en quoi ça concerne le procès. Si Maître Brennan...

— Ces questions sont pertinentes, Votre Honneur. Je suis en train de démontrer que M. Hill connaissait la victime de vue et de nom, et qu'il peut nous dire qui elle fréquentait.

— Objection rejetée. Vous pouvez continuer.

— Et il vous a effectivement enseigné la peinture ?

— Oui, quand il en avait le temps.

— Quand M. Melton venait au musée, vous est-il arrivé de le voir en compagnie féminine ?

— Eh bien, pas au début. Puis il a rencontré une jeune femme à qui il semblait s'intéresser et je le voyais avec elle.

— Comment s'appelait-elle ?

— Alette Peters. »

Brennan parut intrigué. « Alette Peters ? Etes-vous sûr de ne pas vous tromper de nom ?

— Oui, monsieur. C'est sous ce nom qu'il la présentait.

— Vous ne la voyez pas actuellement dans la salle du tribunal, par hasard, monsieur Hill ?

— Si, monsieur. » Il désigna Ashley. « Elle est assise là.

— Mais ce n'est pas Alette Peters. C'est l'accusée, Ashley Patterson. »

David se leva de nouveau. « Votre Honneur, nous avons déjà dit qu'Alette Peters était incluse dans ce procès. C'est l'une des personnalités d'emprunt qui contrôlent Ashley Patterson et...

— Vous anticipez, maître Singer. Maître Brennan, poursuivez, je vous prie.

— Maintenant, monsieur Hill, vous êtes sûr que l'accusée, présente ici sous le nom d'Ashley Patterson, était connue de Richard Melton sous celui d'Alette Peters ?

— J'en suis sûr.

— Et il n'y a pas de doute, c'est bien la même femme ? »

Brian Hill hésita. « Enfin... Oui, c'est la même femme.

— Et vous l'avez vue en compagnie de Richard Melton le jour où il a été assassiné ?

— Oui, monsieur.

— Merci. » Il se tourna vers David. « Le témoin est à vous. »

David se leva et s'approcha lentement du box des témoins. « Monsieur Hill, ce doit être une grosse responsabilité que d'être gardien dans un musée qui expose des œuvres d'art qui valent chacune des millions de dollars.

— Oui, monsieur. En effet.

— Vous êtes obligé d'avoir l'œil sur tout ce qui se passe.

— Pour ça, oui.

— Diriez-vous que vous avez l'esprit d'observation, monsieur Hill ?

— Oui.

— Je vous pose cette question parce que j'ai remarqué que lorsque maître Brennan vous a demandé si vous étiez bien sûr qu'Ashley Patterson était la femme qui accompagnait Richard Melton, vous avez hésité. Vous aviez un doute ? »

Il y eut un silence. « Eh bien, elle ressemble beaucoup à cette femme, mais en un sens elle est différente.

— En quel sens, monsieur Hill ?

— Alette Peters avait davantage le type italien, elle avait un accent italien... et elle faisait plus jeune que l'accusée.

— Exactement, monsieur Hill. La personne que vous avez vue à San Francisco était une personnalité d'emprunt d'Ashley Patterson. Elle est née à Rome, et est de huit ans sa cadette... »

Brennan était déjà debout, furieux. « Objection. »

David se tourna vers le juge Williams. « Votre Honneur, j'étais en...

— Approchez-vous, tous les deux, s'il vous plaît. » David et Brennan s'approchèrent du juge Williams. « Je ne veux pas avoir à vous le répéter, maître Singer. Le tour de la défense viendra quand l'accusation aura conclu sa plaidoirie. D'ici là, cessez de plaider votre cause. »

Bernice Jenkins était à la barre des témoins.

« Que faites-vous dans la vie, mademoiselle Jenkins ?

— Je suis serveuse.

— Et où travaillez-vous ?

— Au café du musée De Young.

— De quelle nature étaient vos rapports avec Richard Melton ?

— Nous étions bons amis.

— Pourriez-vous être plus explicite ?

— Eh bien, nous avons eu à un moment donné une passion amoureuse mais nos rapports se sont pour ainsi dire refroidis. Ce sont des choses qui arrivent.

— Je n'en doute pas. Et alors ?

— Nous étions devenus comme frère et sœur. Je veux dire... je lui confiais mes problèmes et il me parlait des siens.

— Avait-il discuté de l'accusée avec vous ?

— Eh bien, oui, mais elle se faisait appeler d'un autre nom.

— Et ce nom était ?

— Alette Peters.

— Mais il savait qu'elle s'appelait en réalité Ashley Patterson ?

— Non. Il pensait qu'elle s'appelait Alette Peters.

— Vous voulez dire qu'elle le dupait ? »

David se leva, furieux. « Objection.

— Objection maintenue. Cessez d'orienter les réponses du témoin, maître Brennan.

— Excusez-moi, Votre Honneur. » Brennan se tourna de nouveau vers le box des témoins. « Il vous avait parlé de cette Alette Peters, mais les avez-vous vus ensemble ?

— Oui. Il l'a emmenée au restaurant un jour et nous a présentées l'une à l'autre.

— Vous parlez bien de l'accusée, Ashley Patterson ?

— Oui. Sauf qu'elle se faisait appeler Alette Peters. »

Gary King était à la barre des témoins.

« Vous étiez le colocataire de Richard Melton ? demanda Brennan.

197

— Oui.

— Etiez-vous aussi amis ? Le fréquentiez-vous par ailleurs ?

— Bien sûr. Nous sortions beaucoup ensemble avec des copines.

— M. Melton était-il attaché à une jeune femme en particulier ?

— Oui.

— Vous connaissez son nom ?

— Elle s'appelait Alette Peters.

— La voyez-vous dans la salle du tribunal ?

— Oui. Elle est assise là-bas.

— Pour le procès-verbal, c'est bien l'accusée, Ashley Patterson, que vous désignez ainsi ?

— En effet.

— En rentrant chez vous, la nuit du meurtre, vous avez trouvé le corps de Richard Melton dans l'appartement ?

— Oui.

— Dans quel état était-il ?

— Ensanglanté.

— Le corps avait été châtré ? »

Frisson. « Oui. Atroce. »

Brennan jeta un coup d'œil en direction des jurés pour observer leur réaction. Ils avaient exactement celle qu'il espérait.

« Qu'avez-vous fait ensuite ?

— J'ai appelé la police.

— Merci. » Brennan se tourna vers David. « Le témoin est à vous. »

David se leva et s'approcha de Gary King.

« Parlez-nous de Richard Melton. Quelle sorte d'homme était-ce ?

— C'était un type fantastique.

— Etait-il querelleur ? Aimait-il la bagarre ?

— Richard ? Non. Tout au contraire. Il était très paisible, en retrait.

— Mais il fréquentait volontiers des femmes dures et capables d'en venir aux coups ? »

Gary le regardait bizarrement. « Pas du tout. Richard aimait les femmes douces, paisibles.

— Se querellaient-ils souvent, Alette et lui ? »

Gary était perplexe. « Vous avez tout faux. Ils n'échangeaient jamais un mot plus haut que l'autre. Ils s'accordaient à merveille.

— Avez-vous déjà été témoin de quelque chose qui aurait pu vous laisser croire qu'Alette Peters pourrait éventuellement lui faire du mal... ?

— Objection.

— Objection maintenue.

— Pas d'autres questions », dit David.

En s'asseyant à la table de la défense, il dit à Ashley : « Ne vous inquiétez pas. Tout cela renforce notre position. »

Il affichait une confiance qu'il était loin d'éprouver.

Sandra et David étaient en train de dîner au San Fresco, le restaurant de l'hôtel Wyndham, lorsque le maître d'hôtel s'approcha de David et dit : « On vous demande d'urgence au téléphone, monsieur Singer.

— Merci. » Il dit à Sandra : « Je reviens tout de suite. »

Il suivit le maître d'hôtel jusqu'au téléphone. « Ici David Singer.

— David... Jesse. Monte à ta chambre et rappelle-moi. Tout est en train de s'écrouler ! »

CHAPITRE DIX-SEPT

« Jesse... ?

— David, je sais que je ne suis pas censé intervenir, mais je pense que tu devrais demander une annulation du procès.

— Que s'est-il passé ?

— As-tu été sur Internet ces jours-ci ?

— Non. J'avais d'autres chats à fouetter.

— Eh bien, il n'est question que du procès partout sur cette saleté d'Internet. On ne parle que de ça dans les salons de conversation.

— Ça paraît normal, dit David. Mais qu'y a-t-il de... ?

— Tout est négatif, David. On dit qu'Ashley est coupable et qu'elle devrait être exécutée. Et on le dit dans une langue très imagée. Tu ne peux pas savoir à quel point tous ces gens sont pervers. »

David, comprenant soudain de quoi il retournait, dit : « Oh, mon Dieu ! Il suffirait que les jurés soient branchés sur Internet pour...

— Il y a de fortes chances que certains d'entre eux le soient. Ils seront nécessairement influencés. Moi, je demanderais une annulation du procès ou au moins que le jury soit isolé du monde extérieur.

— Merci, Jesse. C'est ce que je vais faire. » David raccrocha. Lorsqu'il revint au restaurant où l'attendait Sandra, elle lui demanda : « Mauvaises nouvelles ?

— Très. »

Le lendemain matin, avant que la cour se réunisse, David demanda à voir le juge Williams. On le fit entrer dans le cabinet du juge en même temps que Mickey Brennan.

« Vous avez demandé à me voir ?

— Oui, Votre Honneur. J'ai appris hier soir que le procès constitue le sujet numéro un des discussions sur Internet. On ne parle que de ça dans les salons de conversation et on a d'ores et déjà reconnu la prévenue coupable, ce qui lui est très préjudiciable. Et comme je suis sûr que certains des jurés ont un ordinateur connecté sur Internet ou qu'ils communiquent avec des amis qui en sont équipés, cela constitue un sérieux handicap pour la défense. Par conséquent, je dépose une motion en annulation du procès. »

Le juge Williams prit quelques instants de réflexion. « Motion rejetée. »

David dut lutter pour garder son calme. « Dans ce cas, je dépose une motion pour que le jury soit immédiatement isolé du monde extérieur de manière que...

— Maître Singer, la presse se bouscule tous les jours dans la salle du tribunal. Ce procès fait la une des médias écrits et parlés du monde entier. Je vous avais prévenu que ça dégénérerait en cirque et vous n'avez rien voulu entendre. » Elle se pencha vers lui. « Eh bien, c'est *votre* cirque ! Si vous vouliez que l'on isole le jury, il fallait déposer la motion avant le procès. Et je ne l'aurais sans doute pas accordée. Y a-t-il autre chose ? »

David avait l'estomac retourné. « Non, Votre Honneur.

— Alors, rentrons dans la salle d'audience. »

Mickey Brennan interrogeait le shérif Dowling.

« Le shérif adjoint Blake a téléphoné pour vous dire qu'il allait passer la nuit chez l'accusée afin de veiller sur elle ? Elle lui avait dit que quelqu'un menaçait d'attenter à sa vie ?

— C'est bien ça.

— Quand avez-vous eu par la suite des nouvelles du shérif adjoint Blake ?

— Je... Je n'en ai plus eu. On m'a téléphoné le lendemain matin pour m'annoncer qu'on avait trouvé son... son corps dans la ruelle derrière l'immeuble de Mlle Patterson.

— Et naturellement vous vous y êtes rendu immédiatement ?

— Naturellement.

— Et qu'y avez-vous trouvé ? »

Le shérif Dowling déglutit. « Le corps de Sam était enveloppé dans un drap ensanglanté. Il avait été poignardé à mort et châtré comme les deux autres victimes.

— Comme les deux *autres* victimes ? Les trois meurtres ont donc été commis de la même façon ?

— Oui, monsieur.

— Comme si elles avaient été tuées par la même personne ? »

David se leva. « Objection !

— Objection retenue.

— Je retire cette question. Qu'avez-vous fait ensuite, Shérif ?

— Eh bien, jusqu'alors, Ashley Patterson n'était pas suspecte. Mais après ce meurtre, nous l'avons incarcérée et avons fait prendre ses empreintes digitales.

— Et alors ?

— Nous les avons envoyées au FBI qui nous a transmis un rapport positif.

— Pourriez-vous expliquer au jury en quoi ce rapport était positif ? »

Le shérif Dowling se tourna vers le jury. « Les empreintes d'Ashley Patterson correspondaient aux empreintes du fichier provenant de meurtres antérieurs et que le FBI était justement en train d'essayer d'identifier.

— Merci, Shérif. » Brennan se tourna vers David. « Le témoin est à vous. »

David se leva et s'approcha du box des témoins. « Shérif, vous avez entendu le témoignage selon lequel un couteau taché de sang a été trouvé dans la cuisine de Mlle Patterson.

— En effet.

— Comment était-il dissimulé ? Etait-il enveloppé dans quelque chose ? Planqué quelque part pour qu'on ne puisse le trouver ?

— Non. Il était bien en vue.

— Bien en vue. Laissé là par quelqu'un qui n'avait rien à cacher. Par quelqu'un qui était innocent parce que...

— Objection !

— Objection retenue.

— Pas d'autre question.

— Le témoin peut disposer.

— Avec le consentement de la cour... », dit Brennan. Il fit signe à quelqu'un au fond de la salle et un homme en bleu de travail entra, portant le miroir de l'armoire à pharmacie d'Ashley Patterson. On pouvait y lire, écrit au rouge à lèvres : TU VAS MOURIR.

David se leva. « Qu'est-ce que c'est que ça ? »

Le juge Williams se tourna vers Mickey Brennan. « Maître Brennan ?

— C'est l'appât dont l'accusée s'est servie pour attirer le shérif adjoint Blake chez elle pour l'assassiner. Je voudrais qu'on l'inscrive au procès-verbal comme pièce à conviction D. Il vient de l'armoire à pharmacie de l'accusée.

— Objection, Votre Honneur. Cet objet est sans rapport avec l'affaire.

— Je prouverai qu'il l'est.

— Nous verrons. En attendant, vous pouvez procéder. »

Brennan posa le miroir bien en vue devant le jury. « Ce miroir provient de la salle de bains de l'accusée. » Il regarda les jurés. « Comme vous voyez, il y est griffonné "Tu vas mourir". C'est le prétexte qu'a utilisé l'accusée pour attirer le shérif adjoint Blake chez elle ce soir-là, soi-disant pour la protéger. » Il se tourna vers le juge Williams. « Je voudrais appeler mon prochain témoin, mademoiselle Laura Niven. »

Une femme d'âge mûr, qui marchait avec une canne, approcha du box des témoins et prêta serment.

« Où travaillez-vous, mademoiselle Niven ?

— Je suis consultante pour le comté de San Jose.

— Et que faites-vous ?

— Je suis graphologue.

— Depuis combien de temps travaillez-vous pour le comté, mademoiselle Niven ?

— Vingt-deux ans. »

Brennan hocha la tête en direction du miroir. « On vous avait montré ce miroir auparavant ?

— Oui.

— Et vous l'avez examiné ?

— Oui.

— Et on vous a montré un exemplaire de l'écriture de l'accusée ?

— Oui.

— Et vous avez eu l'occasion de l'examiner ?

— Oui.

— Et vous avez comparé les deux ?

— En effet.

— Et quelle est votre conclusion ?

— Que les deux écritures sont de la même personne. »

Un murmure de stupéfaction parcourut le public.

« Ce que vous dites par conséquent, c'est que c'est Ashley Patterson elle-même qui s'est adressé cette menace ?

— En effet. »

Mickey Brennan regarda en direction de David. Celui-ci hésita. Il jeta un coup d'œil à Ashley. Les yeux baissés sur la table, elle secouait la tête en signe de dénégation. « Pas de questions. »

Le juge Williams observait attentivement David. « Pas de questions, maître Singer ? »

David se leva. « Non. Tout ce témoignage est absurde. » Il se tourna vers le jury. « L'accusation devra prouver qu'Ashley Patterson connaissait ses personnalités d'emprunt et avait un mobile pour...

— Je vous ai déjà prévenu, l'interrompit le juge Williams

204

d'un ton irrité. Ce n'est pas à vous d'instruire le jury sur le fonctionnement de la loi. Si...

— Il faut bien que quelqu'un le fasse, s'emporta David. Vous le laissez agir à sa guise et...

— Ça suffit, maître Singer. Approchez-vous. »

David obtempéra.

« Je vous impose une amende pour outrage au tribunal et vous condamne à passer une nuit dans notre jolie prison le jour où le procès se terminera.

— Attendez, Votre Honneur. Vous ne pouvez pas...

— Je vous ai condamné à une nuit de prison, dit-elle, menaçante. Je peux doubler la sentence si vous insistez. »

David la regardait d'un œil noir, la respiration saccadée. « Pour le bien de ma cliente, je... je garderai mes sentiments pour moi-même.

— Sage décision, dit le juge d'un ton cassant. L'audience est suspendue. » Elle se tourna vers un huissier. « A la fin du procès, je veux que l'on incarcère maître Singer.

— Oui, Votre Honneur. »

Ashley se tourna vers Sandra. « Oh, mon Dieu ! Que se passe-t-il ? »

Sandra exerça une pression de la main sur son bras. « Ne vous en faites pas. Ayez confiance en David. »

Sandra téléphona à Jesse Quiller.

« Je suis au courant, dit-il. On ne parle que de ça aux informations, Sandra. Je ne blâme pas David de s'être emporté. Le juge Williams lui cherche noise depuis le début. Mais que lui a-t-il fait pour qu'elle lui tombe dessus comme ça ?

— Je ne sais pas, Jesse. C'était épouvantable. Tu devrais voir le visage des jurés. Ils haïssent Ashley. Ils ont hâte de la déclarer coupable. Enfin, c'est maintenant le tour de la défense. David va les faire changer d'avis.

— Il faut l'espérer. »

« Le juge Williams me déteste, Sandra, et ça nuit à Ashley.

205

Si je ne trouve pas de parade, son compte est bon. Il faut que je fasse quelque chose.

— Mais quoi ? »

David prit une inspiration profonde. « Renoncer à assurer sa défense. »

Ils savaient tous deux ce que cela signifiait. Les médias se repaîtraient de l'échec de David.

« Je n'aurais jamais dû accepter ce procès, dit-il d'un ton rempli d'amertume. Le Dr Patterson a cru voir en moi le sauveur de sa fille et j'ai... » Il ne put continuer.

Sandra l'enlaça et le serra contre elle. « Ne t'en fais pas, chéri. Tout finira par s'arranger. »

J'ai laissé tomber tout le monde, pensa David. *Ashley, Sandra... Je vais être licencié par le cabinet, je vais me retrouver sans travail, et la naissance du bébé qui approche.* « *Tout finira par s'arranger.* »

En effet.

Le lendemain matin, David demanda à voir le juge Williams dans son cabinet. Mickey Brennan assistait à l'entretien.

« Vous avez demandé à me voir, maître Singer ? demanda le juge.

— Oui, Votre Honneur. Je veux me retirer du procès.

— Pour quelle raison ?

— Je ne crois pas être l'avocat qui convienne en l'occurrence, répondit David en pesant soigneusement ses mots. Je crois que je nuis à ma cliente. J'aimerais être remplacé.

— Maître Singer, dit calmement le juge Williams, si vous pensez que je vais vous laisser vous défiler comme ça pour devoir recommencer ce procès et gaspiller encore plus de temps et d'argent, vous vous méprenez tout à fait. La réponse est non. Vous m'avez bien comprise ? »

David ferma les yeux durant quelques secondes en s'efforçant de garder son calme. Puis il regarda le juge et dit : « Oui, Votre Honneur. Je vous ai comprise. »

Il était pris au piège.

CHAPITRE DIX-HUIT

Plus de trois mois s'étaient écoulés depuis le début du procès, et David ne se rappelait plus à quel moment il avait joui pour la dernière fois d'une vraie nuit de sommeil.

Un après-midi, alors qu'il revenait au tribunal en compagnie de Sandra, celle-ci lui dit : « David, je crois que je devrais retourner à San Francisco. »

David la regarda avec étonnement. « Pourquoi ? Nous sommes au beau milieu de... Oh, mon Dieu. » Il l'enlaça. « Le bébé. C'est pour bientôt ? »

Sandra sourit. « D'un jour à l'autre maintenant. Je me sentirais davantage en sécurité là-bas, plus près du Dr Bailey. Maman a dit qu'elle viendrait s'installer à la maison pour être à mes côtés.

— Bien sûr. Il faut que tu retournes à San Francisco, dit David. J'avais perdu la notion du temps. L'accouchement est prévu dans trois semaines, n'est-ce pas ?

— Oui. »

Il fit la grimace. « Et je ne peux pas t'accompagner. »

Sandra lui prit la main. « Ne t'en fais pas, mon chéri. Le procès touche à sa fin.

— Ce maudit procès est en train de nous gâcher la vie.

— David, tout va bien se passer. Je pourrai reprendre mon ancien travail. Après la naissance du bébé, il me serait possible de...

— Je suis tellement navré, Sandra. Je regrette d'avoir...

207

— David, il ne faut jamais éprouver de regrets quand on croit avoir bien agi.

— Je t'aime.

— Je t'aime. »

Il lui caressa le ventre. « Je vous aime tous les deux. » Il soupira. « D'accord. Je vais t'aider à faire tes valises. Je te conduirai à San Francisco ce soir et...

— Non, dit Sandra avec fermeté. Tu dois rester ici. Je demanderai à Emily de venir me chercher.

— Invite-la à dîner avec nous ce soir.

— D'accord. »

Emily avait été ravie. « Bien sûr que je vais venir te chercher. » Et elle était arrivée à San Jose deux heures plus tard.

Ils dînèrent tous les trois chez Chai Jane.

« Ça tombe vraiment mal, dit Emily. Je n'aime pas trop vous voir séparés l'un de l'autre justement maintenant.

— Le procès s'achève, dit David d'un ton encourageant. Peut-être sera-t-il fini avant la naissance du bébé. »

Emily sourit. « Ça nous fera deux événements à célébrer. »

C'était l'heure du départ. David enlaça Sandra. « Je t'appellerai tous les soirs, dit-il.

— Je t'en prie, ne te fais pas de souci pour moi. Ça ira. Je t'aime beaucoup. » Elle le regarda et ajouta : « Fais attention à toi, David. Tu as l'air fatigué. »

Ce fut seulement lorsque Sandra fut partie que David mesura l'ampleur de sa solitude.

Au tribunal, on était en pleine audience.

Mickey Brennan se leva et s'adressa à la cour. « J'aimerais appeler mon prochain témoin, le Dr Lawrence Larkin. »

Un homme aux cheveux gris, distingué, prêta serment et prit place à la barre des témoins.

« Je tiens à vous remercier de votre présence, docteur Larkin. Je sais que votre temps est très précieux. Pourriez-vous nous parler un peu de vos antécédents ?

— J'ai actuellement une très bonne clientèle privée à Chicago. J'ai été président de l'Association des psychiatres de Chicago.

— Depuis combien de temps exercez-vous, Docteur ?

— Une trentaine d'années.

— Et en tant que psychiatre, j'imagine que vous avez vu de nombreux cas de syndrome de personnalité multiple ?

— Non. »

Brennan fronça les sourcils. « Quand vous dites non, vous voulez dire que vous n'en avez pas vu beaucoup ? Une douzaine peut-être ?

— Je n'en ai jamais vu un seul. »

Brennan regarda le jury avec une stupéfaction feinte puis s'adressa de nouveau au psychiatre. « En trente ans de pratique avec des patients atteints de troubles psychologiques, vous n'avez pas vu un *seul* cas de personnalité multiple ?

— En effet.

— Je n'en reviens pas. Comment expliquez-vous ça ?

— C'est très simple. Je ne crois pas à l'existence du syndrome de personnalité multiple.

— Mais enfin, je suis intrigué, Docteur. De tels cas n'ont-ils pas été rapportés dans le passé ? »

Le Dr Larkin eut un petit sourire méprisant. « Qu'on en ait rapporté ne prouve pas qu'ils aient bel et bien existé. Voyez-vous, certains médecins pensent avoir affaire à un syndrome de personnalité multiple parce qu'ils confondent certains symptômes avec ceux de la schizophrénie, de la dépression et de divers autres troubles liés à l'angoisse.

— C'est très intéressant. Ainsi, selon vous, en tant qu'expert en psychiatrie, il n'existe pas de syndrome de personnalité multiple ?

— C'est ça.

— Merci, Docteur. » Mickey Brennan se tourna vers David. « Le témoin est à vous. »

David se leva et s'approcha du box des témoins. « Vous êtes ancien président de l'Association des psychiatres de Chicago, docteur Larkin.

— Oui.

— Vous avez dû rencontrer un grand nombre de vos pairs.

— Oui. Je suis fier de le dire.

— Connaissez-vous le Dr Royce Salem ?

— Oui. Je le connais très bien.

— Est-il bon psychiatre ?

— Excellent. Un des meilleurs.

— Avez-vous déjà rencontré le Dr Clyde Donovan ?

— Oui. A plusieurs reprises.

— Diriez-vous qu'il est bon psychiatre ?

— C'est à lui que je m'adresserais » – petit gloussement – « si j'avais besoin d'en consulter un.

— Et le Dr Ingram ? Le connaissez-vous ?

— Ray Ingram ? Mais oui. Un chic type.

— Psychiatre compétent ?

— Oh oui.

— Dites-moi, y a-t-il unanimité parmi les psychiatres sur toutes les pathologies ?

— Non. Il existe évidemment des divergences de vues. La psychiatrie n'est pas une science exacte.

— C'est intéressant, Docteur. Parce que les Drs Salem, Donovan et Ingram vont venir à cette barre témoigner avoir traité des cas de syndrome de personnalité multiple. Aucun d'entre eux n'est peut-être aussi compétent que vous. C'est tout. Vous pouvez disposer. »

Le juge Williams se tourna vers Brennan. « Vous voulez reprendre l'interrogatoire ? »

Brennan se leva et s'approcha du box des témoins.

« Docteur Larkin, croyez-vous que le fait que ces autres psychiatres divergent d'avis avec vous leur donne raison et vous donne tort ?

— Non. Je pourrais vous présenter des dizaines de psychiatres qui ne croient pas au syndrome de personnalité multiple.

— Merci, Docteur. Pas d'autres questions. »

« Docteur Upton, dit Mickey Brennan, vous avez entendu ce témoignage selon lequel il arrive que l'on confonde le syndrome de personnalité multiple avec d'autres pathologies. Existe-t-il des tests permettant d'éviter ce type de confusion ?

— Non. »

Brennan, bouche bée sous l'effet de la surprise, jeta un coup d'œil en direction du jury. « Il *n'y en a pas* ? Etes-vous en train de dire qu'il n'y a aucun moyen de dire si un individu qui prétend souffrir de ce syndrome ment, simule, ou se sert de cette explication pour s'innocenter d'un crime dont il ne veut pas être tenu pour responsable ?

— Comme je viens de le dire, il n'existe pas de test.

— C'est donc une simple affaire d'opinion ? Certains psychiatres y croient et d'autres non ?

— Exactement.

— Je voudrais que vous répondiez à une question, Docteur. Par l'hypnose, on peut sûrement savoir si quelqu'un souffre vraiment du syndrome de personnalité multiple ou s'il fait semblant ? »

Le Dr Upton secoua la tête. « Même sous hypnose ou avec du sodium amobarbital, il est impossible de vérifier si quelqu'un simule ou non.

— C'est très intéressant. Merci, Docteur. Pas d'autres questions. » Brennan se tourna vers David. « Le témoin est à vous. »

David se leva et s'approcha du box des témoins. « Docteur Upton, vous est-il arrivé d'être consulté par des patients chez qui d'autres médecins avaient diagnostiqué un syndrome de personnalité multiple ?

— Oui. Plusieurs fois.

— Et avez-vous soigné ces patients ?

— Non.

— Pourquoi ?

— Je ne peux pas soigner les gens pour un syndrome qui n'existe pas. J'ai eu pour patient un escroc qui voulait que je

211

témoigne qu'il n'était pas responsable, parce qu'un *alter ego* avait agi à sa place. J'en ai eu une autre, une mère de famille qui battait ses enfants. Elle disait que quelque chose en elle lui commandait d'agir ainsi. J'en ai eu quelques autres comme ça, qui avaient des excuses différentes, mais qui essayaient tous d'échapper à leurs responsabilités. En d'autres termes, c'étaient des simulateurs.

— Vous semblez avoir une opinion très arrêtée sur la question, Docteur.

— En effet. Je sais que j'ai raison.

— Vous le savez ?

— Enfin, je veux dire...

— ... que tout le monde se trompe à part vous ? Que tous les psychiatres qui croient à l'existence du syndrome de personnalité multiple se trompent ?

— Je ne voulais pas dire ça...

— Et que vous seul avez raison. Merci, Docteur. C'est tout. »

Le Dr Simon Raleigh était à la barre des témoins. C'était un petit homme chauve, âgé d'une soixantaine d'années.

« Merci de vous être déplacé, Docteur. Vous avez eu une longue et brillante carrière. Vous êtes médecin, professeur, vous avez fait vos études à... »

David se leva. « La défense ne doute aucunement du passé distingué du témoin.

— Merci. » Brennan se tourna de nouveau vers le témoin. « Docteur Raleigh, qu'entend-on par une maladie *iatrogénique* ?

— Ce mot désigne une maladie déjà existante qu'une psychothérapie aggrave.

— Voudriez-vous être plus précis, Docteur ?

— Eh bien, en psychothérapie, les questions et les attitudes du thérapeute exercent souvent une influence sur le patient. Celui-ci peut se sentir tenu de répondre aux attentes du thérapeute.

— Quel rapport cela a-t-il avec le syndrome de personnalité multiple ?

— Interrogé par le psychiatre sur différentes personnalités qu'il a éventuellement en lui, le patient en inventera parfois pour faire plaisir au thérapeute. Nous sommes ici en terrain délicat. L'amobarbital et l'hypnose peuvent produire des simulacres de personnalité multiple chez des patients par ailleurs normaux.

— Vous êtes donc en train de dire que, sous hypnose, le psychiatre lui-même peut modifier l'état du patient au point que celui-ci en vient à s'illusionner lui-même ?

— Oui, cela est déjà arrivé.

— Merci, Docteur. » Il regarda David. « Le témoin est à vous.

— Merci », dit David. Il se leva et s'approcha du box des témoins. « Votre curriculum est très impressionnant, Docteur, déclara-t-il sur un ton désarmant. Non seulement vous êtes psychiatre, mais vous êtes aussi professeur d'université.

— Oui.

— Il y a longtemps que vous enseignez, Docteur ?

— Plus de quinze ans.

— C'est merveilleux. Comment partagez-vous votre temps ? Je veux dire par là, consacrez-vous la moitié de votre temps à l'enseignement et l'autre à exercer la psychiatrie ?

— J'enseigne désormais à plein temps.

— Oh ? Depuis combien de temps n'avez-vous pas pratiqué la médecine ?

— Environ huit ans. Mais je me tiens au courant de toute la littérature médicale actuelle.

— Je suis admiratif, je dois le dire. Ainsi vous êtes très informé de tous les récents développements de la médecine ? C'est par la littérature médicale que vous connaissez si bien la psychose iatrogénique ?

— Oui.

— Et dans le passé, vous avez été consulté par beaucoup de patients affirmant souffrir du syndrome de personnalité multiple ?

— Eh bien, non...

— Non ? Diriez-vous que durant toutes les années où vous avez exercé la psychiatrie vous avez eu une douzaine de cas prétendant être atteints du syndrome de personnalité multiple ?

— Non.

— Six ? »

Le Dr Raleigh secoua la tête.

« Quatre ? »

La question resta sans réponse.

« Docteur, avez-vous déjà été consulté par un seul patient souffrant du syndrome de personnalité multiple ?

— Eh bien, c'est dur à...

— Oui ou non, Docteur ?

— Non.

— Donc vous ne connaissez vraiment du syndrome de personnalité multiple que ce que vous en avez lu ? Pas d'autres questions. »

L'accusation fit comparaître six autres témoins et le même scénario se répéta chaque fois. Mickey Brennan avait réuni neuf sommités de la psychiatrie, venant d'un peu partout dans le pays, et unanimement convaincus que le syndrome de personnalité multiple n'existait pas.

Le ministère public avait appelé presque tous ses témoins à la barre.

Lorsque le dernier de la liste se fut fait excuser, le juge Williams se tourna vers Brennan. « Avez-vous encore des témoins à citer, maître Brennan ?

— Non, Votre Honneur. Mais je voudrais montrer au jury des photos prises par la police sur les lieux des meurtres des...

— Pas question ! », intervint David d'un ton furieux.

Le juge Williams se tourna vers lui. « Qu'avez-vous dit, maître Singer ?

— J'ai dit... » – David se reprit – « objection. L'accusation essaie de monter le jury contre la prévenue en...

— Objection rejetée. Rejet fondé sur une motion déposée avant le procès. » Le juge Williams se tourna vers Brennan. « Vous pouvez montrer les photos. »

David se rassit dans un mouvement rageur.

Brennan revint à son bureau et prit une pile de photos qu'il tendit aux jurés. « Elles ne sont pas agréables à regarder, Mesdames et Messieurs, mais elles concernent la matière même de ce procès et non des mots, des théories ou des prétextes. Elles concernent trois individus réels qui ont été brutalement et sauvagement assassinés. La loi dit que quelqu'un doit payer pour ces meurtres. A vous de veiller à ce que justice soit faite. »

Brennan vit l'horreur se peindre sur le visage des jurés tandis qu'ils regardaient les photos.

Il se tourna vers le juge Williams. « L'accusation a conclu sa plaidoirie. »

Le juge Williams consulta sa montre. « Il est quatre heures. La cour se retire et reprendra à 10 heures lundi matin. La séance est suspendue. »

CHAPITRE DIX-NEUF

Ashley Patterson était sur l'échafaud où on allait la pendre lorsqu'un policier arrivait en courant et disait : « Attendez une minute. Elle est censée être électrocutée. »

La scène changeait et elle se retrouvait sur la chaise électrique. Un gardien tendait la main pour abaisser la manette du commutateur au moment où le juge Williams arrivait en courant et en hurlant : « Non ! Nous allons l'exécuter au moyen d'une injection mortelle. »

David se réveilla et s'assit dans le lit, le cœur battant. Son pyjama était trempé de sueur. Il voulut se lever mais se sentit subitement étourdi. Il avait la migraine et se sentait fiévreux. Il toucha son front : il était brûlant.

En voulant descendre du lit, il fut saisi de vertiges. « Oh, non, grommela-t-il. Pas aujourd'hui. Pas maintenant. »

C'était le jour qu'il attendait, le jour où la défense devait commencer à présenter sa plaidoirie. Il entra en titubant dans la salle de bains, se passa de l'eau froide sur le visage et se regarda dans la glace. « Tu fais peur à voir. »

Lorsqu'il arriva au tribunal, le juge Williams siégeait déjà. On n'attendait plus que lui.

« Veuillez m'excuser d'être en retard, dit David d'une voix cassée. Puis-je m'approcher ?

— Oui. »

Il s'approcha du juge suivi de près par Mickey Brennan. « Votre Honneur, dit-il, je voudrais demander un ajournement de vingt-quatre heures.

216

— Pour quel motif ?

— Je... Je ne me sens pas très bien, Votre Honneur. Je suis sûr qu'un médecin me prescrira quelque chose et que j'irai mieux demain.

— Pourquoi ne pas vous faire remplacer par votre associé ? »

David la regarda, tout étonné. « Je n'ai pas d'associé.

— Pourquoi n'en avez-vous pas, maître Singer ?

— Parce que... »

Le juge Williams se pencha vers lui. « Je n'ai jamais vu un procès pour meurtre mené de cette façon. Vous voulez occuper tout seul le devant de la scène pour vous attirer toute la gloire, n'est-ce pas ? Eh bien, la gloire, ce n'est pas dans ce prétoire que vous la trouverez. Je vais vous dire autre chose. Vous pensez sans doute que je devrais me récuser parce que je ne crois pas à votre système de défense qui consiste à tout mettre sur le compte de forces diaboliques, mais je n'en ferai rien. Nous allons laisser les jurés décider de la culpabilité ou de l'innocence de votre cliente. Autre chose, maître Singer ? »

David resta là, à la regarder, tandis que la salle vacillait autour de lui. Il avait envie de lui dire d'aller se faire foutre. Il avait envie de se jeter à genoux et de l'implorer d'être équitable. Il avait envie de rentrer se coucher. Il dit d'une voix enrouée : « Non. Merci, Votre Honneur. »

Le juge Williams acquiesça d'un hochement de tête. « Maître Singer, à vous d'entrer en scène. Ne faites pas perdre davantage de temps à la cour. »

David se dirigea vers le box des jurés en essayant d'oublier son mal de tête et sa fièvre. Il prit la parole d'une voix lente.

« Mesdames et Messieurs, vous avez entendu le procureur tourner en ridicule la réalité du syndrome de personnalité multiple. Je suis sûr que maître Brennan n'était pas animé d'intentions malveillantes. Ses déclarations étaient dictées par l'ignorance. Le fait est qu'il ne sait manifestement rien du syndrome de personnalité multiple, et on pourrait en dire autant de certains des témoins qu'il a appelés à la barre. Mais je vais demander à des gens qui savent, eux, en quoi consiste ce syndrome, de venir vous en parler. Il s'agit de médecins renommés, des spécialistes de ce problème. Quand vous aurez entendu leurs témoignages, je suis convaincu que vous interpréterez tout à fait autrement les propos de maître Brennan.

« Maître Brennan a déclaré ma cliente coupable d'avoir commis ces crimes atroces. C'est un point très important que la question de sa culpabilité. Pour prouver qu'il y a eu meurtre avec préméditation, il faut non seulement que l'acte soit coupable, mais que l'intention le soit aussi. Je vous démontrerai qu'Ashley Patterson n'avait pas d'intention coupable parce qu'elle n'était pas en possession d'elle-même au moment où les crimes ont été commis. Elle était totalement inconsciente de ce qui se passait. Certains médecins réputés vont témoigner qu'elle a deux personnalités d'emprunt, ou *alter ego*, et que c'est l'une d'elles qui prend les décisions. »

David regarda le visage des jurés. C'était comme s'ils oscillaient devant lui. Il ferma les yeux durant quelques secondes.

« L'Association américaine de psychiatrie reconnaît l'existence du syndrome de personnalité multiple. Des médecins en vue du monde entier, qui ont traité des patients affligés de ces troubles, en reconnaissent eux aussi l'existence. C'est une des personnalités d'Ashley Patterson qui a tué, mais il s'agissait bien d'une *personnalité*, d'un *alter ego*, sur laquelle elle n'avait aucune prise. » Il haussa le ton. « Pour que la question soit claire, vous devez comprendre que la loi ne punit pas une personne innocente. Nous nous trouvons donc devant un paradoxe. Imaginez qu'un jumeau de siamois soit jugé pour meurtre. La loi dit que l'on ne peut pas punir celui des deux qui est coupable parce qu'il faudrait alors punir celui qui est innocent. » Le jury était tout ouïe.

David hocha la tête en direction d'Ashley. « Dans le cas qui nous occupe, ce n'est pas à deux mais à trois personnalités que nous avons affaire. »

Il se tourna vers le juge Williams. « Je voudrais appeler mon premier témoin, le Dr Joel Ashanti. »

« Docteur Ashanti, où pratiquez-vous la médecine ?

— A l'hôpital Madison de New York.

— Et vous êtes venu ici à ma demande ?

— Non. J'ai été mis au courant du procès par les journaux et je voulais témoigner. J'ai travaillé avec des patients qui souffraient du syndrome de personnalité multiple et je voulais me rendre utile, si possible. Le syndrome de personnalité multiple est beaucoup plus répandu que ne le croit le grand public, et je voulais essayer de lever tous les malentendus à ce sujet.

— Je vous en sais gré, Docteur. Dans des cas comme ceux-là, est-il courant de trouver un patient qui a deux personnalités ou *alter ego* ?

— Selon mon expérience, les gens atteints de ce mal en ont généralement beaucoup plus, jusqu'à cent parfois. »

Eleanor Tucker se tourna pour chuchoter quelque chose à Mickey Brennan. Celui-ci sourit.

« Depuis quand traitez-vous les troubles liés au syndrome de personnalité multiple, docteur Ashanti ?

— Depuis quinze ans.

— Chez un patient affligé de ces troubles, il y a généralement une personnalité d'emprunt qui domine ?

— Oui. »

Certains jurés prenaient des notes.

« Et est-ce que le sujet – la personne qui a ces *alter ego* en elle – est consciente de leur présence ?

— Ça dépend. Parfois, une des personnalités d'emprunt connaît toutes les autres, parfois elle n'en connaît qu'un certain nombre. Mais le sujet n'est généralement pas conscient de leur présence, pas avant une thérapie.

219

— C'est très intéressant. Le syndrome de personnalité multiple se soigne-t-il ?

— Oui, souvent. Il exige un traitement psychiatrique de longue durée. De six ou sept ans parfois.

— Avez-vous déjà réussi à guérir des patients atteints de ce syndrome ?

— Oh, oui.

— Merci, Docteur. »

David se retourna pour examiner les jurés durant quelques instants. *Intéressés mais non convaincus*, pensa-t-il.

Il regarda dans la direction de Mickey Brennan. « Le témoin est à vous. »

Brennan se leva et s'approcha du box des témoins. « Docteur Ashanti, vous avez déclaré être venu de New York en avion parce que vous vouliez vous rendre utile ?

— En effet.

— Votre présence ici est naturellement étrangère au fait qu'il s'agit d'un procès très médiatisé dont la publicité pourrait servir votre... »

David s'était déjà levé. « Objection. Tendancieux.

— Objection rejetée.

— J'ai expliqué les raisons de ma venue ici, déclara calmement le Dr Ashanti.

— Bien. Puisque vous pratiquez la médecine, Docteur, combien de patients estimez-vous avoir traités pour troubles psychologiques ?

— Oh, peut-être deux cents.

— Et combien de ces cas souffraient de troubles liés au syndrome de personnalité multiple ?

— Une douzaine... »

Brennan le regarda avec un étonnement feint. « Sur deux cents ?

— Eh bien, oui. Voyez-vous...

— Ce que je ne vois pas, docteur Ashanti, c'est comment il se fait que vous vous considériez comme un spécialiste si nous n'avez eu affaire qu'à quelques cas. Je vous saurais gré de nous donner des preuves qui confirment ou infirment l'existence du syndrome de personnalité multiple.

— Quand vous parlez de preuves...

— Nous sommes dans un tribunal, Docteur. Le jury ne peut se déterminer à partir de théories ou d'hypothèses. Que diriez-vous par exemple de l'hypothèse selon laquelle l'accusée haïssait les hommes qu'elle a assassinés et, après les avoir tués, a décidé de prétexter la présence d'un *alter ego* en elle pour... »

David se leva. « Objection ! La question est tendancieuse et influence le témoin.

— Objection rejetée.

— Votre Honneur...

— Asseyez-vous, maître Singer. »

David adressa un regard furieux au juge Williams et s'assit avec un mouvement de rage.

« Ainsi, vous êtes en train de nous dire, Docteur, que rien ne prouve l'existence ou la non-existence du syndrome de personnalité multiple ?

— Non. Mais... »

Brennan hocha la tête. « C'est tout. »

Le Dr Royce Salem était à la barre des témoins.

« Docteur Salem, dit David, vous avez examiné Ashley Patterson ?

— Oui.

— Et quel est votre diagnostic ?

— Mlle Patterson souffre d'un syndrome de personnalité multiple. Elle a deux *alter ego* qui se font appeler Toni Prescott et Alette Peters.

— A-t-elle un moyen quelconque de les contrôler ?

— Aucun. Quand ces *alter ego* prennent les commandes, elle est en état d'amnésie hystérique.

— Pourriez-vous expliquer ce que vous entendez par là, docteur Salem ?

— Quand un patient est en état d'amnésie hystérique, il

perd conscience de l'endroit où il se trouve ou de ce qu'il fait. Cela peut durer quelques minutes, des jours, voire des semaines.

— Et durant ce laps de temps, cette personne est-elle responsable de ses actions, à votre avis ?

— Non.

— Merci, Docteur. » Il se tourna vers Brennan. « Le témoin est à vous. »

Brennan s'approcha du box des témoins. « Docteur Salem, demanda-t-il, vous êtes attaché à plusieurs hôpitaux et vous donnez des conférences dans le monde entier ?

— Oui, monsieur.

— Je suppose que vos pairs sont des médecins doués et compétents ?

— Oui, en effet.

— Ils sont donc tous d'accord pour reconnaître l'existence du syndrome de personnalité multiple.

— Non.

— Que voulez-vous dire par non ?

— Qu'ils ne sont pas tous du même avis.

— Vous voulez dire que certains d'entre eux doutent de l'existence du syndrome de personnalité multiple ?

— Oui.

— Mais ce sont eux qui se trompent et vous qui avez raison ?

— Je sais que ce syndrome existe pour avoir soigné des patients qui en souffraient. Quand...

— Permettez que je vous pose une question. A supposer qu'il existe quelque chose comme le syndrome de personnalité multiple, est-ce que c'est toujours une de ses personnalités d'emprunt qui dicte ses actes au sujet ? L'*alter ego* dit : "Tue !" et le sujet obéit ?

— Ça dépend. L'influence des personnalités d'emprunt se fait sentir à des degrés divers.

— De sorte qu'il se pourrait que le sujet soit responsable de ses actes ?

— Parfois, évidemment.

— Le plus souvent ?

— Non.

— Docteur, quelle preuve y a-t-il que le syndrome de personnalité multiple existe ?

— J'ai été témoin de transformations physiques complètes chez des patients sous hypnose et je sais...

— Et l'hypnose peut servir à établir la vérité ?

— Oui.

— Docteur Salem, si je vous hypnotisais dans une pièce bien chauffée et vous disais que vous êtes au Pôle Nord, tout nu dans une tempête de neige, est-ce que la température de votre corps tomberait ?

— Eh bien, oui, mais...

— C'est tout. »

David s'approcha du box des témoins. « Docteur Salem, doutez-vous de l'existence de ces personnalités d'emprunt chez Ashley Patterson ?

— Pas du tout. Et je suis convaincu qu'elles peuvent prendre le dessus et la dominer.

— Sans qu'elle en soit consciente ?

— Oui.

— Merci. »

« Je voudrais appeler Shane Miller à la barre. » David l'observa tandis qu'il prêtait serment. « Que faites-vous dans la vie, monsieur Miller ?

— Je suis chef de service à la Global Computer Graphics Corporation.

— Depuis combien de temps y travaillez-vous ?

— Sept ans environ.

— Et Ashley Patterson y était employée ?

— Oui.

— Et elle travaillait sous votre direction ?

— Oui.

223

— Vous la connaissez donc passablement bien ?

— En effet.

— Monsieur Miller, vous avez entendu des médecins témoigner que les symptômes de personnalité multiple sont la paranoïa, la nervosité, la détresse affective. Avez-vous déjà observé l'un ou l'autre de ces symptômes chez Mlle Patterson ?

— Eh bien, je...

— Mlle Patterson ne vous avait-elle pas dit avoir l'impression que quelqu'un la harcelait ?

— Si.

— Et qu'elle ignorait de qui il pouvait s'agir ou la raison pour laquelle on aurait pu s'en prendre à elle ?

— En effet.

— Ne vous a-t-elle pas dit un jour que quelqu'un s'était servi de son ordinateur pour la menacer avec un couteau ?

— Oui.

— Et les choses n'avaient-elles pas empiré au point que vous l'aviez finalement envoyée consulter le psychologue qui travaille pour votre entreprise, le Dr Speakman ?

— Oui.

— Ainsi Ashley Patterson présentait les symptômes dont nous parlons ?

— Tout à fait.

— Merci, monsieur Miller. » David se tourna vers Mickey Brennan. « Le témoin est à vous. »

« Combien d'employés avez-vous directement sous vos ordres, monsieur Miller ?

— Trente.

— Et sur ces trente employés, Ashley Patterson est la seule qui vous ait jamais paru psychologiquement perturbée ?

— Eh bien, non...

— Oh, vraiment ?

— Tout le monde a parfois quelque chose qui ne va pas.

— Vous voulez dire que d'autres de vos employés doivent aller consulter le psychologue de l'entreprise ?

— Oh, certainement. Il ne chôme pas. »

Brennan parut impressionné. « Ah oui ?

— Oui. Beaucoup d'entre eux ont des problèmes. Ils sont tous humains.

— Pas d'autres questions.

— Vous pouvez reprendre l'interrogatoire du témoin, maître Singer. »

David s'approcha du box des témoins. « Monsieur Miller, vous avez dit que certains des employés qui travaillent sous vos ordres avaient des problèmes. De quelle nature ?

— Eh bien, consécutifs par exemple à une querelle de couple...

— Oui ?

— Ou dus à des soucis financiers...

— Oui ?

— Ou dus à l'inquiétude que leur causent leurs enfants...

— Autrement dit, des problèmes d'ordre domestique tels que nous en vivons tous ?

— Oui.

— Mais aucun d'eux n'était allé voir le Dr Speakman parce qu'il se croyait harcelé ou parce qu'il pensait que quelqu'un menaçait de le tuer ?

— Non.

— Merci. »

Il y eut suspension de séance pour le déjeuner.

David monta dans sa voiture et traversa le parc, déprimé. Le procès prenait mauvaise tournure. Les psychiatres n'arrivaient pas à prendre nettement position sur l'existence du syndrome de personnalité multiple. *S'ils ne parviennent pas à se mettre d'accord*, pensa-t-il, *comment vais-je obtenir l'unanimité du jury ? Je ne peux pas abandonner Ashley à son sort. Je ne peux pas.* Il approchait du Harold's Café, un restaurant peu éloigné du tribunal. Il se gara et entra. L'hôtesse lui sourit.

« Bonjour, monsieur Singer. »

225

Il était célèbre. *Honteusement célèbre ?*

« Par ici, s'il vous plaît. » Il la suivit jusqu'à un box et s'assit. L'hôtesse lui tendit la carte, lui adressa un sourire appuyé et s'éloigna dans un déhanchement provocant. *Les sommets de la gloire*, pensa-t-il avec un humour lugubre.

Il n'avait pas faim mais il entendit la voix de Sandra lui dire : « Il faut que tu manges pour garder tes forces. »

Le box voisin était occupé par deux hommes et deux femmes. L'un des hommes était en train de dire : « Elle est bien pire que Lizzie Borden. Celle-ci n'avait tué que deux personnes.

— Et elle ne les avait pas châtrées, ajouta son compagnon.

— Quel sort lui réserve-t-on, à votre avis ?

— Tu veux rire ? Elle va être condamnée à mort.

— Dommage qu'on ne puisse pas l'exécuter trois fois. »

C'est la *vox populi*, pensa David. Il eut le sentiment décourageant que s'il faisait le tour du restaurant, il n'entendrait que des variantes du même discours. Brennan avait fait d'Ashley un monstre. Il entendit la voix de Quiller : « *Si tu ne la fais pas comparaître à la barre des témoins, c'est l'image que garderont d'elle les jurés quand ils se retireront pour délibérer.* »

Je vais courir le risque. Je vais laisser les jurés voir par eux-mêmes si Ashley dit la vérité.

La serveuse était debout près de la table. « Etes-vous prêt à commander, monsieur Singer ?

— J'ai changé d'avis. Je n'ai pas faim. » En se levant et sortant du restaurant, il sentit des regards torves posés sur lui. *J'espère qu'ils ne sont pas armés*, pensa-t-il.

CHAPITRE VINGT

De retour au tribunal, David alla voir Ashley dans sa cellule. Elle était assise sur le petit lit et fixait le sol.

« Ashley. »

Elle leva sur lui un regard désespéré.

Il s'assit près d'elle. « Il faut que nous parlions. »

Elle l'observa en silence.

« Toutes ces choses horribles que l'on raconte à votre sujet... elles sont toutes fausses. Mais les jurés l'ignorent. Ils ne vous connaissent pas. Il faut que nous leur permettions de voir qui vous êtes vraiment. »

Ashley le regarda et dit d'une voix terne : « Qui suis-je vraiment ?

— Vous êtes quelqu'un de très bien qui souffre d'une maladie. Le jury éprouvera de la sympathie pour vous.

— Que voulez-vous que je fasse ?

— Je veux que vous veniez à la barre et que vous témoigniez. »

Elle le dévisagea, horrifiée. « Je... Je ne peux pas. Je ne sais rien. Je n'ai rien à dire.

— Laissez-moi m'occuper de ça. Vous n'aurez qu'à répondre à mes questions. »

Un gardien arriva à la hauteur de la cellule. « L'audience va bientôt reprendre. »

David se leva et serra la main d'Ashley. « Ça va marcher. Vous verrez. »

« Tout le monde se lève. L'audience est ouverte. L'Honorable Juge Tessa Williams préside le procès opposant le ministère public de l'Etat de Californie à Ashley Patterson. »

Le juge Williams prit place sur le siège.

« Puis-je m'approcher, Votre Honneur ? demanda David.

— Faites. »

Mickey Brennan s'approcha lui aussi.

« Qu'y a-t-il, maître Singer ?

— J'aimerais appeler un témoin de dernière minute.

— Le procès est terriblement avancé pour présenter de nouveaux témoins.

— Je voudrais appeler Ashley Patterson comme prochain témoin. »

Le juge Williams dit : « Je ne...

— Le ministère public n'a pas d'objection, Votre Honneur », déclara vivement Brennan.

Le juge Williams regarda les deux avocats. « Très bien. Vous pouvez appeler votre témoin, maître Singer.

— Merci, Votre Honneur. » Il alla vers Ashley et lui tendit la main. « Ashley... »

Elle resta sans bouger, terrifiée.

« Il le faut. »

Elle se leva, le cœur palpitant, et se dirigea lentement vers le box des témoins.

Mickey Brennan dit à voix basse à Eleanor : « Je priais le ciel pour qu'il la fasse témoigner. »

Eleanor acquiesça. « La partie est gagnée. »

Le greffier fit prêter serment à Ashley Patterson. « Vous jurez de dire la vérité, toute la vérité, rien que la vérité. Dites je le jure.

— Je le jure. » Elle parlait d'une voix presque inaudible. Elle s'assit dans le box des témoins.

David s'approcha d'elle. Il lui dit gentiment : « Je sais que cela vous est très difficile. On vous accuse de crimes atroces que vous n'avez pas commis. Je tiens seulement à ce que le jury sache la vérité. Vous souvenez-vous avoir commis ces crimes ? »

Ashley secoua la tête. « Non. »

David jeta un coup d'œil au jury puis continua. « Connaissiez-vous Dennis Tibble ?

— Oui. Nous travaillions ensemble à la Global Computer Graphic Corporation.

— Aviez-vous une raison quelconque de le tuer ?

— Non. » Elle avait du mal à parler. « Je... je suis allée chez lui pour lui donner des conseils qu'il m'avait demandés et c'est la dernière fois que je l'ai vu.

— Connaissiez-vous Richard Melton ?

— Non...

— C'était un artiste. Il a été assassiné à San Francisco. La police a trouvé sur les lieux du crime des traces de votre ADN ainsi que vos empreintes digitales. »

Ashley secouait énergiquement la tête. « Je... je ne sais pas quoi dire. Je ne le connaissais pas !

— Etes-vous consciente d'avoir en vous deux autres personnalités, ou *alter ego*, Ashley ?

— Oui. » Elle avait la voix tendue.

« Quand l'avez-vous appris ?

— Avant le procès. C'est le Dr Salem qui m'en a parlé. Je n'arrivais pas à le croire. Je... ne le crois toujours pas. C'est... c'est trop affreux.

— Vous ne vous étiez pas auparavant rendu compte de la présence de ces personnalités d'emprunt.

— Non.

— Vous n'aviez jamais entendu parler de Toni Prescott ou d'Alette Peters ?

— Non !

— Croyez-vous qu'elles existent en vous ?

— Oui... Je suis bien obligée de le croire. Ce sont elles qui ont dû faire toutes ces... toutes ces choses atroces.

— Ainsi vous ne vous rappelez pas avoir rencontré Richard Melton, vous n'aviez aucun mobile pour tuer Dennis Tibble

229

ou le shérif adjoint Blake, qui était venu chez vous pour assurer votre protection ?

— Exactement. » Elle balaya du regard la salle d'audience archicomble et eut un moment d'affolement.

« Une dernière question, dit David. Avez-vous déjà eu affaire à la justice ?

— Jamais. »

Il posa ses mains sur les siennes. « C'est tout pour le moment. » Il se tourna vers Mickey Brennan. « Le témoin est à vous. »

Brennan se leva, un grand sourire sur le visage. « Eh bien, mademoiselle Patterson, nous allons finalement pouvoir vous parler à toutes. Avez-vous, à un moment ou un autre, eu des rapports sexuels avec Dennis Tibble ?

— Non.

— Et avec Richard Melton ?

— Non.

— Avec le shérif adjoint Blake ?

— Non.

— C'est très intéressant. » Brennan jeta un coup d'œil au jury. « Parce que des traces de sécrétions vaginales ont été trouvées sur le corps des trois hommes. Les tests d'ADN montrent qu'elles correspondent aux vôtres.

— Je... je n'y comprends rien.

— On a peut-être voulu détourner les soupçons sur vous. Un monstre infernal en aura peut-être prélevé...

— Objection ! C'est tendancieux.

— Objection rejetée.

— ... pour les déposer subrepticement sur les trois corps mutilés. Avez-vous des ennemis qui auraient pu vous faire un coup pareil ?

— Je... je ne sais pas.

— Le labo du FBI a examiné les empreintes trouvées sur les lieux des crimes. Et je suis sûr que vous êtes surprise de...

— Objection.

— Objection retenue. Faites attention, maître Brennan.

— Oui, Votre Honneur. »

Satisfait, David se rassit.

Ashley était au bord de la crise de nerfs. « Ce doit être les personnalités d'emprunt qui ont...

— Les empreintes trouvées sur les lieux des meurtres étaient les vôtres et uniquement les vôtres. »

Ashley garda le silence.

Brennan alla vers une table, y prit un couteau de boucher enveloppé dans de la Cellophane et le tendit devant lui. « Reconnaissez-vous ce couteau ?

— C'est... c'est peut-être un de... un de mes...

— Un de vos couteaux ? C'est exact. Il figure au nombre des pièces à conviction. Les taches de sang qu'il y a dessus correspondent au sang du shérif adjoint Blake. Vos empreintes digitales se retrouvent sur l'arme du crime. »

Ashley secouait violemment la tête de tous côtés.

« Je n'ai jamais vu de cas plus flagrant de meurtre commis avec préméditation ni un système de défense aussi faible. Se cacher derrière deux personnages non existants, imaginaires, est bien la pire... »

David se leva de nouveau. « Objection.

— Objection retenue. Je vous ai déjà prévenu, maître Brennan.

— Excusez-moi, Votre Honneur. »

Brennan continua. « Je suis sûr que les jurés aimeraient faire connaissance avec les personnages dont vous parlez. Vous êtes bien Ashley Patterson ?

— Oui...

— Bien. J'aimerais parler à Toni Prescott.

— Je... Je ne peux pas l'amener à se manifester comme ça. »

Brennan la regarda avec étonnement. « Vous ne pouvez pas ? Vraiment ? Eh, dans ce cas, que diriez-vous d'appeler Alette Peters ? »

Ashley secoua la tête, désemparée. « Je... je ne les maîtrise pas.

— Mademoiselle Patterson, j'essaie de vous aider, dit Brennan. Je veux que le jury voie les personnalités d'emprunt qui ont tué trois innocents. Faites-les se manifester !

— Je... je ne peux pas. » Elle sanglotait.

« Vous ne le pouvez pas parce que ces *alter ego* n'existent pas ! Vous vous cachez derrière des fantômes. Il n'y a que vous seule assise dans ce box, et vous seule êtes coupable. Les *alter ego* n'existent pas mais vous, vous existez. Et je vais vous dire, il y a aussi une autre chose qui existe : la preuve irréfutable, indéniable, que vous avez assassiné trois hommes et les avez émasculés de sang-froid. » Il se tourna vers le juge Williams. « Votre Honneur, le ministère public n'a rien à ajouter. »

David regarda en direction des jurés. Ils dévisageaient tous Ashley, le visage empreint de répulsion.

Le juge Williams se tourna vers David. « Maître Singer ? »

Il se leva. « Votre Honneur, je voudrais l'autorisation d'hypnotiser la prévenue afin de...

— Maître Singer, répondit sèchement le juge Williams, je vous avais d'emblée prévenu que je ne voulais pas que ce procès dégénère en spectacle de foire. Vous ne l'hypnotiserez pas dans *mon* prétoire. La réponse est non.

— Vous ne pouvez pas me le refuser, dit avec emportement David. Vous ne savez pas combien il est important que...

— Ça suffit, maître Singer. » Sa voix était glaciale. « Je vous impose une nouvelle amende pour outrage au tribunal. Voulez-vous interroger de nouveau le témoin, oui ou non ? »

David hésita puis, dépité, dit : « Oui, Votre Honneur. » Il s'approcha du box des témoins. « Ashley, vous savez que vous témoignez sous serment ?

— Oui. » Sa respiration était saccadée et elle luttait pour rester maîtresse d'elle-même.

« Et tout ce que vous avez dit est la vérité telle que vous la connaissez ?

— Oui.

— Vous savez qu'il y a en vous deux *alter ego* sur lesquels vous n'avez aucun contrôle ?

— Oui.

— Toni et Alette ?

— Oui.

— Vous n'avez commis aucun de ces meurtres horribles ?

— Non.

— C'est l'une de vos personnalités d'emprunt qui les a commis et vous n'êtes pas responsable. »

Eleanor adressa un regard interrogateur à Brennan mais celui-ci se contenta de sourire en secouant la tête. « Laissons-le s'enfoncer », murmura-t-il.

« Helen » – David s'interrompit, blêmissant à ce lapsus. « Je veux dire Ashley... Faites venir Toni. »

Ashley le regarda et secoua la tête d'impuissance. « Je... je ne peux pas, dit-elle à voix basse.

— Oui, vous le pouvez. Toni nous écoute en ce moment même. Elle s'amuse. Et pourquoi ne s'amuserait-elle pas ? Elle a commis trois meurtres et elle s'en tire. » Il haussa la voix. « Vous êtes très intelligente, Toni. Allez, montrez-vous et venez saluer le public. On ne vous fera pas de mal. On ne peut pas vous punir car Ashley est innocente et il faudrait la condamner pour vous atteindre. »

Tout le monde dans le prétoire avait les yeux fixés sur David. Ashley était immobile, comme figée sur place.

David se rapprocha d'elle. « Toni ! Toni, vous m'entendez ? Montrez-vous. *Allez !* »

Il attendit quelques instants. Il ne se passa rien. Il haussa encore la voix. « Toni ! Alette ! Montrez-vous ! Allez, montrez-vous. Nous savons tous que vous êtes là ! »

On aurait entendu une mouche voler dans la salle d'audience.

David s'énerva. Il hurla. « Montrez-vous ! Montrez votre vrai visage... *Zut alors ! Allez ! Allez !* »

Ashley fondit en larmes.

Le juge Williams dit sur un ton furieux : « Approchez-vous, maître Singer. »

David obtempéra lentement.

« Vous avez fini d'importuner votre cliente, maître Singer ? Je vais envoyer un rapport au barreau concernant votre comportement. Vous déshonorez la profession et je vais recommander qu'on vous radie. »

David ne répondit pas.

« Avez-vous d'autres témoins à citer ? »

Il secoua la tête, défait. « Non, Votre Honneur. »

C'était fini. Il avait perdu. Ashley allait mourir.

« La défense a terminé son examen des témoins. »

Joseph Kincaid, assis au dernier rang de la salle d'audience, assistait à la scène, l'air sinistre. Il se tourna vers Harvey Udell. « Débarrassez-nous de lui. » Il se leva et s'en alla.

Udell arrêta David au moment où celui-ci allait quitter la salle d'audience.

« David...

— Bonjour, Harvey.

— Je suis navré que ça ait pris cette tournure.

— Ce n'est pas...

— M. Kincaid regrette mais, eh bien, il trouve préférable que vous ne reveniez pas au cabinet. Bonne chance. »

Dès sa sortie du tribunal, David fut entouré par les caméras de télévision et les cris des journalistes.

« Avez-vous une déclaration à faire, maître Singer ? »

« Il paraît que le juge Williams a dit que vous seriez radié du barreau... »

« Le juge Williams dit qu'elle va vous faire incarcérer pour outrage à la cour. Pensez-vous que... ? »

« Les spécialistes sont d'avis que vous avez perdu le procès. Avez-vous l'intention d'aller en appel... ? »

« Les experts juridiques de notre chaîne disent que votre cliente va être condamnée à mort... »

« Avez-vous des projets d'avenir... ? »

David monta dans sa voiture sans un mot et s'éloigna.

CHAPITRE VINGT ET UN

Il réécrivait sans cesse les scènes dans son esprit.

J'ai vu les informations ce matin, docteur Patterson. Si vous saviez comme je suis navré.

Oui. Ç'a été un choc. J'ai besoin de votre aide, David.

Bien sûr. Je ferai tout ce que je peux.

Je veux que vous assuriez la défense d'Ashley.

Je ne peux pas. Je ne suis pas avocat pénaliste. Mais je peux vous recommander un bon avocat, Jesse Quiller.

N'en parlons plus. Merci, David...

Vous êtes drôlement impatient, n'est-ce pas ? Nous n'avions rendez-vous qu'à 5 heures. Eh bien, j'ai de bonnes nouvelle pour vous. Nous vous nommons partenaire.

Vous avez demandé à me voir ?

Oui, Votre Honneur. Il est beaucoup question du procès sur Internet et l'opinion a d'ores et déjà déclaré la prévenue coupable. Cela risque de constituer un handicap grave pour la défense. Par conséquent, je dépose une motion en annulation du procès.

Je pense que ce sont là d'excellentes raisons d'annuler le procès, maître Singer. Je vais faire le nécessaire pour...

Le petit jeu, au goût amer, du conditionnel passé...

Le lendemain matin, l'audience était ouverte.

« L'accusation est-elle prête à conclure ? »

236

Brennan se leva. Il s'approcha du box des jurés qu'il regarda tour à tour.

« Vous êtes en situation de rendre un verdict historique. Si vous croyez que l'accusée est plusieurs personnes en une, qu'elle n'est pas responsable de ses actes, et si vous la remettez en liberté, cela revient à dire que, pour vous, n'importe qui peut s'innocenter d'un crime uniquement en déclarant qu'il ne l'a pas commis, qu'un mystérieux *alter ego* a agi à sa place. On peut alors voler, violer et tuer sans être coupable ? Non. "Ce n'est pas moi, c'est mon *alter ego*." Ken, Joe ou Suzy, qu'on l'appelle comme on voudra. Eh bien, je pense que vous êtes trop intelligents pour vous abandonner à ce fantasme. La réalité se trouve dans les photos que vous avez regardées. Ces gens n'ont pas été assassinés par des *alter ego*. Ils l'ont été de manière délibérée, calculée, cruelle, par l'accusée assise à cette table, Ashley Patterson. Mesdames et Messieurs du jury, le système adopté par la défense en cette affaire a un précédent. Dans l'affaire Teller, il avait été décidé que l'existence d'un syndrome de personnalité multiple n'entraînait pas automatiquement l'acquittement. Dans l'affaire Whirley, une infirmière, qui avait tué un nourrisson, avait plaidé non coupable sous prétexte qu'elle souffrait d'un syndrome de personnalité multiple. Le tribunal l'a jugée coupable.

« Vous savez, j'ai presque envie de plaindre l'accusée. Tous ces personnages qui vivent dans cette pauvre fille. Je suis sûr qu'aucun d'entre nous ne voudrait être ainsi envahi par une bande d'inconnus complètement fous, n'est-ce pas ? Des inconnus qui se baladent et qui châtrent les hommes. Moi, ça me ferait peur. »

Il se retourna pour regarder Ashley. « L'accusée ne semble pas avoir peur, vous ne trouvez pas ? Si elle a peur, cela ne l'a pas empêchée de mettre une jolie robe, de se coiffer avec soin et de se maquiller. Elle n'a pas l'air effrayée du tout. Elle pense que l'on va ajouter foi à son histoire et qu'on va la laisser partir. Comme personne ne peut prouver l'existence de ce syndrome de personnalité multiple, nous allons devoir nous déterminer nous-mêmes.

« La défense prétend que ces personnalités multiples se manifestent et imposent leur volonté au sujet. Voyons voir – il y a Toni. Elle est née en Angleterre. Et Alette. Elle est née en Italie. Elles ne sont qu'une seule et unique personne. Seulement, elles sont nées dans des pays différents et à des dates différentes. Ça ne vous trouble pas? Moi oui. J'ai offert à l'accusée l'occasion de nous laisser voir ses *alter ego* mais elle n'a pas saisi la perche que je lui tendais. Je me demande pourquoi. Serait-ce parce que ces personnalités d'emprunt n'existent pas...? La loi californienne reconnaît-elle le syndrome de personnalité multiple comme état psychologique? Non. La loi du Colorado? Non. Du Mississippi? Non. La loi fédérale? Non. En fait, aucun Etat ne reconnaît juridiquement le syndrome de personnalité multiple comme système de défense. Et pourquoi? Parce que ce n'en est pas un. Mesdames et Messieurs, c'est un alibi relevant de la pure fiction pour échapper au châtiment...

« La défense vous demande de croire en l'existence de deux autres personnes à l'intérieur de l'accusée, mais aucune qui soit responsable de ses actes criminels qu'elle a commis. Il n'y a cependant qu'une accusée dans le prétoire – Ashley. Nous avons prouvé sans l'ombre d'un doute qu'elle est une criminelle. Mais elle prétend n'avoir pas commis les crimes. Qu'ils ont été commis par quelqu'un d'autre – un de ses *alter ego* – qui s'est servi d'elle pour tuer des innocents. Est-ce que ce ne serait pas merveilleux si nous avions tous des personnalités d'emprunt qui exécuteraient tout ce dont nous avons secrètement envie et que la société réprouve? Ou peut-être pas. Aimeriez-vous vivre dans un monde où l'on s'entre-tuerait en disant, "Vous ne pouvez rien contre moi, c'est la faute de mon *alter ego*" et "Vous ne pouvez pas punir mon *alter ego* parce qu'il est vraiment moi"?

« Mais ce ne sont pas des personnages mythiques qui n'existent pas que nous jugeons ici. L'accusée, Ashley Patterson, est jugée pour trois meurtres pervers, prémédités, et le ministère public réclame la peine de mort. Merci. »

Mickey Brennan retourna à sa place.

« La défense est-elle prête à conclure ? »

David se leva. Il s'approcha du box des jurés dont il observa les visages, découragé par ce qu'il y lisait. « Je sais que cette affaire n'est facile pour personne d'entre nous. Vous avez entendu les experts déclarer sous serment qu'ils avaient soigné des cas de personnalité multiple et vous en avez entendu d'autres affirmer qu'il n'existait rien de tel. Vous n'êtes pas médecins et, par conséquent, personne ne s'attend à ce que vous fondiez votre jugement sur une base médicale. Je tiens à m'excuser auprès de vous tous si mon comportement hier a paru brutal et grossier. J'ai interpellé Ashley Patterson en criant parce que je voulais obliger ces *alter ego* à se manifester. Il existe réellement une Alette et une Toni, et elles sont capables de prendre le dessus sur Ashley quand elles le veulent. Elle n'a pas conscience d'être une criminelle.

« Je vous ai dit au début du procès que, pour que quelqu'un soit reconnu coupable de meurtre avec préméditation, il fallait des preuves matérielles et un mobile. Ici, il n'y a pas de mobile, Mesdames et Messieurs. Aucun. Et la loi dit que c'est à l'accusation d'apporter la preuve de la culpabilité de l'accusé au-delà de tout doute raisonnable. Je suis sûr que vous conviendrez que, dans ce cas, il y a doute raisonnable.

« Pour ce qui est des preuves matérielles, la défense ne les nie pas. Il y a des empreintes digitales et des traces d'ADN d'Ashley Patterson sur chaque lieu du crime. Mais le simple fait qu'on les y ait trouvées devrait nous inciter à réfléchir. Ashley Patterson est une jeune femme intelligente. Si elle avait commis un meurtre sans vouloir se faire prendre, aurait-elle été assez stupide pour laisser ses empreintes chaque fois ? La réponse est non. »

David continua ainsi durant trente minutes. A la fin, il examina les visages du jury et ce qu'il vit ne le rassura pas. Il s'assit.

239

Le juge Williams se tourna vers les jurés. « Je tiens à vous instruire sur la loi applicable dans cette affaire. Ecoutez bien. » Elle parla durant les vingt minutes suivantes pour préciser ce qui était admissible et acceptable par la loi.

« Si vous avez des questions ou désirez qu'on vous relise l'une ou l'autre partie des témoignages, le greffier le fera. Le jury peut disposer pour aller délibérer. L'audience est suspendue jusqu'à ce qu'il revienne avec le verdict. »

David suivit les jurés des yeux tandis qu'ils s'écoulaient du box et entraient dans la salle des délibérations. *Plus ils prendont de temps, mieux ce sera pour nous*, pensa-t-il.

Ils revinrent quarante-cinq minutes plus tard.

David et Ashley les regardèrent rentrer dans la salle et reprendre leurs places dans le box. Ashley était impassible. David s'aperçut qu'il était en sueur.

Le juge Williams se tourna vers le président du jury. « Les jurés sont-ils parvenus à un verdict ?

— Oui, Votre Honneur.

— Voulez-vous, s'il vous plaît, le remettre à l'huissier. »

Celui-ci porta la feuille au juge qui la déplia. Un silence absolu régnait dans la salle.

L'huissier rapporta la feuille de papier au président du jury.

« Voulez-vous lire le verdict, s'il vous plaît ? »

D'un ton lent et mesuré, le président du jury lut : « Dans l'instruction opposant le ministère public de l'Etat de Californie à Ashley Patterson, nous, le jury, déclarons l'accusée, Ashley Patterson, coupable du meurtre de Dennis Tibble en violation de l'article 187 du code pénal. »

Un murmure de stupéfaction parcourut l'assistance. Ashley ferma les yeux.

« Dans l'instruction opposant le ministère public de l'Etat de Californie à Ashley Patterson, nous, le jury, déclarons l'accusée, Ashley Patterson, coupable du meurtre du shérif adjoint Blake en violation de l'article 187 du code pénal.

« Dans l'instruction opposant le ministère public de l'Etat

240

de Californie à Ashley Patterson, nous, le juty, déclarons l'accusée, Ashley Patterson, coupable du meurtre de Richard Melton en violation de l'article 187 du code pénal. Nous, le jury, énonçons, dans tous les cas, un verdict de meurtre avec préméditation. »

David avait du mal à respirer. Il se tourna vers Ashley mais ne sut trouver ses mots. Il se pencha vers elle et passa le bras autour de ses épaules.

Le juge Williams dit : « Je voudrais que chaque juré confirme son verdict. »

Les jurés se levèrent à tour de rôle.

« Le verdict qui a été lu était-il bien le vôtre ? »

Et à chaque confirmation, le juge Williams disait : « Le verdict sera consigné dans le procès-verbal. » Elle poursuivit. « Je tiens à remercier les jurés pour leur disponibilité durant le procès. Vous pouvez disposer. Demain, le tribunal abordera la question de la santé mentale de la prévenue. »

David, prostré, vidé, suivit des yeux Ashley que l'on emmenait.

Le juge Williams se leva et se dirigea vers son cabinet sans un regard pour David. L'attitude du juge lui fit comprendre plus clairement que des mots qu'elle réservait sa décision pour le lendemain matin. Ashley allait être condamnée à mort.

Sandra téléphona de San Francisco. « Ça va, David ? »

Il essaya de prendre un ton enjoué. « Oui, en pleine forme. Et toi ?

— Ça va. J'ai regardé les informations à la télévision. Le juge n'a pas été juste avec toi. Elle ne peut pas te faire radier du barreau. Tu essayais seulement d'aider ta cliente. »

Il ne répondit pas.

« Je suis tellement navrée, David. Je voudrais être à tes côtés. Je peux venir en voiture et...

— Non. Nous ne pouvons pas courir de risques. Tu as vu le médecin aujourd'hui ?

— Oui.

— Qu'est-ce qu'il dit ?

— Que c'est pour très bientôt. D'un jour à l'autre. »

Joyeux anniversaire, Jeffrey.

Jesse Quiller téléphona.

« Je m'y suis mal pris, dit David.

— Allons donc. Tu es tombé sur le mauvais juge. Que lui as-tu fait pour qu'elle s'acharne sur toi comme ça ?

— Elle voulait qu'on plaide coupable en échange d'une réduction de peine. Elle ne voulait pas de procès. J'aurais peut-être dû l'écouter. »

Il n'était question, sur toutes les chaînes de télévision, que de la manière honteuse dont il s'était comporté avec Ashley. Il vit le consultant juridique de l'une des chaînes commenter le procès.

« Je n'avais jamais entendu un avocat de la défenser hurler après sa cliente. Je dois vous dire que le prétoire était estomaqué. C'est l'un des plus scandaleux... »

David changea de chaîne. *A quel moment la machine s'est-elle déréglée ? Dans la vie, les choses sont censées finir en beauté. Parce que je m'y suis mal pris, Ashley va mourir, je vais être radié du barreau, le bébé va naître d'un moment à l'autre et je n'ai même pas d'emploi.*

On était au milieu de la nuit, et il était assis dans sa chambre, en pleine obscurité. Jamais il ne s'était senti aussi démuni. Il revivait mentalement la scène finale au tribunal.

Vous n'hypnotiserez pas dans mon prétoire. La réponse est non.

Si seulement elle m'avait laissé l'hypnotiser à la barre des témoins, je sais qu'Ashley aurait convaincu le jury. Trop tard. Les jeux sont faits.

Et une petite voix intérieure, narquoise, lui susurrait : *Qui dit que les jeux sont faits ? Je n'entends pas chanter la grande Faucheuse.*

242

Je ne peux plus rien.
Ta cliente est innocente. Vas-tu la laisser mourir ?
Laisse-moi tranquille.

Les paroles du juge Williams lui revenaient sans cesse à l'esprit. « *Vous n'hypnotiserez pas dans mon prétoire.* »

Et trois mots surtout résonnaient encore à son oreille : *dans mon prétoire.*

A 5 heures du matin, David, tout excité, donna deux coups de fil urgents. Lorsqu'il raccrocha enfin, le soleil se levait à l'horizon. *C'est de bon augure*, pensa-t-il. *Nous allons gagner.*

Un peu plus tard, il entrait précipitamment chez un antiquaire.

Un vendeur vint à sa rencontre. « Puis-je vous être utile, monsieur ? » Il reconnut David. « Monsieur Singer.

— Je cherche un paravent chinois. Avez-vous quelque chose de ce genre ?

— Oui. Nous n'en avons pas de très anciens, mais...

— Voyons ce que vous avez.

— Certainement. » Il conduisit David dans un rayon où il y avait de nombreux paravents chinois. Le vendeur lui désigna le premier. « Tenez, celui-ci...

— Il est bien, dit David.

— Oui, monsieur. Où dois-je le faire porter ?

— Je l'emporte. »

David s'arrêta ensuite dans une quincaillerie où il acheta un canif. Quinze minutes plus tard, il entrait dans la salle des pas perdus du Palais de justice, le paravent sous le bras.

« J'ai fait le nécessaire pour interviewer Ashley Patterson, dit-il au gardien, à l'accueil. J'ai l'autorisation d'utiliser le cabinet du juge Goldberg. Il est absent aujourd'hui.

— Oui, monsieur. Tout est réglé. Je vais faire venir la prévenue. Le Dr Salem et un autre homme vous attendent déjà là-haut.

— Merci. »

Le gardien le suivit des yeux tandis qu'il entrait dans l'ascenseur avec le paravent chinois. *Fou à lier*, pensa-t-il.

Le cabinet du juge Goldberg était une pièce d'apparence confortable, meublée d'un bureau qui faisait face à la fenêtre, d'un fauteuil pivotant et, le long du mur, d'un canapé et de plusieurs chaises. Le Dr Salem et l'autre homme étaient debout dans la pièce lorsque David y pénétra.

« Excusez mon retard.

— Je vous présente Hugh Iverson. C'est l'expert que vous avez demandé. »

Les deux hommes échangèrent une poignée de main. « Faisons vite, dit David. Ashley arrive. »

Il se tourna vers Hugh Iverson et désigna un coin de la pièce. « Ça vous va ?

— Parfait. »

Il regarda Iverson se mettre à l'ouvrage. Quelques minutes plus tard, la porte s'ouvrit et Ashley entra en compagnie d'un gardien.

« Je dois demeurer dans la pièce », dit le gardien.

David acquiesça. « Très bien. » Il se tourna vers Ashley. « Asseyez-vous, je vous prie. »

Il la regarda s'asseoir. « Je tiens tout d'abord à vous dire combien je regrette que les choses aient tourné de la sorte. »

Elle acquiesça, comme hébétée.

« Mais ce n'est pas fini. Il nous reste une chance. »

Elle le regarda d'un œil incrédule.

« Ashley, je voudrais que le Dr Salem vous hypnotise de nouveau.

— Non. A quoi cela peut-il bien servir maintenant que...

— Faites-le pour moi. Vous voulez ? »

Elle haussa les épaules.

David adressa un signe de tête au Dr Salem.

« Vous avez déjà été hypnotisée, dit le Dr Salem à Ashley, alors vous savez que vous n'avez qu'à fermer les yeux et à vous détendre. Détendez-vous. Relâchez tous les muscles de votre corps. Vous avez envie de dormir. Vous êtes somnolente... »

Dix minutes plus tard, le Dr Salem regarda David et dit : « Elle est complètement sous hypnose. »

David s'approcha d'Ashley, le cœur battant.

« Je veux parler à Toni. »

Il n'y eut pas de réaction.

Il haussa la voix. « Toni. Je veux que vous vous manifestiez. Vous m'entendez ? Alette... Je veux que vous me parliez toutes les deux. »

Silence.

David hurlait à présent. « Qu'est-ce qui vous prend ? Vous avez peur ? A cause de ce qui s'est passé au tribunal, c'est ça ? Vous avez entendu ce qu'a dit le jury ? Qu'Ashley est coupable. Vous avez eu peur de vous manifester. Vous êtes une lâche, Toni ! »

Ils regardèrent Ashley. Elle ne réagissait pas. David adressa un regard désespéré au Dr Salem. Ça n'allait pas marcher.

« L'audience est ouverte sous la présidence de l'Honorable Juge Tessa Williams. »

Ashley était assise à la table de la défense à côté de David. Celui-ci avait la main entourée d'un gros pansement.

Il se leva. « Puis-je m'approcher, Votre Honneur ?

— Oui. »

Il s'approcha du banc du juge. Brennan le suivit.

« J'ai des éléments nouveaux à verser au dossier, dit David.

— Il n'en est absolument pas question », objecta Brennan.

Le juge Williams se tourna vers lui et dit : « Permettez que je décide par moi-même, maître Brennan. » Elle se retourna vers David. « Le procès est terminé. Votre cliente a été reconnue coupable et...

— Ces éléments concernent la plaidoirie d'aliénation men-

245

tale, expliqua David. Je ne vous demande que dix minutes de votre temps.

— Le temps ne signifie pas grand-chose pour vous, n'est-ce pas, maître Singer ? dit avec irritation le juge Williams. Vous en avez déjà fait perdre beaucoup à tout le monde. » Elle prit sa décision. « D'accord. J'espère qu'il s'agit de la dernière requête qu'il vous sera donné d'exposer dans un tribunal. La cour se retire pour dix minutes. »

David et Brennan suivirent le juge dans son cabinet.

Elle se tourna vers David. « Je vous accorde vos dix minutes. De quoi s'agit-il, Maître ?

— Je voudrais vous montrer un film, Votre Honneur. »

Brennan intervint : « Je ne vois pas ce que ça vient faire dans...

— Moi non plus », dit le juge Williams. Elle se tourna vers David. « Il vous reste neuf minutes. »

David courut vers la porte donnant sur le couloir et l'ouvrit. « Entrez. »

Hugh Iverson pénétra dans la pièce, portant un projecteur seize millimètres et un écran portatif. « Où est-ce que je l'installe ? »

David indiqua un coin de la pièce. « Là-bas. »

Ils le regardèrent disposer le matériel et brancher le projecteur.

« Puis-je descendre les stores ? », demanda David.

Le juge Williams retenait à grand-peine son exaspération. « Oui, allez-y, maître Singer. » Elle consulta sa montre. « Vous avez sept minutes. »

On mit le projecteur en marche. Le cabinet du juge Goldberg apparut sur l'écran. David et le Dr Salem regardaient Ashley, assise dans un fauteuil.

Sur l'écran, le Dr Salem dit : « Elle est complètement sous hypnose. »

David s'approcha d'Ashley. « Je veux parler à Toni... Toni, manifestez-vous. Vous m'entendez ? Alette... Je veux que vous me parliez toutes les deux. »

Silence.

Le juge Williams regardait le film, le visage fermé.

David hurlait à présent. « Qu'est-ce qui vous prend ? Vous avez peur ? A cause de ce qui s'est passé au tribunal, n'est-ce pas ? Vous avez entendu ce qu'a dit le jury ? Qu'Ashley est coupable. Vous avez eu peur de vous manifester. Vous êtes une lâche, Toni ! »

Le juge Williams se leva. « J'en ai assez ! J'ai déjà été témoin de ce spectacle répugnant. Votre temps est écoulé, maître Singer.

— Attendez, dit David. Vous n'avez pas...

— Terminé », trancha le juge Williams qui se dirigea vers la porte.

Tout à coup, une chanson résonna dans la pièce.

> *Il court, il court le furet*
> *Le furet des bois, mesdames.*
> *Il court, il court le furet,*
> *Le furet des bois jolis.*
> *Il est passé par ici. Il repassera par là.*
> *Il court, il court...*

Intriguée, le juge Williams se retourna. Elle regarda l'image sur l'écran.

Le visage d'Ashley était complètement méconnaissable. C'était Toni.

Celle-ci dit d'un ton irrité : « Moi trop effrayée pour me manifester au tribunal ? Pensiez-vous vraiment que j'allais me montrer uniquement parce que vous me l'ordonnez ? Pour qui me prenez-vous, pour un chien savant ? »

Le juge Williams revint lentement dans la pièce sans quitter l'écran des yeux.

« J'ai écouté tous ces crétins se ridiculiser. » Elle imita la voix de l'un des psychiatres : « "Je ne pense pas que le syndrome de personnalité multiple existe". Quels imbéciles. Je n'ai jamais vu de tels... »

247

Le visage d'Ashley se transforma de nouveau sous leurs yeux. Elle parut se détendre dans son fauteuil et sembla intimidée. « Monsieur Singer, dit Alette avec son accent italien, je sais que vous avez fait de votre mieux. Je voulais me manifester devant le tribunal pour vous aider mais Toni m'en a empêchée. »

Le juge Williams regardait, inexpressive.

Le visage et la voix changèrent de nouveau. « Ça, pour t'en avoir empêchée, je t'en ai empêchée, dit Toni.

— Toni, dit David, que se passera-t-il, à votre avis, si le juge condamne Ashley à mort ?

— Le juge ne va pas la condamner à mort. Ashley ne connaissait même pas un seul des hommes qui ont été tués. Vous vous rappelez ?

— Mais Alette les connaissait tous. C'est vous, Alette, qui avez commis ces meurtres. Vous avez eu des rapports sexuels avec eux puis vous les avez poignardés à mort et les avez châtrés...

— Espèce d'idiot ! dit Toni. Vous ne savez rien, n'est-ce pas ? Alette n'aurait jamais eu le culot de faire ça. C'est moi qui les ai tués. Ils méritaient de mourir. Seul le sexe les intéressait. » Elle respirait difficilement. « Mais je le leur ai fait payer cher, n'est-ce pas ? Et personne ne peut prouver que je suis la meurtrière. Que la petite sainte-nitouche écope. Nous irons toutes dans un petit asile pépère et... »

A l'arrière-plan, derrière le paravent chinois posé dans le coin, un déclic bruyant se fit entendre.

Toni se retourna. « Qu'est-ce que c'était ?

— Rien, dit vivement David. C'était seulement... »

Toni se leva et se mit à courir vers la caméra jusqu'à ce que son visage envahisse l'écran. Elle écarta quelque chose d'une poussée et l'image s'inclina ; une partie du paravent tomba dans le champ. On y avait creusé un petit trou au centre.

« Vous avez une foutue caméra derrière ce machin ! », cria Toni. Elle se tourna vers David. « Espèce de salaud, qu'est-ce que vous essayez de faire ? Vous m'avez eue ! »

Un coupe-papier était posé sur le bureau. Toni le saisit et fonça sur David en hurlant : « Je vais vous tuer. Je vais vous tuer ! »

David essaya de la maîtriser mais il avait affaire à trop forte partie. Le coupe-papier lui coupa l'intérieur de la main.

Toni leva le bras pour frapper de nouveau et le gardien courut vers elle pour tenter de l'immobiliser. Elle le frappa et le précipita par terre. La porte s'ouvrit et un policier en uniforme entra en courant dans la pièce. Voyant ce qui se passait, il se jeta sur Toni. Elle lui donna un coup de pied dans le bas-ventre et il s'écroula. Deux autres policiers entrèrent en courant. Ils durent s'y mettre à trois pour clouer Toni sur la chaise tandis qu'elle ne cessait de les injurier.

Du sang coulait de la main de David. Il dit au Dr Salem : « Pour l'amour du ciel, réveillez-la.

— Ashley... Ashley... écoutez-moi, dit le Dr Salem. Vous allez maintenant vous réveiller. Toni n'est plus là. Vous pouvez vous manifester sans crainte maintenant, Ashley. Je vais compter jusqu'à trois. »

Le corps d'Ashley s'apaisa et se détendit sous le regard du groupe devant l'écran.

« Vous m'entendez ?

— Oui. » C'était la voix d'Ashley, lointaine.

« A trois, vous allez vous réveiller. Un... deux... trois... Comment vous sentez-vous ? »

Ses yeux s'ouvrirent. « Je me sens tellement fatiguée. Est-ce que j'ai dit quelque chose ? »

L'écran s'éteignit. David alla jusqu'au mur et alluma les lumières.

« Eh ben, dit Brennan. Quel spectacle ! Si l'on donnait l'Oscar du meilleur... »

Le juge Williams se tourna vers lui. « Fermez-la. »

Brennan la regarda, décontenancé.

Il se fit un silence dans la pièce. Le juge Williams se tourna vers David. « Maître ?

— Oui. » Elle marqua une pause. « Je vous dois des excuses. »

Le juge Tessa Williams, qui siégeait, dit : « Les deux parties ont décidé d'un commun accord d'accepter l'avis d'un psychiatre qui a déjà examiné l'accusée, le Dr Salem. La cour décrète que l'accusée n'est pas coupable pour cause de folie. Elle sera conduite dans une institution psychiatrique où elle pourra être soignée. L'audience est suspendue. »

David se leva, exténué. *C'est terminé*, pensa-t-il. *C'est finalement terminé*. Sandra et lui allaient pouvoir recommencer à vivre.

Il regarda le juge Williams et dit joyeusement : « Nous avons un bébé. »

Le Dr Salem dit à David : « J'aurais une suggestion à vous faire. Je ne suis pas sûr que ce soit faisable, mais si vous pouviez arranger ça, je crois que ça aiderait Ashley.

— De quoi s'agit-il ?

— L'hôpital psychiatrique du Connecticut, sur la Côte Est, a traité plus de cas de personnalité multiple que tout autre endroit du pays. C'est un de mes amis, le Dr Otto Lewison, qui le dirige. Si vous pouvez obtenir du tribunal qu'on y envoie Ashley, je pense que ça lui serait très salutaire.

— Merci. Je vais voir ce que je peux faire. »

« Je... Je ne sais comment vous remercier », dit le Dr Steven Patterson à David.

Celui-ci sourit. « Ne me remerciez pas. C'était un échange de bons procédés. Vous vous souvenez ?

— Vous avez fait un travail épatant. Pendant un moment, j'ai eu peur...

— Moi aussi.

— Mais la justice a eu gain de cause. On va soigner ma fille.

— J'en suis sûr, dit David. Le Dr Salem m'a conseillé un

hôpital psychiatrique du Connecticut. Leur personnel maîtrise bien le traitement du syndrome de personnalité multiple. »

Le Dr Patterson resta quelques instants silencieux. « Vous savez, Ashley ne méritait pas de vivre tout ça. Elle est tellement adorable.

— Je suis d'accord. Je vais parler au juge Williams pour essayer d'obtenir son transfert. »

Le juge Williams était dans son cabinet. « En quoi puis-je vous être utile, maître Singer ?

— J'ai une faveur à vous demander. »

Elle sourit. « J'espère pouvoir vous l'accorder. De quoi s'agit-il ? »

Il expliqua au juge ce que le Dr Salem lui avait dit.

« Eh bien, c'est une requête plutôt inhabituelle. Nous avons de bons hôpitaux psychiatriques ici en Californie.

— D'accord, dit David. Merci, Votre Honneur. » Déçu, il fit demi-tour pour s'en aller.

« Je n'ai pas dit non, maître Singer. » David s'immobilisa. « C'est une requête inhabituelle mais cette affaire l'était aussi. »

David attendit.

« Je crois que je peux arranger son transfert.

— Merci, Votre Honneur. Je vous en suis reconnaissant. »

Ashley, dans sa cellule, pensait : *On m'a condamnée à mort. A une mort lente dans un asile rempli de fous. Ç'aurait été plus gentil de me tuer maintenant.* Elle pensa aux années interminables, désespérantes, qui l'attendaient, et elle se mit à sangloter.

La porte de la cellule s'ouvrit et son père entra. Il resta quelques instants à la regarder, le visage anxieux.

« Ma chérie... » Il s'assit en face d'elle. « Tu vas vivre. »

Elle secoua la tête. « Je ne veux pas vivre.

— Ne dis pas ça. Tu as un problème médical, mais ce n'est pas incurable. On va te soigner. Quand tu iras mieux, tu viendras vivre avec moi et je m'occuperai de toi. Quoi qu'il arrive, nous serons toujours là l'un pour l'autre. Rien ne pourra nous séparer. »

Ashley ne disait rien.

« Je sais ce que tu ressens, mais crois-moi, ça va changer. Ma petite fille va me revenir guérie. » Il se leva lentement. « Il faut, hélas, que je retourne à San Francisco. » Il attendit qu'Ashley dise quelque chose.

Elle demeura silencieuse.

« David m'a dit qu'il espérait t'envoyer dans l'une des meilleures institutions psychiatriques du monde. J'irai te voir là-bas. Ça te ferait plaisir ? »

Elle acquiesça sans enthousiasme. « Oui.

— Parfait, ma chérie. » Il l'embrassa sur la joue et la serra contre lui. « Je vais faire en sorte que tu aies les meilleurs soins qui soient. Je veux que ma petite fille me revienne. »

Ashley regarda son père partir et pensa : *Pourquoi est-ce que je ne meurs pas maintenant ? Pourquoi ne veut-on pas me laisser mourir ?*

Une heure plus tard, elle reçut la visite de David.

« Eh bien, on a réussi », dit-il. Il la regarda, l'air soucieux. « Ça va ?

— Je ne veux pas aller en asile psychiatrique. Je veux mourir. Je ne supporterai pas de vivre comme ça. Aidez-moi, David. Je vous en prie, aidez-moi.

— Ashley, on va vous aider. Le passé est le passé. Vous avez désormais un avenir devant vous. Le cauchemar va finir. » Il lui prit la main. « Ecoutez, vous m'avez fait confiance jusqu'à présent. Continuez. Vous allez retrouver une vie normale. »

Elle garda le silence.

« Dites : "Je vous crois, David". »

Elle soupira profondément. « Je... Je vous crois, David. »

Il eut un grand sourire. « Voilà. Vous prenez un nouveau départ. »

Dès que le jugement fut rendu public, ce fut du délire dans les médias. David devint, du jour au lendemain, un héros. Il avait défendu une cause impossible et l'avait gagnée.

Il téléphona à Sandra. « Ma chérie, je...

— Je sais, mon amour. Je sais. Je viens de voir ça à la télévision. C'est merveilleux, non ? Je suis tellement fière de toi.

— Si tu savais combien je suis content que ce soit fini. Je vais rentrer ce soir. J'ai hâte de...

— David... ?

— Oui ?

— David... oooh...

— Oui ? Qu'est-ce qu'il y a, mon chou ?

— ... Oooh... Je suis en train d'accoucher...

— Attends-moi ! », cria-t-il.

Jeffrey Singer pesait quatre kilos et demi et c'était le plus beau bébé que David eût jamais vu.

« Il te ressemble, dit Sandra.

— Oui, n'est-ce pas ? » David était rayonnant.

« Je suis contente que tout se soit si bien terminé », dit Sandra.

David soupira. « Il y a eu des moments où j'ai cru ne jamais y arriver.

— Je n'ai jamais douté de toi. »

Il l'étreignit. « Je reviendrai, ma chérie. Il faut que j'aille vider mon bureau. »

A son arrivée au cabinet Kincaid, Turner, Rose & Ripley, il fut chaleureusement accueilli.

« Félicitations, David...

— Beau boulot...

— Vous vous y êtes vraiment pris de main de maître... »

Il entra dans son bureau. Holly était partie. Il commença à vider ses tiroirs.

« David... »

Il se retourna. C'était Joseph Kincaid.

Celui-ci s'approcha et dit : « Qu'est-ce que vous faites ?

— Je vide mon bureau. J'ai été licencié. »

Kincaid sourit. « Licencié ? Bien sûr que non. Non, non, non. Il a dû y avoir un malentendu. » Il était ravi. « Nous allons vous nommer partenaire, mon petit. En fait, j'ai convoqué une conférence de presse pour vous, ici même, à 3 heures. »

David le regarda. « Vraiment ? »

Kincaid acquiesça. « Absolument.

— Vous feriez mieux de l'annuler, dit David. J'ai décidé de revenir au droit pénal. Jesse Quiller m'a offert de devenir partenaire dans son cabinet. Au moins, quand on s'occupe de cette partie du droit, on sait qui sont vraiment les criminels. Alors, mon petit Joe, ton partenariat, tu le prends et tu te le mets où je pense. »

Et David sortit du bureau.

Jesse Quiller visita le duplex en terrasse et dit : « Superbe. C'est exactement ce qu'il vous faut.

— Merci », dit Sandra. Elle entendit du bruit dans la chambre d'enfant. « Il faut que j'aille voir ce qui se passe avec Jeffrey. » Elle se précipita dans la pièce voisine.

Jesse Quiller s'approcha pour examiner d'un air admiratif un beau cadre en argent qui contenait la première photo de Jeffrey. « Ce cadre est superbe. D'où vient-il ?

— C'est le juge Williams qui nous l'a envoyé.

— Je suis heureux que tu sois de nouveau des nôtres, David.

— Et moi, je suis heureux de revenir à ton cabinet.

— Tu as sans doute envie de prendre les choses tranquillement pour quelque temps. Repose-toi un peu...

— Oui. Nous avions pensé prendre Jeffrey, monter dans l'Oregon rendre visite aux parents de Sandra et...

— A propos, une affaire intéressante nous est arrivée au bureau ce matin, David. Une femme accusée d'avoir assassiné ses deux enfants. J'ai le sentiment qu'elle est innocente. Malheureusement, je serai à Washington pour un autre procès, mais j'ai pensé que tu pourrais lui parler et voir ce que tu en penses... »

LIVRE III

CHAPITRE VINGT-DEUX

L'hôpital psychiatrique du Connecticut, situé à une dizaine de kilomètres au nord de Westport, était, à l'origine, la propriété de Wim Boeker, un riche Hollandais qui l'avait fait construire en 1910. Les quarante arpents d'une belle terre fertile contenaient un grand manoir, un atelier, des écuries et une piscine. L'Etat du Connecticut, qui avait acheté la propriété en 1925, avait réaménagé le manoir pour qu'il puisse recevoir cent patients. La propriété avait été entourée d'une haute clôture grillagée, et l'entrée équipée d'un poste de garde. On avait installé des barreaux à toutes les fenêtres et une partie de la maison avait été spécialement transformée en quartier de haute sécurité pour assurer la surveillance des pensionnaires dangereux.

On était en réunion dans le bureau du Dr Otto Lewison, directeur de la clinique. Les Drs Gilbert Keller et Craig Foster discutaient d'une nouvelle patiente qui allait bientôt arriver.

Gilbert Keller, un quadragénaire de taille moyenne, blond aux yeux d'un gris très vif, était un spécialiste renommé du syndrome de personnalité multiple.

Otto Lewison, le directeur, un septuagénaire, était un petit homme tiré à quatre épingles, affublé d'une barbe et d'un pince-nez.

Le Dr Craig Foster, qui faisait équipe depuis des années avec le Dr Keller, travaillait à un livre sur le syndrome de personnalité multiple. Ils étaient tous en train d'étudier le casier judiciaire d'Ashley Patterson.

« Elle n'y est pas allée de main morte, dit Otto Lewison. Elle n'a que vingt-huit ans et a déjà tué cinq hommes. » Il jeta de nouveau un coup d'œil au document. « Elle a aussi essayé d'assassiner son avocat.

— Fantasme répandu, dit Gilbert Keller d'un ton caustique.

— Nous allons la mettre dans le pavillon de haute sécurité A, en attendant de disposer d'une évaluation complète de son cas, dit Otto Lewison.

— Quand arrive-t-elle ? », demanda le Dr Keller.

La voix de la secrétaire du Dr Lewison leur parvint dans l'intercom. « Docteur Lewison, on amène Ashley Patterson. Voulez-vous qu'on la conduise dans votre bureau ?

— Oui, s'il vous plaît. » Lewison leva les yeux. « Ça répond à votre question ? »

Le voyage avait été cauchemardesque. A la fin de son procès, on avait ramené Ashley Patterson dans sa cellule où on l'avait gardée trois jours tandis qu'étaient prises les dispositions nécessaires à son transfert en avion vers la côte Est.

Un bus pénitentiaire l'avait conduite à l'aéroport d'Oakland où un avion l'attendait. C'était un DC-6 converti, appartenant au gigantesque système de transport national des prisonniers dirigé par le *U.S. Marshal*, le responsable des prisons fédérales. Il y avait vingt-quatre prisonniers à bord, tous menottés et les fers aux pieds.

Ashley aussi était menottée et, lorsqu'elle s'était assise, on lui avait enchaîné les pieds à la partie inférieure du siège. *Pourquoi me fait-on ça ? Je ne suis pas une dangereuse criminelle. Je suis une femme normale.* Et une voix intérieure avait ajouté : *Qui a tué cinq personnes.*

Les prisonniers qui se trouvaient dans l'avion étaient des criminels endurcis reconnus coupables de meurtre, de viol, de vol à main armée et de quantité d'autres délits. Ils étaient en route vers des prisons haute sécurité un peu partout dans le pays. Ashley était la seule femme à bord.

L'un des détenus la regarda avec un grand sourire. « Salut,

260

poupée. Qu'est-ce que tu dirais de venir un peu par ici me faire des petits câlins ?

— Du calme, dit un gardien.

— Dites donc ! On a un cœur comme tout le monde, non ? Cette garce va être mise à l'ombre pour... Pour combien de temps en as-tu pris, Poupée ?

— Tu es en chaleur, ma poule ? dit un autre détenu. Qu'est-ce que tu dirais si je venais m'asseoir près de toi et si je te sautais...

— Une minute ! fit un autre encore. C'est la nana qui a tué cinq mecs et qui les a châtrés. »

Ils l'avaient tous regardée.

On ne rigolait plus.

Sur le trajet vers New York, l'avion s'était posé deux fois pour débarquer ou embarquer des passagers. Le vol avait été long, il y avait des turbulences, et Ashley souffrait du mal de l'air lorsqu'ils avaient finalement atterri à l'aéroport de La Guardia.

Deux policiers en uniforme l'attendaient sur la piste. On l'avait libérée des chaînes qui la retenaient au siège de l'avion et on les lui avait remises dans le fourgon de la police. Elle n'avait jamais ressenti pareille humiliation. Le fait de se sentir par ailleurs normale rendait la chose encore plus insupportable. Croyait-on qu'elle allait essayer de s'enfuir ou d'assassiner quelqu'un ? Tout cela était du passé. On ne le savait donc pas ? Elle était convaincue que ce passé ne se reproduirait jamais. Elle aurait voulu être ailleurs. N'importe où.

Elle avait somnolé par intermittence durant le long et ennuyeux trajet jusque dans le Connecticut. Elle avait été réveillée par la voix d'un gardien.

« Nous y sommes. »

On était arrivé à la grille de l'hôpital psychiatrique du Connecticut.

Lorsqu'on fit entrer Ashley Patterson dans son bureau, le Dr Lewison dit : « Bienvenue à l'hôpital psychiatrique du Connecticut, mademoiselle Patterson. »

Ashley demeura immobile, pâle et silencieuse.

Le Dr Lewison fit les présentations et lui offrit une chaise. « Asseyez-vous, je vous en prie. » Il regarda le gardien. « Otez-lui les menottes et les chaînes. »

Le gardien obtempéra et elle s'assit.

« Je sais que ce doit être très difficile pour vous, dit le Dr Foster. Nous allons tout faire pour faciliter les choses. Notre but est de vous voir un jour partir d'ici guérie. »

Ashley retrouva finalement la voix. « Ça va... ça va être long ?

— Il est encore trop tôt pour répondre, dit le Dr Lewison. Si une thérapie est possible, ça pourrait prendre cinq ou six ans. »

Chaque mot la frappait comme la foudre. « *Si une thérapie est possible, ça pourrait prendre cinq ou six ans...* »

« La thérapie est inoffensive. Elle consistera en des séances de natures diverses avec le docteur Keller – hypnotisme, thérapie de groupe, *art therapy*. L'essentiel, c'est que vous sachiez que nous ne sommes pas vos ennemis. »

Gilbert Keller observait le visage d'Ashley. « Nous sommes ici pour vous aider et nous aimerions que vous fassiez preuve de coopération. »

Il n'y avait rien d'autre à dire.

Otto Lewison fit un signe de tête à un surveillant et, s'approchant d'Ashley, la prit par le bras.

« Ce surveillant va maintenant vous conduire à votre chambre. Nous nous reverrons plus tard », dit Craig Foster.

Lorsque Ashley eut quitté la pièce, Otto Lewison se tourna vers Gilbert Keller. « Qu'en pensez-vous ?

— Eh bien, il y a un avantage. Nous n'aurons à travailler que sur deux *alter ego*. »

Keller parut essayer de se rappeler quelque chose. « Quel est le plus grand nombre que nous ayons eu ?

—La mère Beltrand. Quatre-vingt-dix personnalités d'emprunt. »

Bien que ne sachant pas trop à quoi s'attendre, Ashley s'était imaginé une prison sombre, lugubre. L'hôpital psychiatrique du Connecticut ressemblait davantage à une résidence de vacances accueillante – avec des barreaux aux fenêtres.

Tandis que le surveillant l'accompagnait dans les longs couloirs, gais et animés, elle regardait les pensionnaires qui allaient et venaient librement. Il y avait des gens de tous âges, qui paraissaient tous normaux. *Pourquoi sont-ils ici ?* Certains lui sourirent et la saluèrent, mais elle était trop ahurie pour leur répondre. Tout semblait irréel. Elle était dans un asile d'aliénés. *Suis-je folle ?*

Ils arrivèrent à une grande porte qui fermait cette partie du bâtiment. Derrière, il y avait un surveillant. Celui-ci appuya sur un bouton rouge et l'énorme porte s'ouvrit.

« Voici Ashley Patterson.

—Bonjour, mademoiselle Patterson », dit le second surveillant. Ils faisaient comme si tout était entièrement normal. *Mais rien n'est plus normal désormais*, pensa Ashley. *C'est le monde à l'envers.*

« Par ici, mademoiselle Patterson. » Le surveillant la conduisit à une autre porte qu'il ouvrit. Ashley pénétra dans la pièce. Au lieu d'une cellule, elle vit une pièce agréable de dimensions moyennes, aux murs peints d'un bleu pastel, et meublée d'un petit canapé et d'un lit d'apparence confortable.

« C'est ici que vous allez vivre. On vous apportera vos affaires dans quelques minutes. »

Elle regarda le surveillant s'en aller et fermer la porte derrière lui. *C'est ici que vous allez vivre.*

Elle éprouva un début de claustrophobie. *Et qu'arrivera-t-il si je ne veux pas ? Si je n'ai pas envie de rester ici ?*

Elle s'approcha de la porte. Celle-ci était verrouillée. Elle s'assit sur le canapé et tenta de mettre de l'ordre dans ses idées. Elle essaya de se concentrer et d'être positive. *Nous allons vous guérir.*

Nous allons vous guérir.

Nous allons vous guérir.

CHAPITRE VINGT-TROIS

Le Dr Gilbert Keller était responsable de la thérapie d'Ashley. Spécialisé dans le traitement du syndrome de personnalité multiple, il avait natùrellement connu quelques échecs, mais son taux de réussite était élevé. Dans des cas comme celui-là, il n'existait pas de solutions *a priori*. Il s'agissait d'abord de mettre le patient en confiance, à l'aise, puis à faire se manifester les personnalités d'emprunt, une par une, de manière qu'elles en viennent finalement à communiquer entre elles et à comprendre la raison de leur existence et, finalement, pourquoi l'on n'avait plus besoin d'elles. Ce moment était celui dit « de la fusion », quand les états dissociés de la personnalité se fondaient en une seule et même entité.

On en est encore loin, pensa le Dr Keller.

Le lendemain matin, le Dr Keller fit amener Ashley à son bureau. « Bonjour, Ashley.

— Bonjour, docteur Keller.

— Appelez-moi Gilbert. Nous allons être amis. Comment vous sentez-vous ? »

Elle le regarda et dit : « On me dit que j'ai tué cinq personnes. Comment voulez-vous que je me sente ?

— Vous vous souvenez de les avoir tuées ?

— Non.

— J'ai lu le procès-verbal de votre procès, Ashley. Ce n'est pas vous qui les avez tuées. C'est l'une de vos personnalités d'emprunt. Vous allez faire connaissance avec vos *alter ego* et, le temps venu, et avec votre aide, nous les ferons disparaître.

— Je... j'espère que vous pouvez...

— Je le peux. Je suis ici pour vous aider et c'est ce que je vais faire. Les personnalités d'emprunt sont le produit de votre esprit qui les a inventées pour vous épargner une souffrance intolérable. Il faut trouver ce qui a causé cette souffrance. J'ai besoin de découvrir quand et pourquoi ces *alter ego* sont nés.

— Comment... comment allez-vous procéder ?

— Nous allons parler. Des souvenirs vont vous revenir. Nous recourrons à l'hypnotisme ou au sodium amobarbital. Vous avez déjà été hypnotisée, n'est-ce pas ?

— Oui.

— Personne ne va vous presser. Nous allons prendre notre temps. » Il ajouta d'un ton rassurant. « Et quand nous aurons fini, vous irez bien. »

Ils conversèrent ainsi durant près d'une heure. Au terme de cet entretien, Ashley se sentit beaucoup plus détendue. Revenue à sa chambre, elle pensa : *Il peut vraiment y arriver.* Et elle accompagna cette réflexion d'une petite prière.

Le Dr Keller eut une réunion avec Otto Lewison. « Nous avons eu un entretien ce matin, dit-il. La bonne nouvelle, c'est qu'elle reconnaît avoir un problème et veut bien qu'on l'aide.

— C'est un début. Tenez-moi au courant.

— Je n'y manquerai pas, Otto. »

Le Dr Keller avait hâte de relever le défi qui l'attendait. Ashley Patterson avait quelque chose de très singulier. Il était bien décidé à lui venir en aide.

Ils eurent un entretien quotidien, puis, une semaine après l'arrivée d'Ashley, le Dr Keller lui dit : « Je veux que vous soyez à l'aise et détendue. Je vais vous hypnotiser. » Il fit un pas vers elle.

« Non ! Attendez ! »

Il la regarda, étonné. « Qu'y a-t-il ? »

Un flux de pensées atroces traversa l'esprit d'Ashley. Il allait faire se manifester les *alter ego*. Cette idée la terrorisait. « Je vous en prie, dit-elle. Je... Je ne veux pas les rencontrer.

— Vous ne les rencontrerez pas, l'assura le Dr Keller. Pas tout de suite. »

Elle déglutit. « D'accord.

— Vous êtes prête ? »

Elle acquiesça. « Oui.

— Bien. Allons-y. »

Il fallut quinze minutes pour l'hypnotiser. Lorsque ce fut fait, Gilbert Keller jeta un coup d'œil sur une feuille de papier posée sur son bureau. *Toni Prescott et Alette Peters.* L'heure était venue de procéder à ce qu'on appelle le « déplacement », le processus consistant à faire passer le patient d'un état dominé par une personnalité à un autre.

Il regarda Ashley, endormie dans un fauteuil, puis se pencha vers elle. « Bonjour, Toni. Vous m'entendez ? »

Il vit le visage d'Ashley se transformer, dominé par une personnalité tout à fait différente. Ses traits s'animèrent tout à coup. Elle se mit à chanter :

> *Il court, il court le furet*
> *Le furet des bois, mesdames.*
> *Il court, il court le furet,*
> *Le furet des bois jolis.*
> *Il est passé par ici. Il repassera par là.*
> *Il court, il court...*

« C'était très bien, Toni. Je suis Gilbert Keller.

— Je sais qui vous êtes, dit Toni.

— Je suis heureux de vous rencontrer. Vous a-t-on déjà dit que vous aviez une très belle voix ?

— Allez vous faire voir.

— Je suis sérieux. Avez-vous déjà pris des leçons de chant ? Je parie que oui.

— Non, je n'en ai pas pris. En fait, j'aurais bien voulu, mais ma... » *Pour l'amour du ciel, tu vas cesser de faire ce bruit atroce! Qui donc t'a mis dans la tête que tu savais chanter?* « Peu importe.

— Toni, je veux vous aider.

— Non, ce n'est pas ça que vous voulez, toubib de mon cœur. Ce que vous voulez, c'est me baiser.

— Qu'est-ce qui vous fait penser cela, Toni?

— Les hommes, c'est tout ce qui les intéresse, voilà.

— Toni...? Toni...? »

Silence.

Gilbert Keller observa de nouveau le visage d'Ashley. Il était serein. Il se pencha vers elle. « Alette? »

Rien.

« Je voudrais vous parler, Alette? »

Ashley donna des signes d'agitation et de malaise.

« Manifestez-vous, Alette. »

Ashley prit une profonde inspiration, puis il y eut soudain un flot de paroles en italien.

« *C'é qualcuno che parla italiano?*

— Alette...

— *Non so dove mi trovo.*

— Alette, écoutez-moi. Vous n'avez rien à craindre. Détendez-vous.

— *Mi sento stanca...* Je suis fatiguée.

— Vous avez vécu des moments horribles, mais tout cela appartient au passé. Vous allez connaître un avenir très paisible. Savez-vous où vous êtes? »

Il avait pris une voix innocente.

« *Si.* Dans un genre d'endroit réservé aux gens qui sont *pazzi.* » *C'est pour ça que vous êtes là, Docteur. Le fou, c'est vous.*

« Dans un endroit où l'on va vous soigner. Alette, quand vous fermez les yeux et que vous vous représentez mentalement cet endroit, qu'est-ce qui vous vient à l'esprit?

— Hogarth. Il a peint des asiles d'aliénés et des scènes

268

terrifiantes. » *Vous êtes trop ignorant pour connaître ne serait-ce que l'existence de Hogarth.*

« Je ne voudrais pas que vous trouviez cet endroit terrifiant. Parlez-moi de vous, Alette. Quelle est votre occupation préférée ? Qu'aimeriez-vous faire pendant que vous êtes ici ?

— J'aime peindre.

— Il faut qu'on vous procure des tubes de peinture.

— Non !

— Pourquoi ?

— Je n'en veux pas. » *Tu appelles ça peindre, ma fille ? Pour moi, ce ne sont que des croûtes.*

Fichez-moi la paix.

« Alette ? » Gilbert Keller fut témoin d'une nouvelle transformation du visage d'Ashley.

Alette n'était plus là. Le Dr Keller réveilla Ashley.

Elle ouvrit les yeux en battant des paupières. « Vous avez commencé ?

— Nous avons fini.

— Comment ai-je été ?

— Toni et Alette m'ont parlé. C'est un bon début, Ashley. »

David Singer lui écrivit la lettre suivante :

Chère Ashley,

Un petit mot pour vous dire que je pense à vous et espère que vous faites des progrès. En fait, je pense souvent à vous. Un peu comme si nous avions mené une guerre ensemble. La lùtte a été dure mais nous avons gagné. Et j'ai de bonnes nouvelles. J'ai fait en sorte que l'on abandonne les accusations de meurtres contre vous à Bedford et au Québec. Si je peux vous être utile, faites-le-moi savoir.

Mes vœux chaleureux vous accompagnent.

David.

Le lendemain matin, le Dr Keller s'entretenait avec Toni tandis qu'Ashley était sous hypnose.

« Comment ça va, toubib de mon cœur ?

— J'avais envie de bavarder un peu avec vous. Je voudrais vous aider.

— Je n'ai pas besoin de votre foutue aide. Je vais bien.

— C'est moi qui ai besoin de votre aide, Toni. Je voudrais vous poser une question. Que pensez-vous d'Ashley ?

— Mademoiselle *Cul-Serré* ? Ne me lancez pas sur ce sujet.

— Vous ne l'aimez pas ?

— Je l'aime à la folie.

— Qu'est-ce qui vous déplaît chez elle ? »

Il y eut un silence. « C'est une trouble-fête. Si je ne m'éclatais pas de temps en temps, la vie serait mortellement ennuyeuse. *Ennuyeuse.* Elle n'aime pas sortir, voyager ou se marrer.

— Mais vous, oui ?

— Evidemment que j'aime ça. On est sur Terre pour s'amuser, hein, mon joli ?

— Vous êtes née à Londres, n'est-ce pas, Toni ? Voulez-vous m'en parler ?

— Je vais vous dire une seule chose. J'aimerais y être à l'heure qu'il est. »

Silence.

« Toni... Toni... »

Elle n'était plus là.

« Je voudrais parler à Alette », dit le Dr Keller à Ashley. Il la vit changer d'expression. Il se pencha vers elle et dit doucement : « Alette.

— *Si.*

— Vous vous connaissez toutes les deux, Toni et vous ?

— Oui. » *Evidemment, espèce de crétin.*

« Mais Ashley ne vous connaît ni l'une ni l'autre ?

— Non.

— Aimez-vous Ashley ?

— Elle est sympa. » *Pourquoi me posez-vous toutes ces questions idiotes ?*

« Pourquoi ne lui parlez-vous pas ?

— Toni ne veut pas.

— Est-ce que Toni vous dit toujours quoi faire ?

— Toni est mon amie. » *C'est pas vos oignons.*

« Je voudrais que nous soyons amis, Alette. Parlez-moi de vous. Où êtes-vous née ?

— A Rome.

— Vous aimiez Rome ? »

Gilbert Keller vit l'expression d'Ashley changer et elle se mit à pleurer.

Pourquoi ? Le Dr Keller se pencha vers elle et dit d'une voix apaisante. « Très bien. Vous allez maintenant vous réveiller, Ashley... »

Elle ouvrit les yeux.

« J'ai parlé à Toni et à Alette. Elles sont amies. Je voudrais que vous le soyez toutes les trois. »

Ashley était en train de déjeuner lorsqu'un infirmier entra dans sa chambre et vit, par terre, un tableau représentant un paysage. Il l'examina durant quelques instants puis le porta au bureau du Dr Keller.

On était en réunion dans le bureau du Dr Lewison.

« Comment ça se passe, Gilbert ?

— J'ai parlé aux deux personnalités d'emprunt, répondit le Dr Keller d'un ton pensif. Celle qui domine, c'est Toni. Elle a vécu en Angleterre mais refuse d'en parler. L'autre, Alette, est née à Rome et ne veut pas en parler non plus. C'est donc là-dessus que je vais concentrer mes efforts. C'est là que s'est produit le traumatisme. Toni est la plus agressive. Alette est sensible et réservée. Elle s'intéresse à la peinture mais a peur de s'y adonner. Il faut que je découvre pourquoi.

— Alors vous pensez que Toni la tient sous sa domination ?

— Oui. Toni est aux commandes. Ashley ne se doutait même pas de son existence, ni de celle d'Alette, d'ailleurs. Mais Toni et Alette se connaissent. C'est intéressant. Toni

271

chante très bien et Alette a des talents de peintre. » Il lui fit voir le tableau que l'infirmier lui avait apporté. « Je pense que c'est par leurs talents que nous avons peut-être des chances de les toucher. »

Ashley recevait toutes les semaines une lettre de son père. Quand elle l'avait lue, elle s'asseyait tranquillement dans sa chambre et refusait d'adresser la parole à quiconque.

« Ces lettres sont le seul lien qui lui reste avec sa vie passée, expliqua le Dr Keller à Otto Lewison. Je crois que le fait de les recevoir accroît son désir de sortir d'ici et de commencer à mener une vie normale. Chaque petit rien lui est utile... »

Ashley s'habituait à son environnement. Les patients avaient apparemment le loisir de se promener n'importe où, mais il y avait des surveillants à chaque porte et dans les couloirs. Les grilles du parc étaient toujours fermées à clé. Il y avait une salle de récréation où l'on se réunissait pour regarder la télévision, un gymnase où les pensionnaires pouvaient faire de la musculation, et une salle à manger commune. On rencontrait des gens de toutes nationalités : des Japonais, des Chinois, des Français, des Américains... On avait tout fait pour banaliser l'hôpital au maximum mais, quand Ashley se rendait à sa chambre, on verrouillait toujours toutes les portes derrière elle.

« *Ce n'est pas un hôpital, se plaignit Toni à Alette. C'est une foutue prison.*

— *Mais le Dr Keller croit pouvoir guérir Ashley. On pourra alors déguerpir d'ici.*

— *Ne sois pas stupide, Alette. Tu ne vois donc pas que le seul moyen qu'il a de la guérir est de se débarrasser de nous, de nous faire disparaître. Autrement dit, pour qu'elle guérisse, il faut que nous mourions. Eh bien, je n'ai pas du tout l'intention de laisser les choses se passer comme ça.*

— *Que vas-tu faire ?*

— *Je vais trouver un moyen d'évasion.* »

CHAPITRE VINGT-QUATRE

Le lendemain matin, un infirmier qui raccompagnait Ashley à sa chambre lui dit : « Vous avez quelque chose de différent aujourd'hui.

— Ah oui, Bill ?

— Ouais. Comme si vous n'étiez pas la même personne.

— C'est à cause de vous, susurra Ashley.

— Que voulez-vous dire ?

— Avec vous, je me sens autre. » Elle lui toucha la main et le regarda dans les yeux. « Avec vous, je me sens merveilleusement bien.

— Allons donc.

— Je suis sérieuse. Vous êtes très sexy. Vous le savez ?

— Non.

— Eh bien, vous l'êtes. Vous êtes marié, Bill ?

— Je l'ai été.

— Votre femme a été folle de vous laisser partir. Depuis combien de temps travaillez-vous ici, Bill ?

— Cinq ans.

— Ça fait longtemps. Vous n'avez pas des fois envie de ficher le camp ?

— Ah oui, ça m'arrive. »

Toni baissa la voix. « Vous savez que je n'ai vraiment rien qui ne va pas. Je reconnais que j'avais un petit problème en arrivant, mais je suis guérie à présent. Moi aussi j'aimerais sortir d'ici. Je parie que vous pouvez m'aider. Nous pourrions partir ensemble, tous les deux. Nous passerions des moments merveilleux. »

Il l'examina quelques instants. « Je ne sais pas quoi dire.

— Oui, vous le savez. Ecoutez, ça serait simple comme bonjour. Vous n'avez qu'à me laisser sortir une nuit pendant que tout le monde dormira et nous filerons. » Elle lui adressa un regard complice et dit : « Je vous revaudrai ça. »

Il acquiesça. « Il faut que je réfléchisse.

— Réfléchissez », lui dit Toni d'un ton assuré.

De retour à la chambre, elle dit à Alette : « On va se tirer d'ici. »

Le lendemain matin, on accompagna Ashley au bureau du Dr Keller.

« Bonjour, Ashley.

— Bonjour, Gilbert.

— Nous allons essayer le sodium amobarbital ce matin. En avez-vous déjà pris ?

— Non.

— Bien, vous allez trouver que ça détend beaucoup. »

Elle acquiesça. « D'accord. Je suis prête. »

Cinq minutes plus tard, le Dr Keller parlait à Toni. « Bonjour, Toni.

— Salut, toubib.

— Vous êtes heureuse ici, Toni ?

— C'est drôle que vous me demandiez ça. Pour tout vous dire, je commence vraiment à me plaire dans cet endroit. Je me sens chez moi.

— Alors pourquoi voulez-vous vous évader ? »

La voix de Toni se durcit. « Quoi ?

— Bill m'a dit que vous lui aviez demandé de vous aider à vous évader ?

— Le salopard ! » Elle était furieuse. Elle bondit de sa chaise, courut vers le bureau, prit un presse-papier et le lança à la tête du Dr Keller.

Il se pencha pour éviter le projectile.

« Je vais vous tuer, et je vais le tuer ! »

Le Dr Keller essaya de la maîtriser. « Toni... »

Il vit le visage d'Ashley changer d'expression. Toni n'était plus là. Il s'aperçut qu'il avait le cœur battant.

« Ashley ! »

Lorsque celle-ci se réveilla, elle ouvrit les yeux, jeta autour d'elle un regard intrigué et dit : « Tout va bien ?

— Toni m'a attaqué. Elle était en colère parce que j'ai découvert qu'elle essayait de s'évader.

— Je... Je regrette. J'ai senti qu'il y avait du grabuge.

— Ce n'est rien. Je voudrais vous réunir, vous, Toni et Alette.

— Non.

— Pourquoi non ?

— J'ai peur. Je... Je ne veux pas les rencontrer. Vous comprenez ? Elles ne sont pas *réelles*. Elles sont le produit de mon imagination.

— Vous allez devoir les rencontrer tôt ou tard, Ashley. Il faut que vous fassiez connaissance toutes les trois. C'est votre seule chance de guérir. »

Ashley se leva. « Je veux retourner à ma chambre. »

De retour dans sa chambre, Ashley regarda le surveillant s'en aller. Elle se sentit envahie d'un désespoir profond. *Je ne sortirai jamais d'ici*, pensa-t-elle. *On me ment. Je suis incurable.* Elle n'arrivait pas à se faire à l'idée que d'autres personnalités pussent vivre à l'intérieur d'elle-même... A cause de ces *alter ego*, des gens avaient été assassinés, des familles détruites. *Pourquoi moi, mon Dieu ?* Elle se mit à pleurer. *Qu'est-ce que je vous ai fait ?* Elle s'assit sur son lit et pensa : *Je ne peux pas continuer comme ça. Il n'y a qu'un seul moyen d'en finir. C'est maintenant ou jamais.*

Elle se leva et fit quelques pas dans la pièce exiguë à la recherche d'un objet aiguisé. Il n'y en avait pas. Les chambres avaient été soigneusement conçues de manière à ne rien contenir qui permît aux patients de se faire du mal.

En examinant ainsi la pièce d'un regard aigu, elle vit la peinture, les toiles et les pinceaux, dont elle s'approcha. Le manche des pinceaux était en bois. Ashley en brisa un en deux, ce qui fit apparaître des extrémités pointues, aux arêtes vives. Elle prit lentement l'une des extrémités ainsi acérées et l'appliqua sur son poignet. D'un mouvement vif et profond, elle se taillada les veines et son sang commença à couler. Elle resta là à le regarder tacher la moquette. Elle sentit le froid la gagner. Elle se laissa tomber par terre et s'enroula sur elle-même dans la position fœtale.

Puis il fit noir dans la pièce.

En apprenant la nouvelle, le Dr Gilbert Keller éprouva un choc. Il alla voir Ashley à l'infirmerie. Ses poignets étaient enveloppés d'épais pansements. En la regardant étendue là, il pensa : *Je ne peux pas laisser une chose pareille se reproduire.*

« Nous avons failli vous perdre, dit-il. Ça m'aurait mis dans une position peu agréable. »

Elle réussit à grimacer un sourire. « Je m'excuse. Mais tout est tellement... tellement désespérant.

— C'est là que vous faites erreur, l'assura le Dr Keller. Voulez-vous qu'on vous aide, Ashley ?

— Oui.

— Alors vous devez me faire confiance. Il faut que vous collaboriez avec moi. Je ne peux pas vous guérir seul. Qu'en dites-vous ? »

Il se fit un long silence. « Que voulez-vous que je fasse ?

— D'abord, je veux que vous me promettiez de ne plus jamais essayer de vous faire du mal.

— D'accord. Promis.

— J'ai l'intention d'obtenir la même promesse de Toni et d'Alette. Je vais vous endormir maintenant. »

Quelques instants plus tard, le Dr Keller parlait à Toni.

« Cette sale garce égoïste a essayé de nous tuer toutes les trois. Elle ne pense qu'à elle. Vous voyez ce que je veux dire ?

— Toni...

— Eh bien, moi, je ne marche pas. Je...

— Voulez-vous vous taire et m'écouter ?

— Je suis tout ouïe.

— Je veux que vous me promettiez de ne jamais faire de mal à Ashley.

— Pourquoi ?

— Je vais vous dire pourquoi. Parce que vous faites partie d'elle. Vous êtes née de sa souffrance. Je ne sais pas encore ce que vous avez dû vivre, Toni, mais je sais que ça a dû être épouvantable. Mais il faut que vous vous rendiez compte qu'elle a beaucoup souffert elle aussi et qu'Alette est née pour les mêmes raisons que vous. Vous avez beaucoup en commun toutes les trois. Vous devriez vous entraider au lieu de vous haïr. Me donnez-vous votre parole ? »

Rien.

« Toni ?

— Puisqu'il le faut, dit-elle à contrecœur.

— Merci. Avez-vous envie de me parler de l'Angleterre maintenant ?

— Non. »

« Alette. Vous êtes là ?

— Oui. » *Où croyez-vous que je sois, imbécile ?*

« Je voudrais que vous me fassiez la même promesse que Toni. Que vous me promettiez de ne jamais faire de mal à Ashley. »

Il n'y a que pour elle que vous vous faites du souci, n'est-ce pas ? Ashley, Ashley, Ashley. Et nous ?

« Alette ?

— Oui. Je vous le promets. »

Les mois passaient mais il n'y avait aucun signe de progrès.

Le Dr Keller, assis à son bureau, révisait ses notes, se remémorait des séances passées, essayant de voir ce qui

277

n'allait pas. Il soignait une demi-douzaine d'autres patients, mais il s'était aperçu que c'était Ashley qui le préoccupait le plus. Il y avait un abîme tellement incroyable entre sa fragilité et son innocence et les forces ténébreuses qui la tenaient sous emprise... A chaque entretien qu'il avait avec elle, il éprouvait un besoin irrépressible de la protéger. *C'est comme si c'était ma fille,* pensait-il. *Qu'est-ce que je raconte ? Je suis en train de tomber amoureux d'elle.*

Le Dr Keller alla voir Otto Lewison. « J'ai un problème, Otto.

— Je pensais que c'était l'apanage de nos patients.

— Il s'agit justement d'une patiente. Ashley Patterson.

— Oh ?

— Je m'aperçois que je suis... que je suis très attiré par elle.

— Transfert négatif ?

— Oui.

— Ça pourrait être très dangereux pour vous deux, Gilbert.

— Je sais.

— Eh bien, tant que vous en êtes conscient... Soyez prudent.

— J'en ai bien l'intention. »

Novembre

J'ai donné un agenda à Ashley ce matin.

« Ashley, je voudrais que vous vous en serviez toutes les trois, vous, Toni et Alette. Vous pouvez le garder dans votre chambre. Chaque fois que l'une de vous aura une pensée ou une idée qu'elle préférera écrire au lieu de m'en parler, qu'elle la note.

— D'accord, Gilbert. »

Un mois plus tard, le Dr Keller écrivit dans son agenda :

278

Décembre

Le traitement est au point mort. Toni et Alette refusent de parler du passé. Il devient de plus en plus difficile de convaincre Ashley de se laisser hypnotiser.

Mars

L'agenda est encore vierge. Je ne sais pas avec certitude d'où vient la résistance la plus forte, d'Ashley ou de Toni. Lorsque j'hypnotise Ashley, Toni et Alette ne se manifestent que très brièvement. Elles refusent mordicus de discuter du passé.

Juin

Je vois Ashley régulièrement mais je sens que l'on ne progresse pas. L'agenda est toujours vierge. J'ai offert à Ashley un chevalet et des tubes de peinture. Si elle se met à peindre, j'espère que ça fera bouger les choses.

Juillet

Il s'est passé quelque chose mais je ne suis pas sûr qu'il faille y voir un signe de progrès. Alette a peint un superbe tableau représentant le parc de l'hôpital. Lorsque je lui en ai fait compliment, elle a paru contente. Le même soir, le tableau était déchiqueté, en lambeaux.

Le Dr Keller et Otto Lewison buvaient un café.

« Je crois que je vais essayer une petite thérapie de groupe, dit le Dr Keller. Rien d'autre ne semble marcher.

— Combien de patients songiez-vous réunir ?

— Pas plus de cinq ou six. Je voudrais qu'elle commence à entrer en interaction avec les autres. Pour l'instant, elle vit enfermée dans son monde. Je veux qu'elle en sorte.

— Bonne idée. Ça vaut la peine d'essayer. »

Le Dr Keller conduisit Ashley dans une petite salle de réunion. Six personnes étaient déjà présentes.

« Je voudrais que vous fassiez la connaissance de quelques amis », lui dit le Dr Keller.

L'entraînant autour de la pièce, il les lui présenta, mais Ashley était trop préoccupée par elle-même pour écouter leur nom dont chacun se confondait avec le suivant. Il y avait la Grosse, le Maigre, le Chauve, le Boiteux, la Chinoise et le Gentil. Ils paraissaient tous très aimables.

« Asseyez-vous, dit le Chauve. Vous voulez un café ? »

Ashley s'assit. « Je veux bien, merci.

— Nous avons entendu parler de vous, dit le Gentil. Vous en avez vu de toutes les couleurs. »

Ashley acquiesça.

« Nous avons tous dû en voir des vertes et des pas mûres, dit le Maigre, mais nous, on nous aide. Cet endroit est merveilleux.

— Ils ont les meilleurs médecins du monde, dit la Chinoise. »

Ils ont tous l'air tellement normaux, pensa Ashley.

Le Dr Keller s'assit en retrait pour suivre les conversations. Quarante-cinq minutes plus tard, il se leva. « Je crois qu'il faut qu'on y aille, Ashley. »

Elle se leva à son tour. « J'ai été enchantée de faire votre connaissance. »

Le Boiteux s'approcha d'elle et lui chuchota : « Ne buvez pas l'eau ici. Elle est empoisonnée. Ils veulent nous tuer tout en continuant à toucher les subventions de l'Etat. »

Ashley sentit une boule grossir dans sa gorge. « Merci. Je... je m'en souviendrai. »

Une fois sortie dans le couloir avec le Dr Keller, elle lui demanda : « De quoi souffrent-ils ?

— Paranoïa, schizophrénie, syndrome de personnalité multiple, troubles compulsifs. Mais, Ashley, ils ont fait des progrès remarquables depuis leur arrivée ici. Auriez-vous envie de converser avec eux régulièrenent ?

— Non. »

Le Dr Keller entra dans le bureau d'Otto Lewison.

« Je n'arrive à rien, avoua-t-il. La thérapie de groupe n'a rien donné et les séances d'hypnotisme ne marchent pas du tout. Je veux essayer autre chose.

— Quoi ?

— Je voudrais que vous m'autorisiez à inviter Ashley à dîner dehors.

— Je doute que ce soit une bonne idée, Gilbert. Ça pourrait être dangereux. Elle a déjà...

— Je sais. Mais pour l'instant, elle voit en moi un ennemi. Je veux devenir un ami.

— Son *alter ego*, Toni, a déjà essayé de vous tuer. Que se passera-t-il si elle recommence ?

— Je réglerai ça. »

Le Dr Lewison s'accorda quelques instants de réflexion. « D'accord. Vous voulez que quelqu'un vous accompagne ?

— Non. Ça ira, Otto.

— Quand songez-vous à mettre ce projet à exécution ?

— Ce soir. »

« Vous voulez m'emmener dîner dehors ?

— Oui, je pense que ça vous ferait du bien de sortir un peu d'ici, Ashley. Qu'en dites-vous ?

— Oui. »

Ashley s'étonna elle-même d'être si excitée à l'idée d'aller au restaurant avec Gilbert Keller. *Ça va être amusant de passer une soirée dehors*, pensa-t-elle. Mais elle savait que son enthousiasme était motivé par autre chose. C'était le fait de sortir avec Gilbert Keller qui la rendait à ce point euphorique.

Ils étaient attablés dans un restaurant japonais, Otani Gardens, situé à huit kilomètres de l'hôpital. Le Dr Keller savait qu'il prenait un risque. Toni ou Alette pouvaient à tout instant reprendre leur ascendant sur Ashley. On l'avait mis en garde. *L'essentiel, c'est que Ashley apprenne à me faire confiance afin que je puisse l'aider.*

« C'est drôle, Gilbert, dit Ashley en promenant son regard sur le restaurant rempli.

— Qu'est-ce qui est drôle ?

— Ces gens n'ont pas l'air différent des patients de l'hôpital.

— Ils ne le sont pas vraiment, Ashley. La seule différence est que les patients ont davantage de mal à s'adapter et ont besoin qu'on les aide.

— Je ne savais pas que j'avais des problèmes, jusqu'à ce que... Enfin, vous voyez ce que je veux dire.

— Vous savez pourquoi, Ashley ? Parce que vous refouliez ces problèmes au fond de vous-même. Comme vous n'arriviez pas à affronter le passé, vous vous étiez construit mentalement un système de défense pour tenir à distance les situations douloureuses. Beaucoup de gens font la même chose, à un degré ou un autre. » Il changea délibérément de sujet. « Comment est votre steak ?

— Délicieux, merci. »

A partir de ce jour, Ashley et le Dr Keller prirent un repas hebdomadaire hors de l'hôpital. Ils déjeunèrent dans un excellent petit restaurant italien, chez Banducci, et dînèrent à La Palme, chez Eveleene, et au Gumbo Pot. Ni Toni ni Alette ne se manifestèrent.

Un soir, le Dr Keller emmena Ashley danser dans une petite boîte où jouait un excellent orchestre.

« Vous vous amusez ? demanda-t-il.

— Beaucoup. Merci. » Puis, le regardant, elle ajouta : « Vous n'êtes pas comme les autres médecins.

— Ils ne dansent pas ?

— Vous savez ce que je veux dire. »

Il la tenait serrée contre lui, et ils sentirent tous les deux que quelque chose de fort passait entre eux.

« *Ça pourrait être très dangereux pour vous deux, Gilbert...* »

CHAPITRE VINGT-CINQ

« Je sais trop bien ce que vous essayez de faire, Toubib. Vous essayez de faire croire à Ashley que vous êtes son ami.

— Je le suis, Toni, et le vôtre.

— Non, vous n'êtes pas le mien. Vous la trouvez merveilleuse et vous me prenez pour une rien du tout.

— Vous vous trompez. Je vous respecte autant qu'Ashley, vous et Alette. Vous êtes toutes les deux aussi importantes à mes yeux.

— C'est vrai ?

— Oui. Toni, quand je vous ai dit que vous aviez une voix magnifique, je le pensais vraiment. Vous jouez d'un instrument ?

— Du piano.

— Si je m'arrangeais pour que vous puissiez jouer du piano et chanter dans la salle de récréation, vous seriez intéressée ?

— Peut-être. » Elle avait l'air enthousiaste.

Le Dr Keller sourit. « Dans ce cas, je vais faire le nécessaire avec plaisir. Le piano sera à votre disposition.

— Merci. »

Le Dr Keller prit des dispositions pour que la salle de récréation soit réservée à Toni durant une heure tous les après-midi. Au début, les portes de la salle demeurèrent fermées mais, d'autres pensionnaires ayant entendu que l'on jouait du piano et que l'on chantait à l'intérieur, ils les

284

ouvrirent pour écouter. Toni eut bientôt un public composé de plusieurs dizaines de patients.

Le Dr Keller révisait ses notes en compagnie du Dr Lewison.

« Et l'autre – Alette ? demanda le Dr Lewison.

— Je me suis arrangé pour qu'elle puisse peindre dans le parc tous les après-midi. Elle sera sous surveillance, bien entendu. Je pense que ça devrait produire de bons effets thérapeutiques. »

Mais Alette refusa.

Lors d'une séance avec elle, le Dr Keller dit : « Vous n'utilisez pas les tubes de peinture que je vous ai donnés, Alette. Quel gâchis ! Vous êtes si douée. »

Comment le savez-vous ?

« Vous ne prenez pas plaisir à peindre ?

— Si.

— Alors pourquoi ne peignez-vous pas ?

— Parce que je suis mauvais peintre. » *Cessez de m'emmerder.*

« Qui vous a dit ça ?

— Ma... Ma mère.

— Vous ne m'avez encore rien dit au sujet de votre mère. Vous voulez m'en parler ?

— Il n'y a rien à dire.

— Elle est morte dans un accident, n'est-ce pas ? »

Il y eut un long silence. « Oui. Elle est morte dans un accident. »

Le lendemain, Alette se mit à la peinture. Elle aimait se trouver dans le parc avec ses pinceaux et sa palette. Lorsqu'elle peignait, elle oubliait tout le reste. Certains patients se rassemblaient autour d'elle pour la regarder travailler. Leurs voix étaient de toutes les couleurs.

« Vous devriez exposer dans une galerie. » Noire.

« Vous êtes vraiment bonne. » Jaune.

« Où avez-vous appris à peindre comme ça ? » Orange.

« Je voudrais pouvoir en faire autant. » Noire.

Elle était toujours chagrinée lorsque le temps qui lui était dévolu arrivait à sa fin et qu'il lui fallait regagner les bâtiments de l'hôpital.

« Je voudrais vous présenter quelqu'un, Ashley. Voici Lisa Garrett. » Celle-ci, une petite femme d'une cinquantaine d'années, avait quelque chose de fantomatique. « Lisa rentre chez elle aujourd'hui. »

Elle était radieuse. « N'est-ce pas merveilleux ? Et je suis redevable de tout au docteur Keller. »

Gilbert Keller, se tournant vers Ashley, dit : « Lisa était atteinte du syndrome de personnalité multiple et avait trente *alter ego.*

— Exact. Et ils ont tous disparu.

— C'est la troisième patiente atteinte du syndrome de personnalité multiple qui nous quitte cette année », dit le Dr Keller sur un ton appuyé.

Et Ashley ressentit un regain d'espoir.

« Le Dr Keller est sympathique, dit Alette. Il semble nous aimer vraiment.

— Ce que tu peux être bête, lui répondit Toni d'un ton sarcastique. Tu ne vois donc pas ce qui est en train de se passer ? Je te l'ai déjà dit. Il fait semblant de bien nous aimer pour obtenir de nous ce qu'il veut. Et tu sais ce que c'est ? Il veut nous mettre en présence les unes des autres, ma petite chérie, puis convaincre Ashley qu'elle n'a plus besoin de nous. Et tu sais ce qui va arriver à ce moment-là ? Nous allons mourir, toi et moi. C'est ce que tu veux ? Moi pas.

— Heu... non, fit Alette d'une voix hésitante.

— Alors écoute-moi bien. Nous faisons ami-ami avec le docteur. Nous lui faisons croire que nous essayons vraiment de l'aider. Nous l'emberlificotons. Nous avons tout notre temps. Et je te promets qu'un jour je nous sortirai toutes les deux d'ici.

— Comme tu veux, Toni.

— Bien. Alors laissons croire à ce bon vieux toubib que sa thérapie réussit. »

Arriva une lettre de David. L'enveloppe contenait la photo d'un petit garçon. La missive disait ce qui suit :

Chère Ashley,

J'espère que tout se passe bien pour vous et que votre thérapie donne des résultats. Ici, tout va bien. Je suis débordé mais je fais un travail qui me plaît. Vous trouverez ci-joint une photo de notre fils de deux ans, Jeffrey. Au rythme où il grandit, il sera mûr pour le mariage d'une minute à l'autre. Je n'ai vraiment rien de nouveau à vous rapporter. Je voulais seulement que vous sachiez que je pense à vous.

Sandra se joint à moi pour vous transmettre ses sentiments affectueux.

David.

Ashley examina la photo. *C'est un beau petit garçon,* pensa-t-elle. *J'espère qu'il sera heureux.*

Elle alla déjeuner et, à son retour dans sa chambre, elle trouva la photo par terre, toute déchirée.

15 juin, 13 heures 30.
Patiente : Ashley Patterson. Séance thérapeutique au sodium amobarbital. *Alter ego*, Alette Peters.

« Parlez-moi de Rome, Alette.

— C'est la plus belle ville du monde. Elle est pleine de musées superbes. Je les ai tous visités. » *Que connaissez-vous en matière de musées ?*

« Et vous vouliez être peintre ?

— Oui. » *Qu'est-ce que vous croyez ? Que je voulais être pompier ?*

287

« Avez-vous étudié la peinture ?

— Non. » *Vous ne pourriez pas poser vos questions stupides à quelqu'un d'autre ?*

« Pourquoi ? A cause de ce que votre mère vous disait ?

— Oh, non. C'est moi qui ai simplement décidé que je n'étais pas assez bonne. » *Toni, débarrasse-moi de lui !*

« Avez-vous vécu des expériences traumatisantes à cette époque ? Vous rappelez-vous certains événements pénibles qui vous seraient arrivés ?

— Non. J'étais très heureuse. » *Toni !*

19 août, 9 heures.
Patiente : Ashley Patterson. Séance d'hypnothérapie avec *alter ego*, Toni Prescott.

« Avez-vous envie de parler de Londres, Toni ?

— Oui. J'y ai passé de très bons moments. Londres est si civilisée. On n'a pas le temps de s'y ennuyer.

— Vous aviez des problèmes ?

— Des problèmes ? Non. J'étais très heureuse à Londres.

— Vous ne vous souvenez pas d'événements pénibles qui vous seraient arrivés là-bas ?

— Bien sûr que non. » *Qu'allez-vous faire de ça, espèce de tâcheron ?*

A chaque séance, Ashley se rappelait des souvenirs enfouis. Un soir, en se couchant, elle rêva qu'elle était à Global Computer Graphics. Shane Miller était là et il la félicitait pour un travail qu'elle avait fait. *Nous ne pourrions pas nous passer de toi, Ashley. Nous allons toujours te garder parmi nous.* Elle se retrouvait ensuite dans une cellule de prison et Shane Miller disait : *Nous ne pouvons naturellement pas nous permettre d'être associés, à quelque titre que ce soit, à une affaire pareille. Tu comprends, n'est-ce pas ? Ne le prends pas mal.*

Le lendemain matin, lorsqu'elle se réveilla, son oreiller était humide de larmes.

Les séances de thérapie rendaient Alette toute triste. Elles lui rappelaient combien elle aimait Rome et combien elle avait été heureuse avec Richard Melton. *Nous aurions pu être heureux, tous les deux, mais il est trop tard. Trop tard.*

Toni détestait elle aussi les séances, mais parce qu'elles lui rappelaient de mauvais souvenirs. Tout ce qu'elle avait fait, ç'avait été pour protéger Ashley et Alette. Mais lui en savait-on gré? Nullement. On l'avait bouclée comme une criminelle. *Mais je sortirai d'ici*, se jurait-elle. *Je sortirai d'ici.*

Le temps passait inexorablement et une autre année s'écoula. Le Dr Keller voyait croître son dépit.

«J'ai lu votre dernier rapport, lui dit le Dr Lewison. Il y a une lacune réelle dans leur système de défense, à votre avis, ou elles vous font marcher?

— Elles me font marcher, Otto. On dirait qu'elles savent ce que j'essaie de faire et veulent m'en empêcher. Je pense qu'Ashley voudrait authentiquement coopérer mais elles l'en empêchent. Généralement, sous hypnose, on arrive à percer leurs défenses, mais Toni est très forte. Elle prend complètement le dessus et elle est dangereuse.

— Dangereuse?

— Oui. Imaginez toute la haine qui doit couver en elle pour qu'elle ait tué et châtré cinq hommes.»

Le reste de l'année n'apporta aucune amélioration.

Le Dr Keller réussissait avec ses autres patients, mais Ashley, à qui il tenait le plus, ne faisait aucun progrès. Le Dr Keller avait comme l'impression que Toni se riait de lui, qu'elle avait décidé de lui mettre des bâtons dans les roues. Et puis, tout à coup, la situation se débloqua.

Cela commença par une lettre du Dr Patterson.

5 juin

Chère Ashley,

Je suis en route pour New York où je dois régler quelques affaires et j'aimerais beaucoup passer te voir. Je vais téléphoner au Dr Lewison et, s'il n'y voit pas d'objection, tu me verras apparaître vers le 25.
Tendrement,

Ton père.

Trois semaines plus tard, le Dr Patterson arriva en compagnie d'une jolie brune âgée d'une quarantaine d'années et de la fille de cette dernière, Katrina, âgée de trois ans.

On les introduisit dans le bureau du Dr Lewison. Celui-ci se leva à leur entrée. « Docteur Patterson, je suis ravi de faire votre connaissance.

— Merci. Je vous présente mademoiselle Victoria Aniston et sa fille, Katrina.

— Bonjour, mademoiselle Aniston. Katrina.

— Je les ai emmenées voir Ashley.

— Parfait. Elle est avec le Dr Keller pour le moment mais ils ne doivent plus en avoir pour longtemps.

— Comment va-t-elle ? » demanda le Dr Patterson.

Otto Lewison hésita. « Est-ce que je pourrais m'entretenir seul à seul avec vous quelques minutes ?

— Certainement. »

Le Dr Patterson se tourna vers Victoria et Katrina. « On dirait qu'il y a un très beau parc là, dehors. Pourquoi n'allez-vous pas m'y attendre. J'irai vous y retrouver avec Ashley. »

Victoria Aniston sourit. « Bien. » Elle adressa un regard à Otto Lewison. « J'ai été heureuse de vous connaître, Docteur.

— Merci, mademoiselle Aniston. »

Le Dr Patterson les regarda partir toutes les deux. Il se tourna vers Otto Lewison. « Des ennuis ? »

— Je serai franc avec vous, docteur Patterson. Nous ne progressons pas autant que je l'avais d'abord espéré. Ashley affirme vouloir être aidée mais elle ne se montre pas coopérative. En réalité, elle résiste au traitement. »

Le Dr Patterson l'examinait, intrigué. « Pourquoi ?

— Ce n'est pas si rare que ça. A un certain stade, les patients atteints du syndrome de personnalité multiple ont peur de rencontrer leurs *alter ego*. Ceux-ci les terrifient. L'idée même que d'autres personnages puissent vivre en eux, dans leur esprit et leur corps, qu'ils puissent les dominer à leur gré... Enfin, vous pouvez imaginer à quel point ça peut être épouvantable. »

Le Dr Patterson acquiesça. « Bien sûr.

— Il y a quelque chose qui nous laisse perplexes dans le cas d'Ashley. Presque toujours, dans le syndrome de personnalité multiple, il existe dans l'histoire du patient des épisodes infantiles qui en ont fait une victime d'attentats à la pudeur. Nous n'avons rien de ce genre dans le cas d'Ashley et nous ignorons donc la nature ou l'origine de son traumatisme. »

Le Dr Patterson se tut quelques instants. Lorsqu'il prit la parole, ce fut pour dire d'une voix trouble : « Je peux vous aider. » Il prit une profonde inspiration. « C'est ma faute. »

Le Dr Lewison l'observait intensément.

« Ashley avait six ans à l'époque des faits. J'avais dû me rendre en Angleterre. Ma femme n'avait pu m'accompagner. J'avais emmené Ashley. Ma femme avait là-bas un cousin âgé qui s'appelait John. Je ne m'en étais pas rendu compte à l'époque, mais John avait... des problèmes psychologiques. Un jour que je devais m'absenter pour donner une conférence, il offrit de garder Ashley. A mon retour, ce soir-là, il n'était plus là et Ashley était en pleine crise de nerfs. Il m'a fallu beaucoup de temps pour la calmer. Par la suite, elle n'a plus laissé personne l'approcher, elle est devenue effarouchée et repliée sur elle-même. La semaine suivante, on a arrêté John pour de nombreux actes de pédophilie. » La souffrance se lisait sur les traits du Dr Patterson. « Je me sens impardonnable. Je n'ai plus jamais laissé Ashley seule avec quiconque. »

Il se fit un long silence. « Je suis terriblement navré, dit Otto Lewison. Mais je pense que vous venez de nous livrer la clé de l'énigme, docteur Patterson. Le Dr Keller pourra maintenant s'attaquer à quelque chose de précis.

— Je n'ai pas pu en parler plus tôt car cela m'était trop douloureux.

— Je comprends. » Le Dr Lewison consulta sa montre. « Ashley en a encore pour quelques instants. Pourquoi n'allez-vous pas rejoindre Mlle Aniston dans le parc ? Je vous enverrai Ashley à la fin de sa séance. »

Le Dr Patterson se leva. « Merci. C'est ce que je vais faire. »

Otto Lewison le regarda partir. Il avait hâte de raconter au Dr Keller ce qu'il venait d'apprendre.

Victoria Aniston et Katrina l'attendaient. « As-tu vu Ashley ? demanda Victoria.

— On va me l'envoyer dans quelques minutes. » Le Dr Patterson regarda le vaste parc autour de lui. « Charmant, n'est-ce pas ? »

Katrina courut vers lui. « Je veux monter encore dans le ciel. »

Il sourit. « D'accord. » Il la prit, la lança en l'air et la rattrapa à la volée.

« Plus haut !

— Attention. Allez, hop ! » Il la lança de nouveau et la ratrapa tandis qu'elle criait de plaisir.

« Encore ! »

Comme le Dr Patterson tournait le dos au bâtiment principal, il n'en vit pas sortir Ashley et le Dr Keller.

« Plus haut ! », cria Katrina.

Ashley s'arrêta net sur le seuil. Elle regarda son père jouer avec la fillette et ce fut comme si le temps se décomposait. Tout ce qui se passa ensuite lui apparut au ralenti.

Il y eut des images fugitives d'une petite fille, qu'on lançait en l'air... « Plus haut, papa !
— Attention. Allez, hop ! »
Puis de la fillette qu'on jetait sur un lit...
Une voix qui disait : « Tu vas aimer ça... »
L'image d'un homme assis dans le lit à côté d'elle. La petite fille hurlait. « Arrête. Non. Je t'en prie, non. »
L'homme était dans l'ombre. Il la tenait étendue et lui caressait le corps. « Tu n'aimes pas ? »

Et tout à coup, l'ombre se dissipa et Ashley put voir le visage de l'homme. C'était son père.

En le voyant en train de jouer avec la petite fille, elle ouvrit la bouche et se mit à crier sans pouvoir s'arrêter.

Le Dr Patterson, Victoria Aniston et Katrina se retournèrent, effrayés.

« Je regrette, dit vivement le Dr Keller. C'est un mauvais jour. Est-ce que vous ne pourriez pas revenir ? » Et il entraîna Ashley à l'intérieur.

Ils la gardaient dans l'une des salles d'urgence.

« Son pouls est anormalement élevé, dit le Dr Keller. Elle fait une bouffée délirante. » Il se rapprocha d'Ashley et lui dit : « Ashley, vous n'avez rien à craindre. Vous êtes en sécurité ici. Personne ne vous fera de mal. Ecoutez seulement ma voix et détendez-vous... détendez-vous... détendez-vous... »

Il fallut une demi-heure pour l'hypnotiser. « Ashley, dites-moi ce qui s'est passé. Qu'est-ce qui vous trouble ?

— Papa et la petite fille...

— Et alors ? »

C'est Toni qui répondit. « Ça lui est insupportable. Elle a peur qu'il fasse à la fillette ce qu'il lui a fait à elle-même. »

Le Dr Keller la dévisagea durant quelques instants. « Qu'est-ce... Qu'est-ce qu'il lui a fait ? »

C'était à Londres. Elle était couchée. Il s'est assis près d'elle et a dit : « Je vais te rendre très heureuse, ma poupée. » Il l'a chatouillée et elle riait aux éclats. Puis... il lui a retiré son pyjama et a commencé à la caresser. « Ça te plaît ? » Ashley s'est mise à crier. « Arrête. Ne fais pas ça ! » Mais il a refusé d'arrêter. Il l'a maintenue étendue... Il a continué...

« C'était la première fois, Toni ? demanda le Dr Keller.

— Oui.

— Quel âge avait-elle ?

— Six ans.

— Et c'est à ce moment-là que vous êtes née ?

— Oui. Ashley était trop terrifiée pour affronter le traumatisme.

— Que s'est-il passé par la suite ?

— Papa venait la retrouver tous les soirs et s'étendait à côté d'elle. »

Toni parlait sans retenue tout à coup. « Elle ne pouvait pas l'en empêcher. Quand ils sont revenus à la maison, Ashley a tout raconté à maman qui l'a traitée de sale petite menteuse.

« Ashley avait peur de s'endormir le soir parce qu'elle savait que papa allait venir dans sa chambre. Il l'obligeait à le toucher puis il se caressait. Il lui a dit : "Ne dis rien à personne sinon je ne t'aimerai plus." Elle ne pouvait pas en parler. Maman et papa n'arrêtaient pas de s'engueuler et Ashley pensait que c'était sa faute. Elle savait qu'elle avait fait quelque chose de mal mais elle ignorait ce que c'était. Maman la haïssait.

— Combien de temps cela a-t-il duré ? demanda le Dr Keller.

— J'avais huit ans lorsque... » Toni s'interrompit.

« Continuez, Toni. »

Le visage d'Ashley se transforma et Alette prit la place de Toni. « Nous sommes allés vivre à Rome où papa était chercheur à la polyclinique Umberto Primo, dit-elle.

— Et c'est là que vous êtes née ?

— Oui. Un soir, Ashley n'a pas pu supporter ce qui s'était passé et je suis venue la protéger.

— Que s'était-il passé, Alette ?

— Papa est entré tout nu dans la chambre d'Ashley pendant son sommeil. Il s'est glissé dans son lit et, cette fois, il l'a pénétrée de force. Elle a voulu l'en empêcher mais en a été incapable. Elle l'a supplié de ne pas recommencer mais il venait quand même la retrouver tous les soirs. Et il disait toujours : "C'est comme ça qu'un homme manifeste son amour à une femme. Tu es une femme et je t'aime. Ne parle jamais de cela à personne." Elle ne pouvait donc pas en parler. »

Ashley sanglotait et des larmes coulaient sur ses joues.

Gilbert Keller dut se retenir pour ne pas la prendre dans ses bras, lui déclarer son amour et l'assurer que tout allait s'arranger. Mais cela lui était naturellement impossible. *Je suis son médecin.*

Lorsque le Dr Keller revint au bureau du Dr Lewison, le Dr Patterson, Victoria Aniston et Katrina étaient partis.

« Enfin, voilà ce que nous attendions, dit-il à Otto Lewison. La situation s'est finalement débloquée. Je sais à quel moment et pourquoi Toni et Alette sont nées. Nous devrions voir les choses changer rapidement à partir de maintenant. »

Le Dr Keller avait raison. Les choses commencèrent à bouger.

CHAPITRE VINGT-SIX

La séance d'hypnose venait de commencer. Lorsque Ashley fut endormie, le Dr Keller lui dit : « Ashley, parlez-moi de Jim Cleary.

— Je l'aimais. Nous avions l'intention de nous enfuir et de nous marier.

— Oui... ?

— A la soirée de remise des diplômes, Jim m'a proposé d'aller chez lui et j'ai... j'ai refusé. Quand il m'a raccompagnée chez moi, mon père nous attendait. Il était furieux. Il a mis Jim à la porte et lui a dit de ne plus jamais remettre les pieds à la maison.

— Et ensuite ?

— J'ai décidé d'aller retrouver Jim. J'ai fait ma valise et je suis partie en direction de chez lui. » Elle hésita. « A mi-chemin, je me suis ravisée, je suis revenue chez moi et... »

L'expression d'Ashley se métamorphosa. Elle commença à se détendre dans son fauteuil et ce fut Toni qui prit sa place.

« N'allez surtout pas croire ça. Elle est bel et bien allée chez lui, Toubib. »

Il n'y avait pas de lumière chez Jim lorsqu'elle est arrivée. « Mes parents sont absents pour le week-end. » *Elle a sonné. Quelques minutes plus tard, Jim Cleary lui ouvrait. Il était en pyjama.*

« *Ashley.* » *Un sourire éclairait son visage.* « *Tu es donc venue.* » *Il la fit entrer.*

« *Je suis venue parce que je...*

— *Peu importe la raison. Tu es là, c'est l'essentiel. » Il l'a enlacée et embrassée. « Tu veux boire quelque chose ?*

— *Non. Peut-être un verre d'eau. » A ce moment, elle a senti une sorte d'appréhension la gagner.*

« Bien sûr. Viens. » Il l'a prise par la main et emmenée dans la cuisine. Il lui a servi un verre d'eau et l'a regardée le boire. « Tu as l'air nerveuse.

— *Je... je le suis.*

— *Il n'y a pas de raison. Mes parents ne risquent pas de revenir. Montons.*

— *Jim, je crois que nous ne devrions pas. »*

Il s'est approché d'elle par-derrière et a refermé ses mains sur sa poitrine. Elle s'est retournée. « Jim... »

Il a posé ses lèvres sur les siennes et essayé de la plaquer contre le meuble de la cuisine.

« Je vais te rendre heureuse, mon chou. » C'était la voix de son père : « Je vais te rendre heureuse, mon chou. »

Elle s'est figée. Elle a senti qu'il lui retirait ses vêtements et la pénétrait tandis qu'elle restait là debout, nue, poussant un cri inarticulé.

Alors une rage folle s'est emparée d'elle.

Elle a vu le grand couteau de boucher dont le manche sortait du bloc en bois. Elle l'a saisi et s'est mise à poignarder la poitrine de Jim en hurlant : « Arrête, papa... Arrête... Arrête... Arrête... »

Quand elle a baissé les yeux, Jim était étendu par terre, baignant dans son sang.

« Espèce de brute ! a-t-elle hurlé. Tu ne recommenceras plus jamais. » Elle s'est penchée et lui a enfoncé le couteau dans les testicules.

A six heures, ce matin-là, Ashley est allée attendre Jim à la gare. Il n'y était pas.

Elle a commencé à s'affoler. Qu'avait-il bien pu se passer ? Elle a entendu le train siffler au loin et regardé sa montre : 7 heures. Le train entrait en gare. Elle s'est levée en jetant un regard anxieux autour d'elle. *Il a dû lui arriver quelque chose de terrible.* Quelques minutes plus tard, elle a vu, impuissante, le train quitter la gare, emportant ses rêves avec lui.

Elle a attendu encore une demi-heure puis est lentement revenue chez elle. Ce midi-là, son père et elle s'étaient envolés pour Londres...

C'était la fin de la séance.

Le Dr Keller compta, « ... quatre... cinq... Vous êtes réveillée maintenant ».

Ashley ouvrit les yeux. « Que s'est-il passé ?

— Toni m'a avoué avoir tué Jim Cleary. Il avait essayé de vous prendre de force. »

Ashley devint livide. « Je veux retourner à ma chambre. »

Le Dr Keller fit son rapport habituel à Otto Lewison. « Nous commençons vraiment à progresser, Otto. Nous étions jusqu'à maintenant dans une impasse. Chacune d'elles avait peur de prendre l'initiative la première. Mais elles commencent à se détendre. Nous sommes sur la bonne voie, mais Ashley craint encore d'affronter la réalité.

— Elle ignore toujours comment ces meurtres ont été commis ? demanda le Dr Lewison.

— Totalement. Elle était complètement inconsciente de ce qui se passait. C'est Toni qui agissait. »

Deux jours avaient passé.

« Vous vous sentez à l'aise, Ashley ?

— Oui. » Sa voix était lointaine.

« Je voudrais que nous parlions de Dennis Tibble. Vous étiez amis tous les deux ?

— Nous étions collègues de travail. Nous n'étions pas vraiment amis.

— Les rapports de police affirment qu'on a trouvé vos empreintes digitales chez lui.

— En effet. J'y étais allée parce qu'il tenait à avoir mon avis.

— Et que s'est-il passé ?

— Nous avons parlé quelques minutes et il m'a donné un verre de vin dans lequel il y avait une drogue.

— De quoi vous souvenez-vous ensuite ?

— Je... Je me suis réveillée à Chicago. »

L'expression d'Ashley commença à se transformer. Puis, presque aussitôt, ce fut Toni qui s'adressa à lui. « Vous voulez savoir ce qui s'est vraiment passé... ?

— Racontez-moi, Toni. »

Dennis Tibble a pris la bouteille de vin et dit : « Mettons-nous à l'aise. » Il a voulu l'entraîner vers la chambre.

« Dennis, je n'ai pas envie de... »

Et ils se sont retrouvés dans la chambre où il a commencé à lui retirer ses vêtements.

« Je sais ce dont tu as envie, ma chatte. Tu as envie que je te baise. C'est pour ça que tu es venue ici. »

Elle se débattait pour se libérer. « Arrête, Dennis !

— Pas avant que je t'aie donné ce que tu es venue chercher. Ça va te plaire, ma chérie. »

Il l'a poussée sur le lit tout en la tenant fermement et en essayant de la toucher au bas-ventre. Puis ce fut la voix de son père. « Tu vas aimer ça, ma chérie. » Il la pénétrait de force, s'enfonçant à plusieurs reprises en elle, tandis qu'elle hurlait en silence : « Non, papa. Arrête ! » Puis une fureur indicible s'est emparée d'elle. Elle a vu la bouteille de vin. Elle l'a saisie, l'a brisée contre le rebord de la table et lui a enfoncé les tessons déchiquetés dans le dos. Il a hurlé en essayant de se relever, mais elle le tenait solidement sur le lit tout en continuant de le frapper à coups redoublés. Elle l'a regardé rouler par terre.

Il a gémi : « Arrête !

— Tu promets de ne jamais recommencer ? Eh bien, nous allons nous en assurer. » Elle a ramassé une lame de verre et l'a plantée dans les parties génitales de Dennis Tibble...

Le Dr Keller laissa passer quelques instants de silence. « Qu'avez-vous fait ensuite, Toni ?

— J'ai pensé qu'il valait mieux que je déguerpisse avant l'arrivée de la police. Je dois avouer que j'étais passablement excitée. Comme je brûlais d'envie de prendre de la distance avec la vie ennuyeuse que menait Ashley et que j'avais un ami à Chicago, j'ai décidé d'y aller. Cet ami n'était pas là, alors j'ai fait un peu les magasins, j'ai traîné dans les bars et je me suis offert du bon temps.

— Et ensuite ?

— J'ai pris une chambre d'hôtel et je me suis endormie. » Elle haussa les épaules. « Ensuite, c'est Ashley qui a payé les pots cassés. »

Elle s'est réveillée lentement, consciente que quelque chose n'allait pas, qu'il était arrivé quelque chose de grave. Elle avait l'impression d'avoir été droguée. Elle a regardé la chambre autour d'elle et commencé à s'affoler. Elle était couchée, nue, dans un hôtel bon marché. Elle ignorait où elle se trouvait et de quelle manière elle était arrivée là. Elle a réussi à s'asseoir et ressentait un mal de tête lancinant.

Elle est descendue du lit, s'est rendue dans la minuscule salle de bains et est entrée sous la douche. Elle a laissé couler l'eau sur son corps en essayant de se laver des igno-minies qu'elle avait subies. Et si j'étais enceinte ? L'idée de porter l'enfant de Tibble lui a donné la nausée. Elle est sortie de la douche, s'est séchée et dirigée vers le placard. Ses vête-ments n'y étaient pas. Il n'y avait qu'une minijupe en cuir, un chemisier sans manches bon marché et une paire de chaus-sures à talons aiguilles. Il lui répugnait d'enfiler ces vête-ments mais elle n'avait pas le choix. Elle s'est habillée rapidement et regardée dans la glace. Elle avait l'air d'une prostituée.

« Papa, je...

— Qu'est-ce qui ne va pas ?

— Je suis à Chicago et...

— Que fais-tu à Chicago ?

— Je ne peux pas t'expliquer maintenant. Il me faut un

billet d'avion pour San Jose. Je n'ai pas un sou sur moi. Peux-tu m'aider ?

— Bien sûr. Ne quitte pas... Un avion d'American Airlines décolle de l'aéroport O'Hare à 10 heures 40. Tu trouveras un billet à ton nom au guichet d'embarquement. »

« Alette, vous m'entendez ?

— Je suis là, docteur Keller.

— Je voudrais vous parler de Richard Melton. Vous étiez amis, n'est-ce pas ?

— Oui. Il était très... *simpatico*. J'étais amoureuse de lui.

— C'était réciproque ?

— Je pense, oui. C'était un artiste. Nous allions dans les musées ensemble et étions fous de peinture tous les deux. En compagnie de Richard, je me sentais... vivante. Si on ne l'avait pas tué, je crois que nous nous serions mariés un jour.

— Parlez-moi de votre dernière rencontre.

— Nous sortions d'un musée et Richard a dit : "Mon colo-cataire est allé à une soirée. Pourquoi ne viendriez-vous pas chez moi ? Je voudrais vous montrer des tableaux.

— C'est trop tôt, Richard.

— Comme vous voulez. Je vous vois le week-end pro-chain ?

— Oui." »

« Je me suis éloignée en voiture, continua Alette. Et c'est la dernière fois que je... »

Le Dr Keller vit son visage revêtir l'expression animée de Toni.

« C'est ce qu'elle veut croire, dit Toni. Ce n'est pas ce qui s'est passé.

— Que s'est-il passé ? », demanda le Dr Keller.

Elle est allée chez lui dans Fell Street. L'appartement était petit mais embelli par les tableaux de Richard.

« Votre peinture met de la vie dans la pièce, Richard.

— Merci, Alette. » Il l'a prise dans ses bras. « Je vous désire. Vous êtes belle. »

301

« Tu es belle », *disait son père. Elle s'est figée. Parce qu'elle savait quelle scène atroce allait se produire. Elle était étendue sur le lit, nue, avec cette douleur familière qu'elle ressentait quand il la pénétrait, quand il la déchirait...*

Elle criait : « Non ! Arrête, papa ! Arrête ! » *Alors elle a été saisie de cette fureur qui s'emparait parfois d'elle dans ses crises maniaco-dépressives. Elle ne se rappelait pas où elle avait pris le couteau, mais elle a poignardé Richard à plusieurs reprises en lui hurlant :* « Je t'ai dit d'arrêter ! Arrête ! »

Ashley se tordait dans son fauteuil en hurlant.

« Ça va, Ashley, dit le Dr Keller. Vous n'avez rien à craindre. Vous allez vous réveiller maintenant, je compte jusqu'à cinq. »

Elle se réveilla, toute tremblante. « Est-ce que tout va bien ?

— Toni m'a tout raconté pour Richard Melton. Il vous avait fait des avances. Vous l'avez pris pour votre père et vous avez alors... »

Elle porta les mains à ses oreilles. « Je ne veux pas en entendre davantage. »

Le Dr Keller alla voir Otto Lewison.

« Je crois que nous arrivons finalement à quelque chose. C'est très traumatisant pour Ashley, mais nous approchons de la fin. Nous avons encore deux meurtres à revivre.

— Et ensuite ?

— Je vais mettre Ashley, Toni et Alette en présence. »

CHAPITRE VINGT-SEPT

« Toni ? Toni, vous m'entendez ? » Le Dr Keller observa le changement d'expression d'Ashley.

« Je vous entends, Toubib.

— Parlons de Jean-Claude Parent.

— J'aurais dû me douter que c'était trop beau pour être vrai.

— Que voulez-vous dire ?

— Au début, il m'avait donné l'impression d'être un galant homme. Nous sortions tous les jours et nous passions vraiment de bons moments ensemble. J'ai cru qu'il n'était pas comme les autres, mais je me trompais. Une seule chose l'intéressait, le sexe.

— Je vois.

— Il m'a donné une superbe bague et il a dû penser que ça lui donnait des droits sur moi. Je l'ai accompagné chez lui.

C'était une belle maison d'un étage, en brique rouge, remplie d'antiquités.

« C'est ravissant.

— J'ai quelque chose de particulier à te montrer en haut, dans la chambre. » Il l'a entraînée à l'étage sans qu'elle puisse lui résister. Une fois dans la chambre, il l'a enlacée et lui a chuchoté : « Déshabille-toi.

— Je n'ai pas envie de...

— Si, tu as envie. Nous en avons tous deux envie. » Il l'a déshabillée rapidement, puis étendue sur le lit. Là, il l'a prise. Elle gémissait : « Non. Je t'en prie, ne fais pas ça, papa ! »

Mais il n'a tenu aucun compte de ses supplications. Il a continué à s'activer en elle jusqu'au moment où brusquement il s'est arrêté, et il a fait : « Ah. » Puis il a dit : « Tu es merveilleuse ».

Alors elle a été saisie de sa pulsion criminelle. Elle s'est emparée du coupe-papier tranchant qui se trouvait sur le bureau et le lui a enfoncé à plusieurs reprises dans la poitrine.

« Tu ne recommenceras plus. » Et elle l'a frappé au bas-ventre.

Ensuite, elle a pris une longue douche, s'est rhabillée et s'en est retournée à l'hôtel.

« Ashley... »

Le visage de cette dernière commença à se transformer.

« Réveillez-vous maintenant. »

Ashley se réveilla lentement. Elle regarda le Dr Keller et demanda : « Encore Toni ?

— Oui. Elle avait connu Jean-Claude sur Internet. Ashley, pendant votre séjour à Québec, y a-t-il eu des moments où vous aviez l'impression de perdre la notion du temps ? Vous est-il arrivé de vous apercevoir que des heures ou une journée entière s'étaient écoulées sans que vous vous en rendiez compte ? »

Elle hocha lentement la tête. « Oui. C'était... c'était fréquent.

— C'est à ces moments-là que Toni prenait les commandes.

— Et c'est alors... c'est alors qu'elle... ?

— Oui. »

Les mois suivants se déroulèrent sans incident. L'après-midi, le Dr Keller écoutait Toni jouer du piano et allait regarder Alette peindre dans le parc. Il restait à discuter d'un meurtre mais il voulait qu'Ashley se détende avant d'en parler.

Elle était à l'hôpital depuis cinq ans. *Elle est presque guérie*, pensait le Dr Keller.

Un lundi matin, il l'envoya chercher et l'observa quand elle entra dans son bureau. Elle était pâle, comme si elle savait ce qui l'attendait.

« Bonjour, Ashley.

— Bonjour, Gilbert.

— Comment vous sentez-vous ?

— Nerveuse. C'est la dernière séance, n'est-ce pas ?

— Oui. Parlons du shérif adjoint Sam Blake. Que faisait-il chez vous ?

— C'est moi qui lui avais demandé de venir. Quelqu'un avait écrit sur mon miroir de salle de bains "Tu vas mourir". Je ne savais pas quoi faire. J'ai pensé qu'on voulait me tuer. J'ai appelé la police et le shérif adjoint Blake est arrivé. Il était très sympathique.

— C'est vous qui lui aviez demandé de rester avec vous ?

— Oui. J'avais peur de rester seule. Il a dit qu'il passerait la nuit chez moi et qu'il ferait le nécessaire le lendemain matin pour qu'on veille sur moi vingt-quatre heures sur vingt-quatre. Je lui ai proposé de dormir sur le canapé pour lui laisser la chambre, mais il a insisté pour prendre le canapé. Je me souviens qu'il a inspecté les fenêtres pour s'assurer qu'elles étaient bien fermées et qu'il a verrouillé la porte à double tour. Je lui ai souhaité bonne nuit et je suis entrée dans ma chambre dont j'ai fermé la porte.

— Et ensuite ?

— Je... Je me souviens seulement d'avoir été réveillée par quelqu'un qui hurlait dans la ruelle. Le shérif est alors entré pour me dire que le shérif adjoint Blake avait été trouvé mort. » Elle s'interrompit, toute pâle.

« Très bien. Maintenant je vais vous endormir. Détendez-vous... Fermez les yeux et détendez-vous... » Il fallut dix minutes pour l'hypnotiser. Le Dr Keller dit : « Toni ?

— Je suis là. Vous voulez savoir ce qui s'est vraiment produit, n'est-ce pas ? Ashley a été stupide d'inviter Sam à rester chez elle. J'aurais pu lui dire ce qu'il ferait. »

Il a entendu un cri dans la chambre, et s'est levé rapidement en prenant son arme. Il s'est précipité vers la porte de la chambre et a tendu l'oreille durant quelques instants. Silence. Il devait être victime de son imagination. Il allait se retourner pour s'éloigner lorsqu'il a de nouveau entendu le cri. Son arme à la main, il a ouvert la porte. Ashley était couchée, nue, endormie. Il n'y avait personne d'autre dans la chambre. Elle poussait de petits gémissements dans son sommeil. Il s'est approché du lit. Elle était belle ainsi, couchée en position fœtale. Elle a gémi de nouveau, comme prise au piège d'un rêve terrible. Il avait seulement l'intention de la réconforter, de la prendre dans ses bras et de la tenir contre lui. Il s'est étendu à côté d'elle, l'a tirée doucement vers lui, et en sentant la chaleur de son corps il a eu un début d'érection.

Elle a été réveillée par la voix de Sam qui disait : « Ça va maintenant. Vous n'avez rien à craindre. » Il était en train de la couvrir de baisers, de lui écarter les jambes. Puis il l'a pénétrée.

Elle criait : « Non, papa ! »

Il s'activait de plus en plus vite en elle, comme mû par une pulsion primitive, et c'est alors que l'instinct brutal de vengeance a pris le dessus en elle. Le couteau était posé sur la coiffeuse, près de son lit, et elle s'est mise à taillader le corps du shérif adjoint.

« Que s'est-il passé après ?

— Elle a enveloppé le corps dans les draps, l'a tiré jusqu'à l'ascenseur puis dans la ruelle en passant par le parking. »

« ... et alors, dit le Dr Keller, Toni a enveloppé le corps du shérif adjoint Blake dans les draps et l'a tiré jusqu'à l'ascenseur puis dans la ruelle en passant par le parking. »

Ashley était immobile, le visage d'une pâleur mortelle. « Toni est un mons... C'est moi qui suis un monstre.

— Non, Ashley, dit le Dr Keller. N'oubliez pas que Toni est née de votre souffrance pour vous protéger. Cela est vrai

306

aussi pour Alette. Il est temps de mettre un terme à toute cette histoire. Je veux que vous fassiez leur connaissance. C'est la prochaine étape sur la voie de la guérison. »

Ashley ferma les yeux. « D'accord. Quand allons-nous... procéder ?

— Demain **matin**. »

Ashley était sous hypnose. Le Dr Keller commença par Toni.

« Toni, je voudrais qu'Alette et vous parliez à Ashley.

— Qu'est-ce qui vous fait croire qu'elle pourra nous supporter ?

— Je pense qu'elle y arrivera.

— D'accord, Toubib. Comme vous voulez.

— Alette, êtes-vous disposée à rencontrer Ashley ?

— Si Toni est d'accord.

— Bien sûr, Alette. Il est à peu près temps que vous fassiez connaissance. »

Le Dr Keller prit une profonde inspiration et dit : « Ashley, saluez Toni. »

Il y eut un long silence suivi d'un timide : « Bonjour, Toni...

— Bonjour.

— Ashley, dites bonjour à Alette.

— Bonjour, Alette...

— Bonjour, Ashley... »

Le Dr Keller poussa un profond soupir de soulagement. « Je veux que vous fassiez connaissance, toutes les trois. Vous avez toutes été victimes de traumatismes graves. Ces traumatismes vous ont séparées l'une de l'autre. Mais cette séparation n'a plus de raison d'être. Désormais vous n'allez faire qu'une seule personne, une personne entière et saine. Vous avez encore du chemin à parcourir mais vous êtes sur la bonne voie. Je vous assure que le pire est derrière vous. »

A compter de ce jour, la cure d'Ashley évolua rapidement.

Elle et ses deux personnalités d'emprunt conversaient ensemble tous les jours.

« Il fallait que je te protège, lui expliqua Toni. Chaque fois que j'assassinais un de ces hommes, c'était sans doute papa que je tuais pour ce qu'il t'avait fait.

— Moi aussi j'essayais de te protéger, dit Alette.

— Je... Je vous remercie. Je vous en sais gré à toutes les deux. »

Ashley se tourna vers le Dr Keller et dit d'un ton sarcastique : « Je suis bien là tout entière, n'est-ce pas ? Je me parle à moi-même.

— Vous parlez à vos deux *alter ego*, la corrigea gentiment le Dr Keller. Le temps est venu de vous unifier et de redevenir une seule et unique personne. »

Ashley le regarda en souriant. « Je suis prête. »

Cet après-midi-là, le Dr Keller alla voir Otto Lewison.

« Des rapports encourageants me parviennent, Gilbert », dit le Dr Lewison.

Le Dr Keller acquiesça. « Ashley fait des progrès remarquables. Encore quelques mois et je crois qu'on pourra la laisser sortir avec un traitement de postcure.

— Excellente nouvelle. Félicitations. »

Elle va me manquer, pensa le Dr Keller. *Elle va terriblement me manquer.*

« Le Dr Salem pour vous sur la deux, maître Singer.

— Bien. » David décrocha, intrigué. Pourquoi le Dr Salem appelait-il ? Ils ne s'étaient pas parlé depuis des années, tous les deux. « Royce ?

— Bonjour, David. J'ai un renseignement qui pourrait vous intéresser. Au sujet d'Ashley Patterson. »

David fut aussitôt sur le qui-vive. « De quoi s'agit-il ?

— Vous vous souvenez de tout le mal que nous nous étions donné pour découvrir le traumatisme qui était à l'origine de son état et que nous avions échoué. »

David se rappelait fort bien. C'était là-dessus que le procès avait achoppé. « Oui.

— Eh bien, je connais désormais la réponse. Mon ami le Dr Lewison, qui dirige l'hôpital psychiatrique du Connecticut, vient de m'appeler. La pièce manquante du puzzle était le Dr Steven Patterson. C'est lui qui avait attenté à la pudeur d'Ashley dans son enfance.

— *Quoi ?* demanda David d'un ton incrédule.

— Le Dr Lewison vient lui-même de l'apprendre. »

David écouta le Dr Salem jusqu'au bout, mais il avait l'esprit ailleurs. Les paroles du Dr Patterson lui revenaient en mémoire : « *Vous êtes le seul en qui j'aie confiance, David. Ma fille représente tout pour moi. Vous allez lui sauver la vie... Je veux que vous assuriez sa défense et je tiens à ce que personne d'autre ne se mêle de ce procès.* »

David comprit subitement pourquoi le Dr Patterson avait tellement insisté pour qu'il assure seul la défense d'Ashley. Il était convaincu que David, si jamais il découvrait le pot aux roses, le protégerait. Le Dr Patterson avait dû choisir entre sa fille et sa réputation et il avait opté pour la seconde. *Le salaud !*

« Merci, Royce. »

Cet après-midi-là, en passant par la salle de récréation, Ashley vit un exemplaire du *Westport News* que quelqu'un avait laissé là. En première page du journal, il y avait une photo de son père avec Victoria Aniston et Katrina. L'article débutait comme suit : « Le Dr Steven Patterson doit épouser bientôt une personnalité de la haute société, Victoria Aniston, mère d'une fillette de trois ans qu'elle a eue d'un précédent mariage. Le Dr Patterson fera désormais partie du personnel médical du St. John Hospital de Manhattan. Sa future épouse et lui ont acheté une maison à Long Island... »

Ashley interrompit sa lecture, le visage convulsé par la rage. « Je vais tuer ce salaud ! hurla Toni. Je vais le tuer ! »

Elle était complètement hors d'elle-même. On dut la mettre

dans une chambre capitonnée, pour qu'elle ne puisse se faire mal, et la retenir par des menottes et des fers aux pieds. Lorsque les surveillants venaient lui apporter ses repas, elle essayait de se jeter sur eux et ils prenaient soin de ne pas trop s'approcher d'elle. Toni avait pris entièrement possession d'Ashley.

Elle hurla en voyant le Dr Keller : « Laissez-moi sortir d'ici, espèce de salopard. Tout de suite !

— Nous allons vous laisser sortir, lui répondit le Dr Keller d'un ton apaisant, mais il faut d'abord que vous vous calmiez.

— Je suis calme, hurla Toni. Laissez-moi partir ! »

Le Dr Keller s'assit par terre près d'elle et dit : « Toni, quand vous avez vu la photo de votre père, vous avez dit que vous alliez lui faire du mal et...

— Menteur ! J'ai dit que j'allais le *tuer* !

— Il y a eu assez de tueries comme ça. Vous ne poignarderez plus personne.

— Je n'ai pas l'intention de le poignarder. Vous avez entendu parler de l'acide chlorhydrique ? C'est un acide auquel rien ne résiste, y compris la peau. Attendez seulement que je...

— Quittez ces idées.

— Vous avez raison. Le feu ! Le feu est préférable. Il n'aura pas à attendre d'être en enfer pour brûler. Je peux procéder de manière qu'on ne me prenne jamais si...

— Toni, pensez à autre chose.

— D'accord. Je trouverai bien quelque chose de mieux encore. »

Il l'examina quelques instants, dépité. « Qu'est-ce qui vous rend si furieuse ?

— Vous ne le savez pas ? Moi qui vous prenais pour une sommité de la médecine ! Il épouse une femme qui a une fille de trois ans. Que va-t-il arriver à cette petite fille, à votre avis, vous le grand ponte ? Je vais vous le dire, moi. La même chose qu'à nous. Eh bien, je l'en empêcherai.

— Moi qui espérais que vous vous étiez débarrassées de toute cette haine, toutes les trois.

— Vous avez dit haine ? Vous voulez qu'on vous en parle, nous, de la haine ? »

Il pleuvait à verse et les gouttes frappaient avec régularité le toit de la voiture qui roulait à toute vitesse. Elle regarda sa mère assise au volant, qui plissait les yeux pour voir la route, et elle sourit, de bonne humeur. Elle se mit à chanter :

> *Il court, il court, le furet,*
> *Le furet des bois, mesdames...*

Sa mère tourna la tête et hurla : « La ferme ! Je t'ai déjà dit que je détestais cette chanson. Tu me rends malade, espèce de sale petite... »

Ensuite, tout parut se dérouler au ralenti. Le virage juste devant, la voiture qui dérapait, l'arbre. Le choc la projeta hors de la voiture. Elle était secouée, mais indemne. Elle se releva. Elle entendit crier sa mère, coincée dans la voiture. « Sors-moi d'ici ! Au secours ! Au secours ! »

Et elle resta là, immobile, à observer la scène, jusqu'à ce que la voiture explose.

« La haine ? Vous voulez en entendre davantage ? »

« Il faut prendre cette décision à l'unanimité, déclara Walter Manning. Ma fille est une artiste professionnelle, pas une dilettante. Elle a peint ce tableau pour nous rendre service... Nous ne pouvons ne pas l'accepter... Il faut que ce soit à l'unanimité. Nous lui offrons le tableau de ma fille ou nous ne lui offrons rien du tout. »

Elle était garée le long du trottoir, le moteur en marche. Elle vit Walter Manning traverser la rue en direction du parking souterrain où il garait sa voiture. Elle embraya et appuya à fond sur l'accélérateur. Manning entendit au dernier moment le bruit de la voiture qui venait vers lui et il se retourna. Elle observa l'expression qui se peignit sur son visage lorsque la voiture le heurta de plein fouet puis précipita de côté son corps tel un chiffon. Elle continua à rouler. Il n'y avait pas de témoins. Dieu était avec elle.

« Voilà ce que c'est que la haine, Toubib ! La vraie haine ! »

Gilbert Keller écouta son récit détaillé, abasourdi, ébranlé par la méchanceté à froid qui en ressortait. Il annula ses autres rendez-vous de la journée. Il avait besoin d'être seul.

Le lendemain matin, lorsque le Dr Keller entra dans la cellule capitonnée, c'est Alette qui avait pris les commandes.

« Pourquoi m'infligez-vous ce traitement, docteur ? demanda-t-elle. Laissez-moi sortir d'ici.

— Je vais vous laisser sortir, l'assura-t-il. Parlez-moi de Toni. Que vous a-t-elle dit ?

— Elle a dit que nous devions nous enfuir d'ici pour tuer papa. »

Toni prit le relais. « Bonjour, Toubib. Nous allons bien à présent. Pourquoi ne pas nous laisser partir ? »

Le Dr Keller la regarda dans les yeux. Il y lut une sauvagerie sans pitié.

Le Dr Otto Lewison soupira. « Je suis vraiment navré de ce qui s'est passé, Gilbert. Tout allait si bien.

— Je ne peux même plus communiquer avec Ashley.

— Ce qui veut dire qu'il va sans doute falloir recommencer la cure à zéro. »

Le Dr Keller était songeur. « Pas vraiment, Otto. Nous en sommes arrivés à un point où les trois personnalités ont fini par faire connaissance. C'est un énorme progrès. La prochaine étape consistait à les amener à se dissoudre. Il faut que je trouve un moyen d'y parvenir.

— Ce maudit article...

— On a de la chance que Toni l'ait vu. »

Otto Lewison lui adressa un regard étonné. « De la chance ?

— Oui. Parce qu'il s'agit là d'un résidu de haine chez Toni. Maintenant que nous en connaissons l'existence, nous pourrons nous y attaquer. Je voudrais tenter une expérience. Si ça marche, nous pourrons pavoiser. Sinon » – il marqua une pause et ajouta vivement « je crois qu'Ashley devra rester enfermée ici pour le restant de ses jours.

— Qu'est-ce que vous voulez faire ?

— Je crois qu'il serait néfaste de la laisser revoir son père, mais je voudrais m'abonner à un service de presse national et me faire envoyer tous les articles qui paraissent sur le Dr Patterson ».

Otto Lewison sourcilla. « Pour quoi faire ?

— Je vais montrer tous les articles de journaux à Toni. Sa haine finira par s'épuiser. Comme ça, je pourrai en suivre l'évolution et essayer de la contrôler.

— Ça risque de demander du temps, Gilbert.

— Au moins un an, peut-être davantage. Mais c'est la seule chance d'Ashley. »

Cinq jours plus tard, Ashley avait repris possession d'elle-même.

Lorsque le Dr Keller entra dans la cellule capitonnée, elle dit : « Bonjour, Gilbert. Je regrette pour toute cette histoire.

— Je suis heureux que ça se soit produit, Ashley. Nous allons ainsi pouvoir mettre au jour tout ce que vous ressentez. » Il fit signe à un surveillant de lui retirer les fers et les menottes.

Elle se leva et se frotta les poignets. « Ce n'était pas très confortable », dit-elle. Ils sortirent dans le couloir. « Toni est très en colère.

— Oui, mais ça lui passera. Voici mon plan... »

Trois ou quatre articles consacrés au Dr Steven Patterson arrivaient chaque mois. Dans l'un on pouvait lire : « Le Dr Steven Patterson doit épouser Victoria Aniston vendredi prochain, à Long Island, lors d'une cérémonie fastueuse.

Les collègues du Dr Patterson prendront l'avion afin d'assister... »

Toni fit une crise de nerfs lorsque le Dr Keller lui montra l'article.

« Ce mariage ne durera pas longtemps.

— Pourquoi dites-vous ça, Toni ?

— Parce qu'il va mourir ! »

« Le Dr Steven Patterson a quitté le St. John Hospital pour diriger le service de cardiologie du Methodist Hospital de Manhattan... »

« Comme ça, il pourra violer les petites filles », hurla Toni.

« Le Dr Steven Patterson, qui a reçu le Prix Lasker pour ses travaux en médecine, sera reçu à la Maison-Blanche... »

« On devrait pendre cette ordure ! », s'écria Toni.

Gilbert Keller fit en sorte que Toni reçoive tous les articles qui paraissaient sur son père. Avec le temps, à chaque nouvel article, sa rage semblait décroître. On aurait dit qu'elle était à court de réactions affectives. Elle passa de la haine à la colère et, finalement, à une acceptation résignée.

On parla du Dr Patterson dans les pages immobilières : « Le Dr Steven Patterson et sa nouvelle épouse habitent désormais Manhattan, mais ils projettent d'acheter une résidence secondaire dans les Hamptons, le quartier le plus chic de Long Island, où ils passeront l'été avec leur fille, Katrina. »

Toni se mit à sangloter. « Comment peut-il nous faire ça ?

— Vous avez l'impression que cette petite fille a pris votre place, Toni ?

— Je ne sais pas. Je... Je ne sais plus quoi penser. »

Une autre année s'écoula. Ashley avait trois séances de thérapie par semaine. Alette peignait presque tous les jours, mais Toni refusait de chanter ou de jouer du piano.

Le jour de Noël, le Dr Keller lui montra une nouvelle coupure de presse. On y voyait une photo de son père en compagnie de Victoria et de Katrina. Le légende disait : LES PATTERSON FETENT NOËL DANS LES HAMPTONS.

Toni fit remarquer d'un air pensif : « Nous passions Noël ensemble. Il me donnait toujours de magnifiques cadeaux. » Elle regarda le Dr Keller. « Il n'était pas si mauvais que ça. A part ce que vous savez, c'était un bon père. Je crois qu'il m'aimait vraiment. »

C'était le premier signe d'un nouveau progrès.

Un jour qu'il passait près de la salle de récréation, le Dr Keller entendit Toni chanter et jouer du piano. Etonné, il entra dans la pièce pour l'observer. Elle était complètement absorbée par la musique.

Le lendemain, il eut une séance avec elle.

« Votre père vieillit, Toni. Qu'est-ce que vous éprouverez à sa mort, à votre avis ?

— Je... Je ne veux pas qu'il meure. Je sais que j'ai dit beaucoup de bêtises à son sujet, mais c'était sous le coup de la colère.

— Vous n'êtes plus en colère ? »

Elle marqua un temps de réflexion. « Je ne suis pas en colère, je souffre. Vous aviez raison, je crois. J'ai eu l'impression que la petite fille prenait ma place. » Levant les yeux vers le Dr Keller, elle ajouta : « J'étais bouleversée. Mais mon père à le droit de vivre sa vie, tout comme Ashley. »

Le Dr Keller sourit. Nous sommes de nouveau sur la bonne voie.

Elles se parlaient désormais librement, toutes les trois.

« Ashley, vous aviez besoin de Toni et d'Alette parce que votre souffrance était insupportable. Quels sont vos sentiments envers votre père à présent ? »

Il y eut un bref silence. « Je ne pourrai jamais oublier ce

qu'il m'a fait, mais je lui pardonne. Je veux laisser le passé derrière moi et me tourner vers l'avenir.

— Pour ça, il faut que vous redeveniez une. Qu'en dites-vous, Alette ?

— Si je deviens Ashley, est-ce que je pourrai continuer à peindre ?

— Bien sûr.

— Eh bien, dans ce cas, d'accord.

— Toni ?

— Est-ce que je serai encore capable de chanter et de jouer du piano ?

— Oui.

— Alors, pourquoi pas ?

— Ashley ?

— Je suis disposée à ce que nous devenions toutes une. Je... Je voudrais les remercier d'avoir été là quand j'avais besoin d'elles.

— Je t'en prie, ma petite chérie, dit Toni.

— *Miniéra anche*, dit Alette. »

C'était le moment de l'étape finale : l'intégration.

« Parfait. Je vais vous hypnotiser maintenant, Ashley. Je veux que vous fassiez vos adieux à Toni et à Alette. »

Ashley prit une inspiration profonde. « Adieu, Toni. Adieu, Alette.

— Adieu, Ashley.

— Fais attention à toi, Ashley. »

Dix minutes plus tard, elle était dans un état hypnotique profond. « Ashley, vous n'avez plus rien à craindre. Tous vos problèmes sont derrière vous. Vous n'avez plus besoin qu'on vous protège. Vous pouvez vivre votre vie sans aide, sans refouler les expériences négatives. Vous êtes désormais en mesure d'affronter la réalité. Etes-vous d'accord avec moi ?

— Oui. Je suis prête à affronter l'avenir.

— Bien. Toni ? »

Il n'y eut pas de réponse.

« Toni ? »

Toujours pas de réponse.

« Alette ? »

Silence.

« Alette ? »

Silence.

« Elles sont parties, Ashley. Vous êtes désormais vous-même et vous êtes guérie. »

Il vit le visage d'Ashley s'éclairer.

« Vous allez vous réveiller à trois. Un... deux... trois... »

Elle rouvrit les yeux, le visage illuminé par un sourire béat. « Ça y est, n'est-ce pas ? »

Il acquiesça. « Oui. »

Elle était folle de joie. « Je suis libre. Oh, merci, Gilbert ! C'est comme... C'est comme si on venait de tirer un épouvantable rideau noir. »

Le Dr Keller lui prit la main. « Si vous saviez comme je suis heureux. Nous allons procéder encore à quelques tests dans les prochains mois, mais s'ils se révèlent aussi positifs que je le pense, on va vous renvoyer chez vous. Nous ferons le nécessaire pour que vous puissiez suivre un traitement de postcure là où vous serez. »

Ashley acquiesça d'un hochement de tête, trop émue pour parler.

CHAPITRE VINGT-HUIT

Durant les trois mois suivants, Otto Lewison fit examiner Ashley par trois psychiatres. Ils recoururent à l'hypnose et à l'amobarbital.

« Bonjour, Ashley. Je suis le docteur Montfort et j'ai quelques questions à vous poser. Comment vous sentez-vous ?

— Merveilleusement bien, docteur. J'ai l'impression de sortir d'une longue maladie.

— Avez-vous une image négative de vous-même ?

— Non. Je sais que des choses négatives se sont passées mais je ne m'en sens pas responsable.

— Eprouvez-vous de la haine pour quelqu'un ?

— Non.

— Et votre père ? Vous le haïssez ?

— Je l'ai haï. Plus maintenant. Je pense qu'il ne pouvait pas s'empêcher d'agir comme il l'a fait. J'espère seulement que ça lui a passé.

— Aimeriez-vous le revoir ?

— Je crois qu'il serait préférable que je ne le revoie pas. Il vit sa vie. Je veux commencer à vivre la mienne. »

« Ashley ?

— Oui.

— Je suis le docteur Vaughn. J'aimerais que nous causions un peu, vous et moi.

— D'accord.

« — Vous souvenez-vous de Toni et d'Alette ?

— Bien sûr. Mais elles sont parties.

— Quels sont vos sentiments à leur égard ?

— Au début, elles me terrifiaient, mais je sais maintenant que j'avais besoin d'elles.

— Vous dormez bien la nuit ?

— Maintenant oui.

— Parlez-moi de vos rêves.

— Je faisais des rêves atroces dans lesquels il y avait toujours quelqu'un qui me poursuivait. Je pensais qu'on allait m'assassiner.

— Vous faites encore ce genre de rêve ?

— Non. Mes rêves sont très paisibles. Je vois des couleurs vives et des gens souriants. La nuit dernière, j'ai rêvé que j'étais aux sports d'hiver et que je volais littéralement sur les pentes de ski. C'était merveilleux. Je ne souffre plus du froid.

— Que ressentez-vous envers votre père ?

— Je voudrais qu'il soit heureux et je veux l'être moi aussi. »

« Ashley ?

— Oui ?

— Je suis le docteur Hoelterhoff.

— Bonjour, docteur.

— On ne m'avait pas dit que vous étiez aussi belle. Vous trouvez-vous belle ?

— Je trouve que j'ai du charme...

— Je trouve que vous avez une belle voix. Le pensez-vous aussi ?

— Je n'ai pas une voix travaillée, mais oui » – elle se mit à rire – « je chante juste.

— Et on me dit que vous peignez. Vous êtes douée ?

— Plutôt, oui, pour un peintre amateur. »

Il l'observait, l'air pensif. « Avez-vous un problème ou un autre dont vous aimeriez discuter avec moi ?

— Non, pas que je sache. Je suis très bien soignée ici.

319

— Que ressentez-vous à l'idée de partir d'ici et de retrouver le monde extérieur ?

— J'y ai beaucoup réfléchi. Ça m'effraie et ça m'excite en même temps.

— Vous croyez que vous aurez peur à l'extérieur ?

— Non. Je vais me refaire une nouvelle vie. Je suis bonne informaticienne. Je ne pourrai pas revenir dans l'entreprise pour laquelle je travaillais, mais je suis sûre de pouvoir trouver un emploi ailleurs. »

Le Dr Hoelterhoff acquiesça. « Merci, Ashley. J'ai eu plaisir à m'entretenir avec vous. »

Les trois psychiatres, Montfort, Vaughn et Hoelterhoff, étaient réunis dans le bureau d'Otto Lewison. Celui-ci lisait leurs rapports. Lorsqu'il eut fini il leva les yeux vers le Dr Keller et sourit. « Félicitations. Ces rapports sont tous positifs. Vous avez fait un magnifique travail.

— C'est une femme merveilleuse. Exceptionnelle, Otto. Je me réjouis de la voir revenir à une vie normale.

— A-t-elle consenti à suivre un traitement de postcure une fois sortie d'ici ?

— Absolument. »

Otto Lewison hocha la tête. « Très bien. Nous allons faire remplir l'autorisation de sortie. » Il se tourna vers les autres médecins. « Merci, messieurs. Je vous sais gré de votre collaboration. »

CHAPITRE VINGT-NEUF

Deux jours plus tard, elle fut convoquée au bureau du Dr Lewison. Le Dr Keller était présent. On allait la libérer et elle pourrait rentrer chez elle, à Cupertino, où il avait été convenu avec un psychiatre agréé par le tribunal qu'elle suivrait une thérapie régulière et se soumettrait à des séances d'évaluation.

« Eh bien, c'est le grand jour. Vous êtes contente ? demanda le Dr Lewison.

— Je suis tout excitée, j'ai peur, je suis... je ne sais pas. Je me sens comme un oiseau dont on vient d'ouvrir la cage. » Elle était rayonnante.

« Je suis content que vous partiez mais je... vous allez me manquer », dit le Dr Keller.

Ashley lui prit la main et dit avec chaleur : « Vous aussi, vous allez me manquer. Je ne sais pas comment... comment vous remercier. » Ses yeux s'embuèrent de larmes. « Vous m'avez redonné la vie. »

Elle se tourna vers le Dr Lewison. « Une fois de retour en Californie, je vais me trouver du travail dans une société informatique. Je vous tiendrai au courant et vous ferai savoir comment se déroule ma postcure. Je veux être bien certaine que ce qui m'est arrivé ne se reproduira pas.

— Je crois que vous n'avez plus d'inquiétude à avoir », l'assura le Dr Lewison.

Lorsqu'elle fut partie, il se tourna vers Gilbert Keller.

« Voilà qui compense amplement toutes les cures qui échouent, n'est-ce pas, Gilbert ? »

C'était une belle journée de juin, et elle descendait à pied Madison Avenue, à New York, avec un sourire si radieux que l'on se retournait sur son passage. Elle n'avait jamais éprouvé un tel bonheur. Elle songeait à la vie merveilleuse qui l'attendait et faisait mille projets d'avenir. Les choses auraient pu se terminer terriblement mal, pensait-elle, mais tout était bien qui finissait bien.

Elle entra dans Pennsylvania Station, la gare la plus animée d'Amérique, un labyrinthe de salles et de couloirs sans air, complètement dépourvu de charme. Il y avait un monde fou. *Et dire que chacun a une histoire intéressante à raconter*, pensa-t-elle. *Chacun se rend dans un endroit différent, chacun vit sa vie et c'est à mon tour de vivre la mienne.*

Elle acheta un billet à un distributeur automatique. Son train entrait justement en gare. *Heureuse coïncidence*, pensa-t-elle.

Elle monta dans le train et prit un siège. Elle était tout excitée à l'idée de l'avenir qui l'attendait. Il y eut une secousse puis le train prit de la vitesse. *Enfin, je suis en route.* Et, tandis que le train roulait vers Long Island, où vivait son père, elle se mit à chanter :

> *Il court, il court le furet*
> *Le furet des bois, mesdames.*
> *Il court, il court le furet,*
> *Le furet des bois jolis.*
> *Il est passé par ici. Il repassera par là.*
> *Il court, il court...*

POSTFACE DE L'AUTEUR

Ces dix dernières années, ont eu lieu des dizaines de procès de prévenus affirmant avoir des personnalités multiples. Les accusations portaient sur une grande variété de délits, y compris le meurtre, l'enlèvement, le viol et l'incendie criminel.

Le syndrome de personnalité multiple, aussi connu sous le nom de dissociation de la personnalité, est loin de faire l'unanimité parmi les psychiatres. Certains d'entre eux doutent de son existence. En revanche, depuis des années, de nombreux médecins des hôpitaux et différents services sociaux traitent des patients atteints de ce syndrome. Selon certaines études, entre 5 et 15 % des personnes traitées en psychiatrie en souffriraient.

Les statistiques actuelles du Département américain de la Justice indiquent qu'environ le tiers des victimes d'attentats à la pudeur sont âgées de moins de six ans, et qu'une fille sur trois est victime d'agression sexuelle avant l'âge de dix-huit ans.

La plupart des cas d'inceste connus concernent un père et sa fille.

Un étude en cours dans trois pays permet de penser que 1 % de la population est atteint du syndrome de personnalité multiple.

Les troubles liés à la dissociation de la personnalité suscitent fréquemment des erreurs de diagnostic. Des études ont montré que les gens atteints de ce syndrome passent sept ans à chercher une cure adéquate avant que leur mal soit correctement diagnostiqué.

Les deux tiers des gens atteints du syndrome de personnalité multiple peuvent être soignés. Voici une liste de quelques institutions qui s'y emploient.

B.E.A. M. (Being Energetic About Multiplicity)
Boîte postale 20 428
Louiseville, Kentucky 40250-0429
Tél. (502) 493-8975 (fax).

The Center for Post-Traumatic & Dissociative Disorders Program
The Psychiatric Institute of Washington,
4228, Wisconsin Avenue, N.W.,
Washington, D.C. 20016
(800) 369-2273.

The Forest View Trauma Program
1055, Medical Drive, S.E.,
Grand Rapids, Minnesota 49546-3671
(800) 949-8437

International Society for the Study of Dissociation,
60, Revere Drive, Suite 500,
Northbrook, Illinois 60062
(847) 480-0899
(847) 480-9282 (fax)

Justus Unlimited,
Boîte postale 1221,
Parker, Colorado 80134
(303) 643-8698

Masters and Johnson's Trauma and Dissociative Disorders,
Two Rivers Psychiatric Hospital,
5121, Raytown Rod,
Kansas City, Missouri 64133
(800) 225-8577

Mothers Against Sexual Abuse (MASA)
503 bis, South Myrtle Avenue, N° 9,
Monrovia, Californie 91016
(626) 305-1986
(626) 503-5190 (fx)

The Sanctuary Unit,
Friends Hospital,
4641, Roosevelt Boulevard,
Philadelphie, Pennsylvanie 19124
(215) 831-4600

The Sirdan Foundation,
2328, West Joppa Street, Suite 15,
Lutherville, Maryland 21093
(410) 825-8888

The Timberlawn Trauma Program,
4600, Samuell Boulevard,
Dallas, Texas 75228
(800) 426-4944

ARGENTINE

Grupo de Estudio de Trastornos de disociacion y trauma de Argentina,
Dra. Graciela Rodriguez,
Federico Lecroze 1820 7mo. A.
(1426) Buenos Aires,
Argentine
Tél./fax. 541-775-2792

AUSTRALIE

Australian Association for Trauma and Dissociation (AATD),
Boîte postale 85,
Brunswick, Melbourne, Victoria 3056,
Australie,
Tél. (03) 9663 6225

Beyond Survival : A Magazine on Abuse, Trauma and Dissociation,
Boîte postale 85,
Annandale, North South Wales 2038,
Australie,
(02) 9566 2045

CANADA

Canadian Mental Health Association,
Metro Toronto Branch,
970, Lawrence Avenue West, Suite 205,
Toronto, Ontario,
Canada M6A 3B6
Tél. (416) 789-7957
Fax (416) 789-9079

Canadian Society for the Study of Dissociation
c/o Dr John ONeil, FRCPC,
4074, Wilson Avenue,
Montréal, Québec,
Canada H4A 279
(515) 485-9529

Maytal-Israël Institute for Treatment & Research on Stress,
Eli Sommer, Ph. D., Clinical Director,
3, Manyan Street,
Haïfa, Israël
Tél. +972-4-8381999
Fax +972-4-8386369

Nederlands-Vlaamse Vereniging voor de bestudering van Dissociative Stoornoissen (NVVDS)
(Société hollandaise d'étude du syndrome de personnalité multiple)
c/o Stichting RBC, Bloemendaal Klinik voor Intensive Behandeling Atlantis,
Fenny ten Boschstraat 23,
2555 PT Den Haag,
Hollande
Tél. +31 (070) 391-1617
Fax +31 (070) 391-6115

Praktijk voor psychotherapie en hypnose,
Dr Els Grimminck,
Wielewaal 17,
1902 KE Castricum,
Hollande,
Tél. (+31-0) 251650264
Fax (+31-0) 251653306

British Dissociative Disorders Professional Study Group,
c/o Jeanie McIntee, MSo,
Chester Therapy Centre,
Weldon House,
20, Walpole Street,
Chester CH1 4HG,
Angleterre
Tél. 1244-390121.

OUVRAGES SPÉCIALISÉS

Calof, David L., avec Mary Leloo, *Multiple Personality and Dissociation : Understanding Incest, Abuse, and MPD*, Park Ridge, Illinois, Parkside Publishing, 1993.

Putnam, Frank, *Diagnosis and Treatment of Multiple Personality Disorder*, Guilford Press, New York, 1989.

— *Dissociation in Children and Adolescents : A Developmental Perspective*, Guilford Press, New York, 1997.

Roseman, Mark, Gini Scott et William Craig, *You the Jury*, Seven Locks Press, Santa Ana, Californie, 1997.

Saks, Elyn, avec Stephen H. Behnke, *Jekyll on Trial*, New York University Press, New York, 1997.

Schreiber, Flora Rheta, *Sybil*, Warner Books, New York, 1995.

Thigpen, Corbett H. et Hervey M. Clekley, *Three Faces of Eve*. Rev. ed. Augusta GA : Three Faces of Eve, Augusta, Georgie, 1992.

ARTICLES

Abrams, S., « The Multiple Personality : A Legal Defense », *American Journal of Clinical Hypnosis* 25 (1983), pp. 225-231.

Allison, R.B., « Multiple Personality and Criminal Behavior », *American Journal of Forensic Psychiatry* 2 (1981-82), pp. 32-38.

SUR INTERNET

The Sidram Foundation Online
http :/www. users. mis. net/patmc

International Society for the Study of Dissociation
E-mail : into@issd. org

Cet ouvrage a été réalisé par la
SOCIÉTÉ NOUVELLE FIRMIN-DIDOT
Mesnil-sur-l'Estrée
pour le compte des Éditions Grasset
en avril 2000

Imprimé en France
Dépôt légal : avril 2000
N° d'édition : 11508 - N° d'impression : 51115
ISBN : 2-246-57941-4
ISSN : 1263-9559